Anne Buscha ♦ Szilvia Szita

Begegnungen

Deutsch als Fremdsprache

Integriertes Kurs- und Arbeitsbuch

Sprachniveau A1+

Mit Zeichnungen von Jean-Marc Deltorn

SCHUBERT-Verlag
Leipzig

Die Autorinnen von **Begegnungen** sind Lehrerinnen am Goethe-Institut Niederlande und verfügen über langjährige Erfahrungen in Deutschkursen für fremdsprachige Lerner.

Bitte beachten Sie unser Internet-Angebot mit zusätzlichen Aufgaben und Übungen zum Lehrwerk unter:

www.aufgaben.schubert-verlag.de

Das vorliegende Lehrbuch beinhaltet einen herausnehmbaren Lösungsschlüssel sowie zwei CDs zur Hörverstehensschulung.

Hörtext auf CD (z. B. CD 1, Nr. 2)

Zeichnungen: Jean-Marc Deltorn
Fotos: Andreas Buscha, Diana Becker
Layout und Satz: Diana Becker

Die Hörmaterialien auf den CDs wurden gesprochen von:
Burkhard Behnke, Claudia Gräf, Judith Kretzschmar, Axel Thielmann

2., unveränderte Auflage 2013

Printed in Germany
ISBN: 978-3-929526-86-8

Inhaltsverzeichnis

Kursübersicht

Kapitel 1 — Guten Tag

Sprachliche Handlungen	Begrüßen ♦ Sich und andere vorstellen ♦ Buchstabieren ♦ Zählen
Wortschatz	Angaben zur Person: Name, Alter, Familie ♦ Länder ♦ Städte ♦ Berufe ♦ Sprachen ♦ Hobbys ♦ Zahlen
Grammatik	Personalpronomen und Verben im Präsens ♦ Personalpronomen ♦ Aussagesätze ♦ Fragesätze ♦ Bestimmter Artikel ♦ Possessivartikel
Aussprache	Die Satzmelodie ♦ Das Alphabet ♦ Die Laute sch [ʃ] und sp [ʃp] ♦ Diphthonge: ei [ai]
Fakultativ (Teil B)	Grafik: Die bevölkerungsreichsten Länder der Welt ♦ Das *WIE-VIELE*-Quiz ♦ Kurzinformationen über Deutschland, Österreich und die Schweiz

Kapitel 2 — Erste Kontakte am Arbeitsplatz

Sprachliche Handlungen	Gespräche mit Kollegen ♦ Die Büroeinrichtung und die Abteilungen beschreiben ♦ Nach Preisen fragen ♦ Über Freizeitaktivitäten sprechen
Wortschatz	Gegenstände im Büro ♦ Abteilungen ♦ Preisangaben ♦ Hobbys ♦ Zeitangaben: Tage
Grammatik	Nomengruppe im Nominativ: bestimmter und unbestimmter Artikel ♦ Possessivartikel ♦ Pronomen ♦ Verben im Präsens ♦ Modalverb: *können* ♦ Negation ♦ Lokale Präpositionen: *aus, in, bei, nach*
Aussprache	Der Wortakzent
Fakultativ (Teil B)	Was man alles sammeln kann ♦ Grafik: Die beliebtesten Sammelobjekte

Kapitel 3 — Unterwegs in München

Sprachliche Handlungen	Ein Hotelzimmer reservieren ♦ Sich im Hotel anmelden ♦ Probleme im Hotelzimmer benennen ♦ Sich in einer Stadt orientieren ♦ Informationen über Museen erfragen (Öffnungszeiten/Eintrittspreise)
Wortschatz	Hotel ♦ Wörter auf dem Stadtplan ♦ Sehenswürdigkeiten ♦ Zeitangaben: Uhrzeit, Tageszeit
Grammatik	Nomengruppe im Akkusativ ♦ Komposita ♦ Verben im Präsens ♦ Verben mit Akkusativ ♦ Modalverb: *möchte(n)* ♦ Temporale und lokale Präpositionen
Aussprache	*-er* [ɐ] im Auslaut ♦ Umlaute: ö [œ]; ü [ʏ]
Fakultativ (Teil B)	Die beliebtesten deutschen Städte ♦ München

Kapitel 4 — Essen und Trinken

Sprachliche Handlungen	Essen und Trinken bestellen ♦ Nahrungsmittel einkaufen ♦ Einfache Rezepte lesen ♦ Informationen über Essgewohnheiten geben und erfragen
Wortschatz	Frühstück ♦ Lebensmittel ♦ Verpackungen und Maße ♦ Anweisungen zum Kochen ♦ Essgewohnheiten ♦ Essen im Restaurant
Grammatik	Nomengruppe im Akkusativ ♦ Plural der Nomen ♦ Modalverb: *mögen* ♦ Präteritum von *sein* und *haben* ♦ Personalpronomen im Akkusativ
Aussprache	Diphthonge: eu, äu [ɔy], au [aʊ] ♦ Umlaute: ä [ɛ]
Fakultativ (Teil B)	Das *Essen-und-Trinken*-Quiz ♦ Die Kartoffel ♦ Zwei Rezepte mit Kartoffeln

Kapitel 5 — Alltag

Sprachliche Handlungen	Tagesablauf beschreiben • Arbeitstätigkeiten und Computerfunktionen benennen • Über Vergangenes berichten • Termine vereinbaren und absagen
Wortschatz	Tagesablauf • Tätigkeiten am Arbeitsplatz • Arbeit am Computer • Terminvereinbarung • Zeitangaben: Datum und Uhrzeit • Anrede und Grüße in Briefen
Grammatik	Trennbare und nicht trennbare Verben • Perfekt • Modalverben: *sollen* und *müssen* • Temporale Präpositionen
Aussprache	Der Wortakzent • Der Laut st [ʃt]
Fakultativ (Teil B)	Fernsehen im internationalen Vergleich • Können Sie ohne Fernseher leben?

Kapitel 6 — Reisen

Sprachliche Handlungen	Das Wetter beschreiben • Über Reiseziele sprechen • Gründe angeben • Sachen für den Urlaub benennen • Kleidung einkaufen • Sich nach Fahrkarten erkundigen • Über Urlaubserlebnisse berichten
Wortschatz	Wetter • Jahreszeiten • Monate • Reiseziele • Kleidung • Farben • Verkehrsmittel
Grammatik	Satzverbindungen: Konjunktionen • Modalverb: *wollen* • Imperativ • Verben mit Dativ • Personalpronomen im Dativ • Lokale Präpositionen: Richtungsangaben
Aussprache	Der Laut ch [ç]
Fakultativ (Teil B)	Grafik: Warum sie nicht verreisen • Urlaub und Geld

Kapitel 7 — Wohnen

Sprachliche Handlungen	Eine Wohnung und die Wohnlage beschreiben • Wohnungsanzeigen lesen • Gespräche mit einem Makler führen • Über Möbel und die Wohnungseinrichtung sprechen • Den Weg beschreiben • Die Hausordnung lesen
Wortschatz	Wohnung • Wohnlage • Umgebung der Wohnung • Möbel • Hausordnung
Grammatik	Lokalangaben im Dativ • Wechselpräpositionen • Verben mit Orts- und Richtungsangaben • Modalverb: *dürfen* • Komparation der Adjektive
Aussprache	Der Laut h [h]
Fakultativ (Teil B)	Wie wohnen die Deutschen?

Kapitel 8 — Begegnungen und Ereignisse

Sprachliche Handlungen	Gute Wünsche formulieren • Eine Einladung annehmen/absagen • Die wichtigsten Körperteile nennen • Einen Termin beim Arzt vereinbaren • Ratschläge zum Thema Gesundheit geben • Einfache Nachrichten verstehen
Wortschatz	Wünsche • Einladung • Körperteile • Einfache Nachrichtensprache
Grammatik	*werden* • Verben mit Dativ und Akkusativ • Modalverben im Präteritum • Vergangenheitsformen der Verben • Präpositionen: *zu, von, mit, für*
Aussprache	Komposita
Fakultativ (Teil B)	Grafik: Freie Tage in der EU • Die beliebteste Feier in Deutschland: die Weihnachtsfeier

Vorwort

Begegnungen A1⁺ ist ein modernes und kommunikatives Lehrwerk für den Anfängerunterricht. Es richtet sich an erwachsene Lerner, die auf schnelle und effektive Weise Deutsch lernen möchten. Das Lehrbuch berücksichtigt die sprachlichen, inhaltlichen und intellektuellen Anforderungen erwachsener Lerner bereits auf dem Niveau A1 des Europäischen Referenzrahmens für Sprachen.

Begegnungen A1⁺ bietet:

- **einen klar strukturierten Aufbau**

  Die acht Kapitel des Buches sind in jeweils vier Teile gegliedert:

  Teil A: Themen und Aufgaben (obligatorischer Teil)
  Dieser Teil umfasst Lese- und Hörtexte, Dialogübungen, Wortschatztraining, Grammatik- und Phonetikübungen zu einem Thema. Hier werden grundlegende Fertigkeiten einführend behandelt und trainiert.

  Teil B: Wissenswertes (fakultativer Teil)
  Im Teil B finden Sie landeskundliche Texte, Grafiken und Quizaufgaben als Sprechanlässe, die auf interessante Weise das Thema erweitern und landeskundliche Einblicke vermitteln. Teil B geht über die Anforderungen des Europäischen Referenzrahmens hinaus, ist aber durchaus bereits auf diesem sprachlichen Niveau zu bewältigen.

  Teil C: Übungen zu Wortschatz und Grammatik
  Dieser Teil ermöglicht mit zahlreichen Übungen die Vertiefung der Wortschatz- und Grammatikkenntnisse. Er enthält auch systematisierende Grammatikübersichten.

  Teil D: Rückblick
  Teil D besteht aus drei Komponenten: Redemittel, Verben und Selbstevaluation. Er dient zur Festigung des Gelernten und zur Motivation weiterzulernen.

- **die Integration von Lehr- und Arbeitsbuch in einem Band**

  Dadurch sind Vermittlung sowie Training und Übung des sprachlichen Materials eng miteinander verflochten. Das ist unkompliziert, praktisch und ermöglicht effektives Lernen.

- **eine anspruchsvolle Progression**

  Mit dem Buch gibt es keine Langeweile. Die Progression ist auf erwachsene Lerner abgestimmt, die erkennbare Lernerfolge erzielen möchten. Ein durchdachtes Wiederholungssystem sorgt für die Nachhaltigkeit der sprachlichen Fortschritte.

- **einen informativen Anhang**

  Der Anhang enthält Übersichten zur Grammatik, die zum Nachschlagen verwendet werden können, eine Redemittelliste sowie einen Vorbereitungstest auf die Sprachprüfung *Start Deutsch*.

Das Lehrwerk enthält außerdem einen herausnehmbaren Lösungsschlüssel sowie zwei Audio-CDs zur Schulung des Hörverstehens.

Die Reihe **Begegnungen** führt in drei Bänden zum Niveau B1 des Europäischen Referenzrahmens für Sprachen und zur Prüfung *Zertifikat Deutsch*. Die integrierten Lehr- und Arbeitsbücher mit beigefügten CDs werden ergänzt durch Lehrerhandbücher zu jedem Teil, die zahlreiche Arbeitsblätter und Tests zu den einzelnen Kapiteln enthalten, sowie Glossare. Außerdem werden vielfältige Zusatzmaterialien im Internet auf der Seite *www.begegnungen-deutsch.de* bereitgestellt.

Wir wünschen Ihnen viel Freude beim Lernen und Lehren.

Anne Buscha und Szilvia Szita

Begegnungen

Kapitel 1

Gutten Tag!

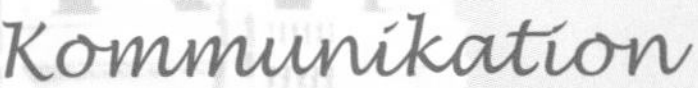

Kommunikation

- Begrüßen
- Sich und andere vorstellen
- Buchstabieren
- Zählen

Wortschatz

- Angaben zur Person: Name, Alter, Familie
- Länder
- Städte
- Berufe
- Sprachen
- Hobbys
- Zahlen

Sich vorstellen/Länder/Berufe

Guten Morgen! ⟶ *Guten Tag!/Hallo!* ⟶ *Guten Abend!*

A1 Hören und lesen Sie. 1.02

Guten Morgen.
Ich heiße Franziska Binder.
Ich bin 37 Jahre alt. Ich wohne in Wien.
Ich bin Lehrerin. Meine Muttersprache ist Deutsch.
Ich spreche auch Spanisch und Englisch.

Guten Tag.
Mein Name ist Peter Heinemann.
Ich bin 35 Jahre alt.
Ich komme aus Marburg. Ich bin Informatiker.
Meine Muttersprache ist Deutsch.
Ich lerne jetzt Japanisch.

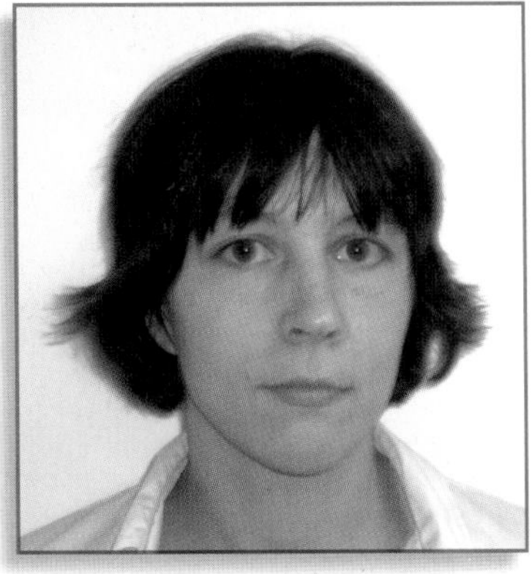

Hallo.
Mein Vorname ist Sarah. Mein Familienname ist Mounier. Ich bin 22 Jahre alt. Ich komme aus Frankreich. Ich bin Studentin. Ich studiere in Paris Medizin. Meine Muttersprache ist Französisch. Ich spreche sehr gut Englisch und ein bisschen Spanisch.

A2 Hören und wiederholen Sie.

Wie heißen Sie?	Ich heiße Franziska Binder.	Mein Name ist Peter Heinemann.
Wie ist Ihr Vorname?	Mein Vorname ist Franziska.	Mein Vorname ist Peter.
Wie ist Ihr Familienname?	Mein Familienname ist Binder.	Mein Familienname ist Heinemann.
Wie alt sind Sie?	Ich bin 37 Jahre alt.	Ich bin 35 Jahre alt.
Woher kommen Sie?	Ich komme aus Österreich.	Ich komme aus Deutschland.
Wo wohnen Sie?	Ich wohne in Wien.	Ich wohne in Marburg.
Was sind Sie von Beruf?	Ich bin Lehrerin.	Ich bin Informatiker.
Welche Sprachen sprechen Sie?	Meine Muttersprache ist Deutsch. Ich spreche auch Spanisch und Englisch.	Meine Muttersprache ist Deutsch. Ich lerne jetzt Japanisch.

A3 Hören und lesen Sie.

Ich komme aus: Italien • Frankreich • Schweden • Dänemark • Großbritannien • Polen • Russland • Spanien • Portugal • Brasilien • China • Japan • Belgien • Rumänien • Slowenien • Indien • Ungarn • Irland • Griechenland.

aber: Ich komme aus: der Türkei.
der Ukraine.
der Schweiz.
den USA.
den Niederlanden.

Und Sie? Woher kommen Sie? ....

A4 Woher kommen die Personen?

Fragen und antworten Sie. Hören Sie die Lösungen auf der CD.

W. A. Mozart = er
Madame Tussaud = sie

Woher kommt Wolfgang Amadeus Mozart?

Wolfgang Amadeus Mozart kommt aus Österreich.
Er kommt aus Österreich.

Woher kommt Madame Tussaud?

Madame Tussaud kommt aus Frankreich.
Sie kommt aus Frankreich.

Mozart

Chopin

Frankreich • China • Südafrika • Schweden • Polen • Österreich • Spanien • Russland • England • Deutschland • Italien • Indien • Chile • USA

Sigmund Freud
Albert Einstein
Leonardo da Vinci
William Shakespeare
Pablo Picasso
Leo Tolstoi
Alfred Nobel
Frédéric Chopin
Isabel Allende
Jean-Paul Sartre
Konfuzius
Nelson Mandela
Mahatma Gandhi
George Washington

Shakespeare

Washington

A5 Antworten Sie.

Wie heißen Sie? *Ich* ....
Wie ist Ihr Vorname? *Mein Vorname* ....
Wie ist Ihr Familienname? *Mein Familienname* ....
Woher kommen Sie? ....
Wo wohnen Sie? ....

A6 Phonetik: Satzmelodie 1.06

Hören und wiederholen Sie. Achten Sie auf die Satzmelodie.

Ich heiße Franziska Binder. ↘
Mein Name ist Peter Heinemann. ↘
Ich wohne in Marburg. ↘

Und Sie? ↗ Wie heißen Sie? ↗
Wo wohnen Sie? ↗

A7 Fragen Sie Ihre Nachbarin/Ihren Nachbarn.

Berichten Sie.

Wie heißen Sie? Wie heißt du?
Woher kommen Sie? Woher kommst du?
Wo wohnen Sie? Wo wohnst du?

Meine Nachbarin/Mein Nachbar heißt ....
Sie/Er kommt aus ....
Sie/Er wohnt in ....

Wie heißen Sie? *(formell)*
Wie heißt du? *(informell)*

meine Nachbarin = sie
mein Nachbar = er

Das Alphabet

A8 Hören und wiederholen Sie. 1.07

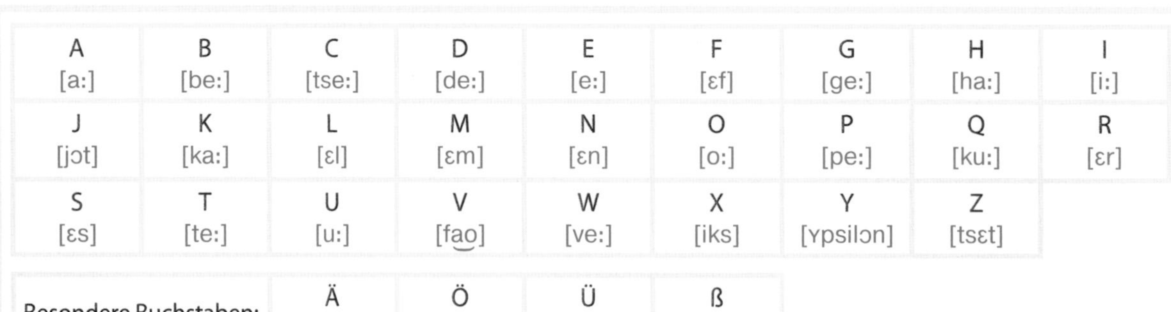

A [a:]	B [be:]	C [tse:]	D [de:]	E [e:]	F [ɛf]	G [ge:]	H [ha:]	I [i:]
J [jɔt]	K [ka:]	L [ɛl]	M [ɛm]	N [ɛn]	O [o:]	P [pe:]	Q [ku:]	R [ɛr]
S [ɛs]	T [te:]	U [u:]	V [fao̯]	W [ve:]	X [iks]	Y [ʏpsilɔn]	Z [tsɛt]	

Besondere Buchstaben:	Ä [ɛ:]	Ö [ø:]	Ü [y:]	ß [ɛstsɛt]

A9 Wie heißen die Leute? 1.08

Hören und schreiben Sie.

- *Müller*

1. ....
2. ....
3. ....
4. ....
5. ....
6. ....
7. ....

A10 In welchem Land ist die Stadt?

Fragen und antworten Sie. Buchstabieren Sie die Namen der Städte.

Düsseldorf ♦ München ♦ Paris ♦ Athen ♦ Bukarest ♦ Budapest ♦ Venedig ♦ Peking ♦ Wien ♦ Porto ♦ Stockholm ♦ London ♦ Brüssel ♦ Kopenhagen ♦ Köln

Woher kommen Sie? Ich komme aus Düsseldorf. Ich buchstabiere: *D-ü-s-s-e-l-d-o-r-f*

Wo ist Düsseldorf? Düsseldorf ist in Deutschland.

A11 Buchstabieren Sie.

Wie heißen Sie? *(Buchstabieren Sie Ihren Namen.)* ....

Woher kommen Sie? *(Buchstabieren Sie Ihre Heimatstadt.)* ....

In welchem Land ist Ihre Heimatstadt? *(Buchstabieren Sie Ihr Land.)* ....

A12 Hören und ergänzen Sie. 1.09

Ich bin	*Kellner*	*Kellnerin*
	....	Lehrerin
	Ingenieur	....
	Mathematiker	....
	....	Managerin
	....	Architektin
	....	Ärztin
	Student	....
	Taxifahrer	....
	Assistent	....

A13 Wie heißen die Berufe?

Ergänzen Sie die maskuline oder feminine Form.

Informatiker ♦ Ingenieur ♦ ~~Ärztin~~ ♦ Chemiker ♦ Musikerin ♦ Juristin ♦ Physiker ♦ Philosoph ♦ Malerin ♦ Journalist

♦ Ich studiere Medizin. *Später bin ich Arzt/Ärztin.*
1. Johann studiert Chemie. *Später ist er* ....
2. Marie studiert Jura. *Später ist sie* ....
3. Andreas studiert Informatik. ....
4. Ich studiere Ingenieurwesen. ....
5. Michael studiert Physik. ....
6. Ich studiere Philosophie. ....
7. Franziska studiert Malerei. ....
8. Anika studiert Musik. ....
9. Otto studiert Journalistik. ....

A14 Welche Berufe passen?

Ordnen Sie zu.

Architekt • Maler • Koch • Arzt • Ingenieur • Kommissar • Mechaniker • Kellner

1  ....

2  ....

3  ....

4  ....

5  ....

6 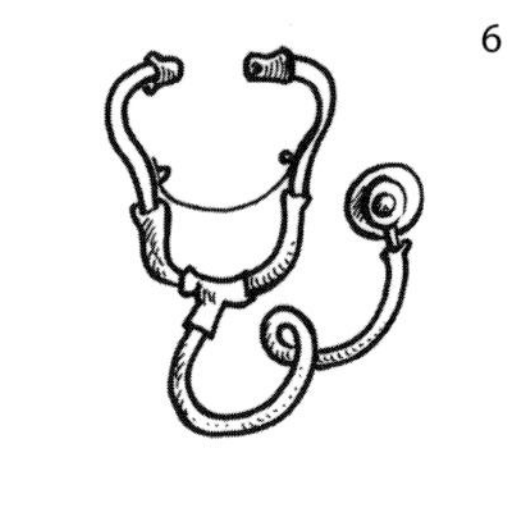 ....

7  ....

8  ....

Und Sie? Was sind Sie von Beruf? ....

A15 Finden Sie die Endungen.

⇨ Teil C Seite 25

		kommen	wohnen	heißen	sein
	ich	komm......	wohne	heiß......	bin
Singular	du	kommst	wohn......	heißt!	bist
	er/Peter	kommt	wohn......	heiß......	ist
	sie/Sarah	komm......	wohn......	heiß......	ist
Plural	sie	komm......	wohnen	heiß......	sind
formell	Sie	komm......	wohn......	heißen	sind

A16 Ergänzen Sie.

- Frau Binder *wohnt* in Berlin. *(wohnen)*

1. Sarah .... aus Frankreich. *(kommen)*
2. Ich .... Rudi Zöllner. *(heißen)*
3. Wie .... du? *(heißen)*
4. Herr Heinemann .... Informatiker. *(sein)*
5. Sarah und Gilles .... in Paris. *(wohnen)*
6. Woher .... Sie? *(kommen)*
7. Was .... Sie von Beruf? *(sein)*
8. Ich .... Lehrerin. *(sein)*
9. Wo .... du? *(wohnen)*
10. Ich .... Medizin. *(studieren)*
11. Wie .... Sie? *(heißen)*
12. Woher .... du? *(kommen)*

Sprachen und Länder

A17 Ordnen Sie die Sprachen zu.

Lesen Sie laut.

Portugiesisch • Englisch • Arabisch • Russisch • Türkisch • Rumänisch • Ungarisch • Griechisch • Polnisch • Japanisch • Tschechisch • Chinesisch • Französisch • Spanisch

In	Spanien	spricht man	*Spanisch.*
In	Griechenland	spricht man	....
In	Russland	spricht man	....
In	Japan	spricht man	....
In	Tschechien	spricht man	....
In	Ungarn	spricht man	....
In	China	spricht man	....
In	Großbritannien	spricht man	....
In	Polen	spricht man	....
In	Mexiko	spricht man	....
In	Portugal	spricht man	....
In den	USA	spricht man	....
In	Rumänien	spricht man	....
In der	Türkei	spricht man	....
In	Tunesien	spricht man	....
In	Kanada	spricht man	....
In	Algerien	spricht man	....

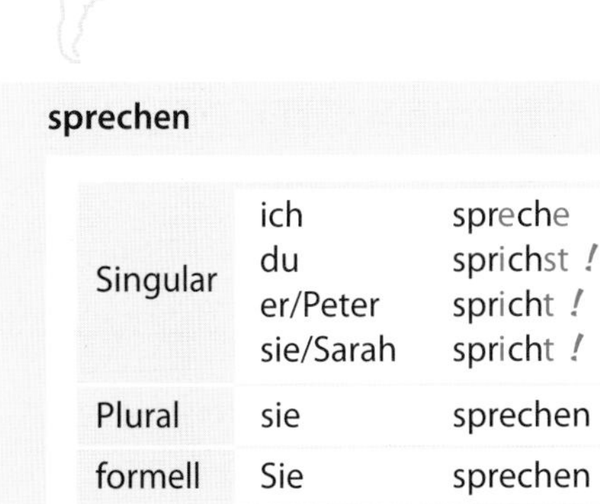

sprechen

Singular	ich du er/Peter sie/Sarah	spreche sprichst ! spricht ! spricht !
Plural	sie	sprechen
formell	Sie	sprechen

A18 Phonetik: sch [ʃ] und sp [ʃp] 1.10

Hören und wiederholen Sie.

sch [ʃ]	sp [ʃp]
Schweden – die Schweiz	sprechen – Spanisch – Sprache – Spanien
Russisch – Englisch – Arabisch – Rumänisch Türkisch – Polnisch – Französisch – Ungarisch	Was ist Ihre Muttersprache? ↗ Welche Sprachen sprechen Sie? ↗ Sprechen Sie Spanisch? ↗ Sprichst du Polnisch? ↗

A19 Antworten Sie.

Sprechen Sie Spanisch?	*Nein, leider nicht.* *Ich spreche nur Deutsch und Englisch.* *Ja, ich spreche gut (ein bisschen) Spanisch.*
Sprichst du Türkisch?	*Nein, leider nicht. Ich* ....
Spricht Maria Schwedisch?	*Ja,* ....
Spricht Paul Japanisch?	*Ja,* ....
Sprichst du Französisch?	*Nein,* ....
Spricht Frau Müller Polnisch?	*Nein,* ....
Sprichst du Russisch?	*Ja,* ....
Sprechen Sie Griechisch?	*Ja,* ....
Sprichst du Deutsch?	*Ja,* ....
Sprechen Klaus und Marie Arabisch?	*Nein,* ....

Ich spreche
sehr gut
gut
ein bisschen
Spanisch

Antworten Sie.

Fragen Sie Ihre Nachbarin/Ihren Nachbarn.

Welche Sprachen sprichst du? Welche Sprachen sprechen Sie?
Was ist deine Muttersprache? Was ist Ihre Muttersprache?

Ich komme aus ....
Meine Muttersprache ist ....
Ich spreche auch .... und ....

Mein Nachbar kommt aus ....
Seine Muttersprache ist ....
Er spricht auch .... und ....

Meine Nachbarin kommt aus ....
Ihre Muttersprache ist ....
Sie spricht auch .... und ....

Possessivartikel ⇨ Teil C Seite 29

ich	→	meine	Muttersprache
du	→	deine	Muttersprache
er	→	seine	Muttersprache
sie	→	ihre	Muttersprache
Sie	→	Ihre	Muttersprache

A21 Phonetik: Diphthonge – ei [ai]

Hören und wiederholen Sie.

ein – heißen – mein – dein – Heinemann – Heimatstadt – Schweiz – Malerei – Türkei

Wie heißen Sie? ↗	Ich heiße Peter Heinemann. ↘
Was ist deine Muttersprache? ↗	Meine Muttersprache ist Deutsch. ↘
Meine Heimatstadt ist Bern. ↘	Ich komme aus der Schweiz. ↘
Mein Nachbar heißt Pedro. ↘	Er studiert Malerei. ↘
Ich komme aus der Türkei. ↘	Meine Muttersprache ist Türkisch. ↘

[ai]

Aus welchen Ländern kommen diese Flugzeuge?

Flug 4477	Barcelona	*Das Flugzeug kommt aus Spanien.*
Flug 4923	Kopenhagen	....
Flug 4139	Tokio	....
Flug 051	Hamburg	....
Flug 3143	Oslo	....
Flug 3459	Budapest	....
Flug 952	London/Heathrow	....
Flug 8525	Thessaloniki	....
Flug 3969	Istanbul	....
Flug 9867	Peking	....
Flug 7465	Lissabon	....
Flug 2341	Athen	....
Flug 9345	Neu-Delhi	....
Flug 6574	Stockholm	....
Flug 657	Amsterdam	....
Flug 7932	Warschau	....

Die Zahlen

A23 Hören und wiederholen Sie. 1.12

0	null	10	zehn	20	zwanzig
1	eins	11	elf	21	einundzwanzig
2	zwei	12	zwölf	22	zweiundzwanzig
3	drei	13	dreizehn	23	dreiundzwanzig
4	vier	14	vierzehn	24	vierundzwanzig
5	fünf	15	fünfzehn	25	fünfundzwanzig
6	sechs	16	sechzehn !	26	sechsundzwanzig
7	sieben	17	siebzehn !	27	siebenundzwanzig
8	acht	18	achtzehn	28	achtundzwanzig
9	neun	19	neunzehn	29	neunundzwanzig
30	dreißig	70	siebzig !	101	einhundert(und)eins
40	vierzig	80	achtzig	121	einhunderteinundzwanzig
50	fünfzig	90	neunzig	1000	eintausend
60	sechzig !	100	(ein)hundert	10000	zehntausend

A24 Hören Sie. 1.13

Notieren Sie die Zahlen.

Flug *4077* aus Florenz landet in *10* Minuten.
Flug .... aus Toulouse landet in .... Minuten.
Flug .... aus Moskau landet in .... Minuten.
Flug .... aus Zürich landet in .... Minuten.
Flug .... aus Warschau landet in .... Minuten.
Flug .... aus Porto landet in .... Minuten.

A25 Sprechen und hören Sie die folgenden Zahlen. 1.14

5	13	22	7	3	12	15	26	30	34	42	1	80
19	8	6	70	77	100	2	109	53	64	82	43	91

A26 Welche Telefonnummer hat …?

Nennen Sie die Telefonnummern. Spielen Sie kleine Dialoge.

die Polizei 110 • die Feuerwehr 112 • der Notarzt 112 • die Auskunft 11833 • Petra 99 64 58 • Steffi 76 54 83 • Herr Lange 88 98 64 • Frau Kirsch 24 53 67 • Frau Hirsch 87 63 20 • Herr Edel 53 74 16 • Ihre Nachbarin/Ihr Nachbar

Welche Telefonnummer hat Herr Meier?

Herr Meier hat die Nummer *23 94 75.*
zwei - drei - neun - vier - sieben - fünf oder
dreiundzwanzig - vierundneunzig - fünfundsiebzig

Welche Telefonnummer hat Frau Körner?

Frau Körner hat die Nummer *56 12 43.*
fünf - sechs - eins - zwei - vier - drei oder
sechsundfünfzig - zwölf - dreiundvierzig

A27 Sind die Zahlen richtig? 1.15

	ja	nein	Korrektur		ja	nein	Korrektur
♦ 542	❐	✗	524	5. 20837	❐	❐	....
1. 75	❐	❐	....	6. 9645	❐	❐	....
2. 685	❐	❐	....	7. 767	❐	❐	....
3. 1453	❐	❐	....	8. 10765	❐	❐	....
4. 23	❐	❐	....	9. 13986	❐	❐	....

A28 Wie viel ist …?

Kleine Mathematikstunde. Rechnen Sie.

+ plus / – minus / = ist (gleich)

♦ 7 + 3 = *zehn (sieben plus drei ist zehn)*
1. 9 – 5 = ...
2. 15 – 8 = ...
3. 24 + 17 = ...
4. 12 + 12 = ...
5. 38 – 18 = ...
6. 7 + 14 = ...
7. 6 + 15 = ...
8. 43 – 13 = ...
9. 30 – 18 = ...
11. 77 – 53 = ...
12. 93 – 40 = ...

A29 Woher kommt das Auto?

Lesen Sie die Autokennzeichen.

♦ L – DB 9999	♦ B – CP 2231	♦ S – AA 4113
♦ M – HK 3850	♦ H – MM 7683	♦ EF – KJ 581
♦ BN – BL 393	♦ F – TE 2544	♦ HH – CL 6622
♦ DD – BH 1313	♦ N – MA 770	♦ D – GL 5454

das Auto = es

Das Auto hat das Kennzeichen L - DB 9999.
Es kommt aus Leipzig.

A30 Markieren Sie die Verben. 1.16

Hören und lesen Sie den Dialog.

Sind Sie Herr Meier?	Nein. Mein Name *ist* Conrad Müller.
Woher kommen Sie?	Ich komme aus Berlin.
Studieren Sie in Berlin?	Ja. Ich studiere in Berlin Medizin.
Wie alt sind Sie?	Ich bin 25 Jahre alt.
Sprechen Sie Englisch?	Ja. Ich spreche ein bisschen Englisch.

A31 Ergänzen Sie die Verben.

⇨ Teil C Seite 28

Aussagesätze

I.	II.	III.
Mein Name	....	Conrad Müller.
Ich	....	aus Berlin.
In Frankreich	....	man Französisch.

Das Verb steht auf Position ....

Fragesätze: W-Frage

I.	II.	III.
Woher	....	Sie?
Wie alt	....	Sie?
Wie	....	Sie?

Das Verb steht auf Position ....

Ja-Nein-Frage

I.	II.	III.
....	Sie	Englisch?
....	du	in Berlin?
....	er	Medizin?

Das Verb steht auf Position ....

A32 Bilden Sie Sätze.

- aus Griechenland – kommen – ich — *Ich komme aus Griechenland.*
1. wohnen – er – in Madrid ....
2. du – verheiratet – sein? ....
3. Spanisch – sprechen – ich ....
4. wo – du – wohnen? ....
5. Sie – sein – von Beruf – was? ....
6. Jean – in London – Informatik – studieren ....

A33 Wie heißt die Frage?

- 
Wie heißen Sie?/Wie heißt du?
Max Becker.
1. .... Ich bin 26 Jahre alt.
2. .... Ich komme aus Deutschland.
3. .... In Hamburg.
4. .... Elektronikingenieur.
5. .... Ja, ich spreche ein bisschen Spanisch.

Personen und Hobbys

A34 Hören und lesen Sie. 1.17

Das ist Maximilian, der Sohn von Hans und Susanne, der Bruder von Marie. Er ist vier Jahre alt und spielt gern Fußball.

Das ist Susanne. Sie ist die Frau von Hans und die Mutter von Maximilian und Marie. Sie arbeitet als Managerin bei BASF. Sie liest gern Kriminalromane.

Das ist Marie, die Tochter von Hans und Susanne, die Schwester von Maximilian. Sie ist acht Jahre alt und singt im Chor.

Das ist Hans Behrens. Er arbeitet als Chemiker bei BASF in Ludwigshafen. Er ist verheiratet mit Susanne und hat zwei Kinder. Seine Hobbys sind Tennis spielen und Briefmarken sammeln.

Das ist der Bruder von Hans. Er heißt Martin. Er studiert Informatik in Bremen. Er spricht sehr gut Englisch und schreibt gern Computerprogramme. Martin ist ledig.

Das ist Marta, die Schwester von Hans. Sie ist geschieden. Sie arbeitet als Mathematiklehrerin. Sie spielt sehr gut Gitarre und hört gern Popmusik.

A35 Ergänzen Sie die Informationen.

Maximilian

Alter: ....

Hobbys: *Fußball spielen*

Hans

Familienstand: *verheiratet*

Beruf: ....

Hobbys: ....

Marta

Familienstand: ....

Beruf: ....

Hobbys: ....

Marie

Alter: ....

Hobbys: ....

Susanne

Familienstand: ....

Beruf: ....

Hobbys: ....

Martin

Familienstand: ....

Beruf: *Student*

Hobbys: ....

A36 Ergänzen Sie.

Geschwister:	Hans *(der Bruder)* + Marta (*die Schwester*) + Martin *(der Bruder)*
Ehepartner:	Hans *(der Mann)* + Susanne (...............................)
Eltern:	Hans *(der Vater)* + Susanne (...............................)
Kinder:	Maximilian *(der Sohn)* + Marie (...............................)

A37 Kombinieren Sie.

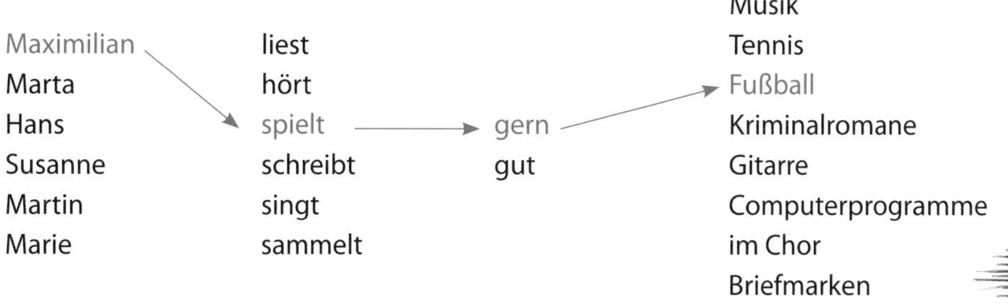

			Musik
Maximilian	liest		Tennis
Marta	hört		Fußball
Hans	spielt	gern	Kriminalromane
Susanne	schreibt	gut	Gitarre
Martin	singt		Computerprogramme
Marie	sammelt		im Chor
			Briefmarken

A38 Finden Sie die Endungen.

⇨ Teil C Seite 25

		singen	spielen	lesen
Singular	ich	sing......	spiel......	les......
	du	sing......	spiel......	lie*st* !
	er/sie/es	sing......	spiel......	lies...... !
Plural	wir	sing*en*	spiel*en*	les*en*
	ihr	sing*t*	spiel*t*	les*t*
	sie	sing......	spiel......	les*en*
formell	Sie	sing......	spiel*en*	les......

A39 Antworten und fragen Sie.

gern = gerne

a) Antworten Sie.

- Spielst du gern Tischtennis?
  Ja, ich spiele gern Tischtennis.

  Spielt ihr gern Tischtennis?
  Nein, wir spielen nicht gern Tischtennis.
  Wir spielen lieber Volleyball.

1. Spielt ihr gern Fußball? Nein, ...
2. Spielst du gern Tennis? Ja ...
3. Spielt ihr gern Basketball? Ja, ...
4. Spielt ihr gern Hockey? Nein, ...
5. Spielst du gern Gitarre? Nein, ...
6. Spielt ihr gern Bowling? Ja, ...
7. Spielst du gern Trompete? Ja, ...
8. Spielt ihr gern Tennis? Nein, ...

b) Fragen Sie.

- Liest du gerne Liebesromane?
  Ja, ich lese gerne Liebesromane.

  Lest ihr gerne Liebesromane?
  Nein, wir lesen lieber Kriminalromane.

1. ....?
   Ja, wir lesen gerne Geschichtsromane.
2. ....?
   Nein, ich lese lieber Abenteuerromane.
3. ....?
   Nein, wir lesen lieber Gedichte.
4. ....?
   Ja, ich lese gerne Kochbücher.
5. ....?
   Ja, wir lesen gerne Biographien.

Wissenswertes

A40 Berichten Sie.

Fragen Sie Ihre Nachbarin, Ihren Nachbarn.

Mein(e) Nachbar(in)

Name:

Beruf:

Wohnort:

Telefonnummer:

E-Mail-Adresse:

Sprachen:

Hobbys (Musik, Sport, Lektüre):

A41 Beantworten Sie diese Fragen.

Berichten Sie über eine Person in Ihrer Familie.

Was macht er/sie?	
Wo wohnt/arbeitet/studiert er/sie?	Mein Sohn/meine Tochter …
Wie alt ist er/sie?	Mein Vater/meine Mutter …
Welche Hobbys hat er/sie?	Mein Bruder/meine Schwester …
Welche Sprachen spricht er/sie?	Mein Mann/meine Frau …

A42 Schreiben Sie Sätze.

Franz	*Das ist Franz.*
Student	*Er* ....
Journalistik	....
Berlin	....
Deutsch	....
Französisch und Englisch	....
Tennis spielen, sehr gut	....
Romane lesen, gern	....

Wissenswertes *(fakultativ)*

1 000	eintausend
10 000	zehntausend
100 000	(ein)hunderttausend
1 000 000	eine Million
10 000 000	zehn Millionen
100 000 000	(ein)hundert Millionen
1 000 000 000	eine Milliarde

B1 Wo wohnen die meisten Menschen?

In China wohnen heute
1 (eine) Milliarde 304 (dreihundertvier) Millionen Menschen.

Im Jahre 2050 (zweitausendfünfzig) leben wahrscheinlich
1 (eine) Milliarde 394 (dreihundertvierundneunzig) Millionen Menschen in China.

Die bevölkerungsreichsten Länder der Welt (Einwohner in Millionen)

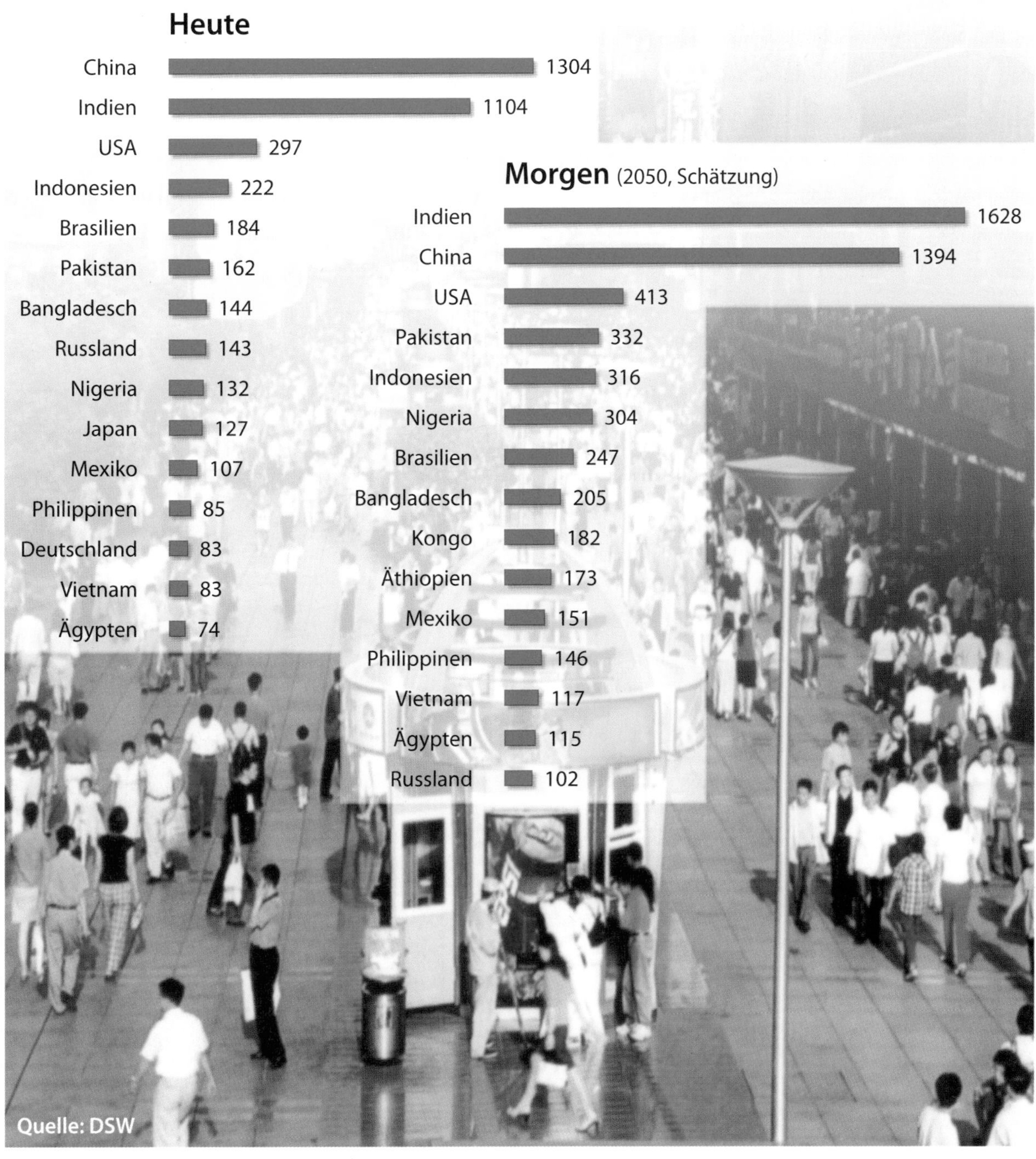

B2 Das *WIE-VIELE-Quiz*

Wissen Sie das? Diskutieren Sie das mit Ihrer Nachbarin/Ihrem Nachbarn.

Verwenden Sie dafür: ich denke • ich glaube • vielleicht

1. Wie viele Bundesländer hat Deutschland?

A: 10
C: 31
B: 16
D: 12

Ich glaube, Deutschland hat .... Bundesländer.

⇨ Deutschlandkarte

2. Wie viele Sprachen spricht man in der Welt?

A: ca. 400
C: ca. 6500
B: ca. 2000
D: ca. 8000

Ich denke, man spricht in der Welt .... Sprachen.

ca. = zirka

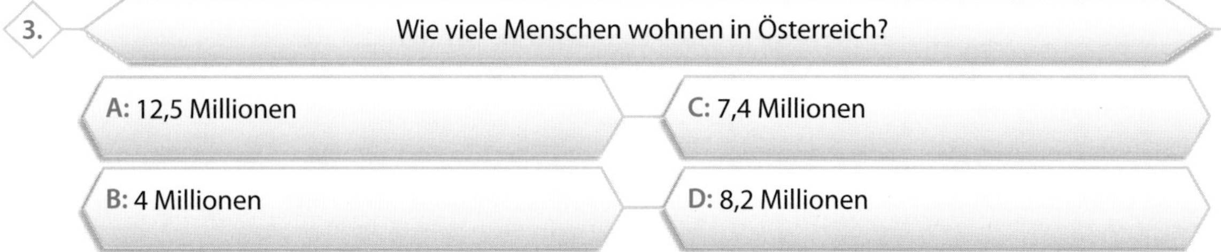

3. Wie viele Menschen wohnen in Österreich?

A: 12,5 Millionen
C: 7,4 Millionen
B: 4 Millionen
D: 8,2 Millionen

Ich glaube, in .... wohnen .... Menschen.

8,2 = acht Komma zwei

4. Wie viele Amtssprachen hat die Schweiz?

A: 2 (Deutsch und Französisch)

B: 3 (Deutsch, Französisch und Italienisch)

C: 4 (Deutsch, Französisch, Italienisch, Rätoromanisch)

D: 5 (Deutsch, Französisch, Italienisch, Rätoromanisch, Englisch)

Ich denke, die Schweiz hat .... Amtssprachen.

Amtssprache = offizielle Sprache

5. Wie viele Menschen wohnen in Berlin?

A: 1,5 Millionen

B: 3,5 Millionen

C: 6 Millionen

D: 10 Millionen

Vielleicht wohnen in Berlin .... Menschen.

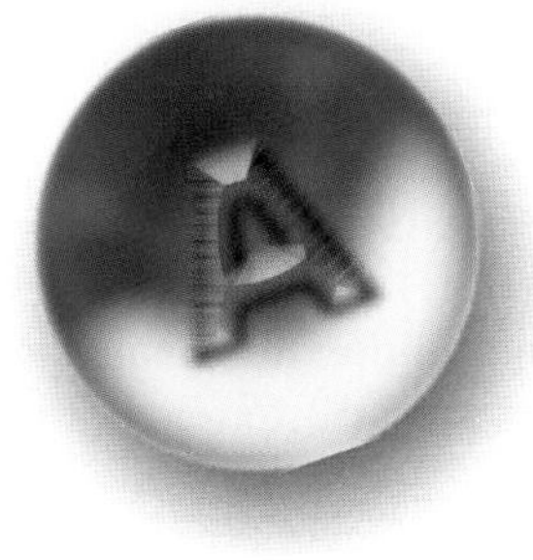

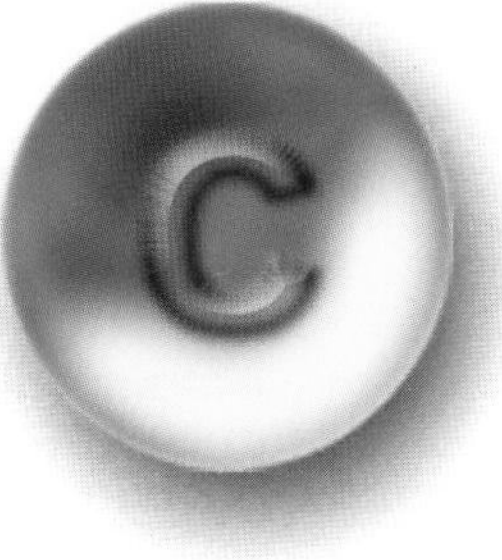

6. Wie viele Buchstaben hat das deutsche Alphabet (ohne besondere Buchstaben)?

A: 22

B: 24

C: 26

D: 32

Ich glaube, das deutsche Alphabet hat .... Buchstaben.

7. Wie viele Millionenstädte hat Deutschland?

A: 2 (Berlin und Hamburg)

B: 4 (Berlin, Hamburg, München und Köln)

C: 6 (Berlin, Hamburg, München, Köln, Frankfurt und Dortmund)

D: 7 (Berlin, Hamburg, München, Köln, Frankfurt, Dortmund und Leipzig)

Ich denke, Deutschland hat .... Millionenstädte.

B3 Hören und lesen Sie die Informationen. 1.18

Deutschland hat 82,4 Millionen Einwohner und 16 Bundesländer. Die Hauptstadt ist Berlin. In Deutschland gibt es nur eine Amtssprache: Deutsch. Die drei größten Städte sind Berlin, Hamburg und München. Seit 1871 ist Deutschland ein Nationalstaat. Sehr wichtig für Deutschland ist die deutsche Wiedervereinigung 1990.

Österreich hat 8,2 Millionen Einwohner und neun Bundesländer. Die Hauptstadt ist Wien. In Wien wohnen 1,5 Millionen Menschen. Österreich hat eine Amtssprache: Deutsch und drei Regionalsprachen: Kroatisch, Slowenisch und Ungarisch. Seit 1918 ist Österreich eine Republik.

Die Schweiz ist über 800 Jahre alt. Sie hat 26 Kantone (= Bundesländer) und 7,5 Millionen Einwohner. Die Hauptstadt ist Bern. Die Schweiz hat vier Amtssprachen: Etwa 70 Prozent der Einwohner sprechen Deutsch, etwa 20 % Französisch, etwa 10 % Italienisch und 1 % spricht Rätoromanisch.

B4 Berichten Sie über Ihr Heimatland.

Einwohner: ....

Hauptstadt: ....

Sprachen: ....

..........................: ....

....

Personalpronomen und Verben im Präsens

Singular			
1. Person	ich		wohne
2. Person	du		wohnst
3. Person	er	*(Peter)*	wohnt
	sie	*(Sarah)*	
	es	*(das Kind)*	
	man	*(allgemein)*	

Plural		
1. Person	wir	wohnen
2. Person	ihr	wohnt
3. Person	sie	wohnen

Anrede mit Sie *(formell)*		
Sg. + Pl.	Sie	wohnen

Im Präsens haben fast alle Verben die Endungen: Singular: -e -st -t
Plural: -en -t -en

		singen	kommen	lernen	spielen	arbeiten	heißen
Singular	ich	singe	komme	lerne	spiele	arbeite	heiße
	du	singst	kommst	lernst	spielst	arbeitest !	heißt !
	er/sie/es	singt	kommt	lernt	spielt	arbeitet !	heißt
Plural	wir	singen	kommen	lernen	spielen	arbeiten	heißen
	ihr	singt	kommt	lernt	spielt	arbeitet !	heißt
	sie	singen	kommen	lernen	spielen	arbeiten	heißen
formell	Sie	singen	kommen	lernen	spielen	arbeiten	heißen

Verben auf -t/-d: e + Endung (du arbeitest/er arbeitet)
Verben auf -ß/-s: 2. Person Singular = 3. Person Singular (du heißt/er heißt)

Achtung!

		sein	e ⟶ ie/i	
			lesen	sprechen
Singular	ich	bin	lese	spreche
	du	bist	liest !	sprichst !
	er/sie/es	ist	liest !	spricht !
Plural	wir	sind	lesen	sprechen
	ihr	seid	lest	sprecht
	sie	sind	lesen	sprechen
formell	Sie	sind	lesen	sprechen

C1 Was passt?

- Wie *heißen* Sie? ☒ heißen ☐ heißt ☐ heiße
1. Er .... Betriebswirtschaft. ☐ studierst ☐ studieren ☐ studiert
2. Wo .... Sarah? ☐ wohne ☐ wohnt ☐ wohnst
3. Was bist .... von Beruf? ☐ du ☐ Sie ☐ ich
4. Woher .... Sie? ☐ kommen ☐ komme ☐ kommt
5. Frau Binder .... Lehrerin. ☐ bin ☐ sind ☐ ist

C2 Was passt hier?

1.	.... kommt aus Italien.	❐ Mein Nachbar	❐ Ich	❐ Du
2.	Ich .... in Berlin.	❐ wohnen	❐ wohne	❐ wohnst
3.	Meine Nachbarin .... Serena.	❐ heiße	❐ heißt	❐ heißen
4.	.... du Deutsch?	❐ Lernst	❐ Lernen	❐ Lernt
5.	Sarah und Gilles .... in Paris.	❐ studiert	❐ studiere	❐ studieren

C3 Ergänzen Sie die Verben.

Hallo, ich heiße Conrad Kremer. Und Sie?
Wie .... Sie? *(heißen)*

Mein Name .... Serena Rosso. *(sein)*

.... Sie aus Italien? *(kommen)*

Ja, ich .... aus Mailand. *(kommen)*

.... Sie in Frankfurt? *(wohnen)*

Nein, ich .... in Berlin.
Und Sie? Wo .... Sie? *(wohnen 2 x)*

Ich .... in Frankfurt. *(wohnen)*
.... Sie in Berlin? *(studieren)*

Ja, ich .... Chemie. *(studieren)*

Sie .... sehr gut Deutsch. *(sprechen)*

Ich .... auch Englisch und Französisch. *(sprechen)*

C4 Ergänzen Sie die Verben.

sprechen • schreiben • ~~arbeiten~~ • lesen • spielen (2 x) • hören • singen • sammeln • sein

- Susanne *arbeitet* als Sekretärin bei BASF.

1. Marta .... gut Gitarre.
2. Marie .... im Chor.
3. Martin .... sehr gut Englisch
   und .... gern Computerprogramme.
4. Hans .... Briefmarken.
5. Maximilian .... der Sohn von Hans und Susanne.
6. Marie .... gern Musik.
7. Susanne .... gern Kriminalromane.
8. Maximilian .... gern Fußball.

singen
arbeiten
lesen

C5 Ergänzen Sie die Verben.

a) sprechen

- Welche Sprachen *sprichst* du?

1. .... Paul Französisch?
2. Wir .... alle gut Englisch.
3. .... ihr auch Englisch?
4. Jutta und Karl .... ein bisschen Russisch.
5. Meine Schwester .... Polnisch und Deutsch.
6. Welche Sprachen .... Sie?

b) lesen

1. Ich .... gern Kriminalromane.
2. Was .... du gern?
3. Frau und Herr Krause .... gern Gedichte.
4. Meine Mutter .... gern Liebesromane.
5. Mein Vater .... Geschichtsromane.
6. .... Sie auch gern Geschichtsromane?

c) arbeiten

- Klaus *arbeitet* in Berlin.

1. Wir .... bei Siemens.
2. Wo .... Sie?
3. Hans Behrens .... bei BASF.
4. .... du auch bei BASF?
5. Marta .... als Lehrerin.
6. Ich .... nicht gern.

d) sein

1. Ich .... Studentin.
2. Hans Behrens .... Chemiker.
3. Susanne Behrens .... Managerin.
4. Was .... Sie von Beruf?
5. .... ihr Studenten?
6. .... du Informatiker?

C6 Hören Sie. 1.19

Ergänzen Sie die Sätze.

1. Sandra kommt aus *Schweden*.
   Sie .... jetzt in Hamburg und .... dort Medizin.
   Sie ist ....
   Sie .... gern Volleyball, liest gern Kriminal..........................

2. Paolo kommt .... Spanien.
   .... wohnt jetzt in ....
   Dort .... er als Ingenieur bei Siemens.
   Paolo spielt gern ....

3. Klaus wohnt .... Berlin.
   Er .... Journalist.
   Klaus ist .... und hat .... Kinder.
   Er .... Gedichte.

4. Franziska wohnt in ....
   Sie ist ....
   Sie ist ....
   Sie hört .... Musik und singt
   im ....

Satzbau

Aussagesätze

I.	II.	III.
Mein Name	ist	Conrad Müller.
Sarah	studiert	in Paris Medizin.
Ich	lerne	jetzt Deutsch.
Jetzt	lerne	ich Deutsch.
In Spanien	spricht	man Spanisch.
Später	bin	ich Architektin.

Das Verb steht auf Position II.

Fragesätze: W-Frage

I.	II.	III.
Woher	kommen	Sie?
Wie	heißen	Sie?
Welche Telefonnummer	hat	Ihr Sohn?

Das Verb steht auf Position II.

Ja-Nein-Frage

I.	II.	III.
Sprechen	Sie	Deutsch?
Studierst	du	in Berlin?

Das Verb steht auf Position I.

C7 Bilden Sie Sätze.

- in Berlin – wohnen – ich ... Ich *wohne* in Berlin.

1. aus Spanien – Miguel – kommen? ....
2. Kerstin – Französisch und Englisch – sprechen ....
3. Deutsch – ich – lernen – jetzt ....
4. du – kommen – woher? ....
5. von Beruf – was – Sie – sein? ....
6. wohnen – wir – in Berlin. ....
7. arbeiten – Giovanni – als Journalist ....
8. Fußball – spielen – du – gern? ....
9. hören – Marie – gern – Musik ....
10. ihr – hören – auch gern – Musik? ....
11. Peter – Briefmarken – sammeln ....
12. er – nicht gern – lesen – Liebesromane ....
13. Liebesromane – du – gern – lesen? ....
14. Tischtennis – spielen – ihr – gern? ....
15. studieren – in München – wir – Medizin ....

C8 Schreiben Sie kurze Texte.

a) Anna Tatzikowa ♦ Moskau ♦ München ♦ Medizin ♦ Russisch ♦ Englisch ♦ ledig ♦ Tennis spielen ♦ Musik hören

b) Paul Ehrlicher ♦ Leipzig ♦ Kriminalkommissar ♦ geschieden ♦ zwei Kinder ♦ Englisch ♦ Gitarre spielen ♦ singen

c) Petra Sommer ♦ Frankfurt ♦ Lehrerin ♦ verheiratet ♦ Deutsch ♦ Englisch ♦ Spanisch ♦ Italienisch lernen ♦ Gedichte schreiben

C9 Wie heißen die Fragewörter?

wie ♦ was ♦ wo ♦ woher ♦ welche

♦ *Wie* heißen Sie?
1. .... kommen Sie?
2. .... wohnst du?
3. .... sind Sie von Beruf?
4. .... alt ist Ihre Tochter?
5. .... ist deine Muttersprache?
6. .... Sprachen sprechen Ihre Kinder?
7. .... ist dein Hobby?
8. .... ist deine Telefonnummer?
9. .... studieren Sie?
10. .... kommt Pedro?
11. .... heißt du?
12. .... arbeitet Hans Behrens?

Die Nomengruppe

Der bestimmte Artikel

Singular			Plural
maskulin	feminin	neutral	
der Name	die Telefonnummer	das Kind	die Kinder

Der Possessivartikel

		Singular			Plural
		maskulin	feminin	neutral	
Singular	ich und	mein Vater	meine Mutter	mein Kind	meine Freunde
	du und	dein Vater	deine Mutter	dein Kind	deine Freunde
	er und	sein Vater	seine Mutter	sein Kind	seine Freunde
	sie und	ihr Vater	ihre Mutter	ihr Kind	ihre Freunde
Plural	sie und	ihr Vater	ihre Mutter	ihr Kind	ihre Freunde
formell	Sie und	Ihr Vater	Ihre Mutter	Ihr Kind	Ihre Freunde

Nomengruppe

C10 Ergänzen Sie.

du

Ist das	*deine*	Schwester?
	....	Bruder?
	....	Vater?
	....	Mutter?
	....	Tochter?
	....	Sohn?
	....	Mann?
	....	Frau?

ich

Ja, das ist	....	Schwester.
	....	Bruder.
	....	Vater.
	....	Mutter.
	....	Tochter.
	....	Sohn.
	....	Mann.
	....	Frau.

Ist das	*Ihre*	Schwester?
	....	Bruder?
	....	Vater?
	....	Mutter?
	....	Tochter?
	....	Sohn?
	....	Mann?
	....	Frau?

Ja, das ist	....	Schwester.
	....	Bruder.
	....	Vater.
	....	Mutter.
	....	Tochter.
	....	Sohn.
	....	Mann.
	....	Frau.

C11 Ergänzen Sie.

•	ich	*Mein* Name ist Anne.	Name:	*maskulin*
1.	Sie	Wie ist .... Name?	Name:	*maskulin*
2.	du	Wie ist .... E-Mail-Adresse?	Adresse:	*feminin*
3.	du	Sind das .... Kinder?	Kinder:	*Plural*
4.	ich	.... Nachbarin spricht Ungarisch.	Nachbarin:	*feminin*
5.	du	Welche Sprachen spricht .... Nachbar?	Nachbar:	*maskulin*
6.	er	Was ist .... Heimatstadt?	Heimatstadt:	*feminin*
7.	sie *(Sg.)*	Was sind .... Hobbys?	Hobbys:	*Plural*
8.	ich	.... Bruder ist Arzt.	Bruder:	*maskulin*
9.	Sie	Sind das .... Briefmarken?	Briefmarken:	*Plural*
10.	er	Was ist .... Muttersprache?	Muttersprache:	*feminin*
11.	Sie	Wohnt .... Sohn in Paris?	Sohn:	*maskulin*
12.	sie *(Sg.)*	Sind das .... Freunde?	Freunde:	*Plural*
13.	ich	Nein, das sind .... Freunde.	Freunde:	*Plural*
14.	du	Wie ist .... Telefonnummer?	Telefonnummer:	*feminin*

C12 Schreiben Sie die Zahlen.

- ♦ siebenundvierzig 47
1. dreiundzwanzig ....
2. fünfundvierzig ....
3. neunundneunzig ....
4. zweiundfünfzig ....
5. sechsunddreißig ....
6. einundachtzig ....
7. achtundsiebzig ....
8. dreiunddreißig ....

C13 Schreiben Sie die Zahlen in Worten.

- ♦ 1 eins
1. 4 ....
2. 7 ....
3. 8 ....
4. 11 ....
5. 10 ....
6. 15 ....
7. 5 ....
8. 3 ....
9. 6 ....
10. 13 ....
11. 16 ....
12. 27 ....
13. 14 ....

C14 Ergänzen Sie die fehlende Zahl.

- ♦ zwei – drei – vier
1. vier – .... – sechs
2. achtzig – .... – zweiundachtzig
3. zweiundvierzig – .... – vierundvierzig
4. elf – .... – dreizehn
5. dreihundert – .... – fünfhundert
6. siebenunddreißig – .... – neununddreißig
7. einhunderteins – .... – einhundertdrei
8. fünfundsiebzig – .... – siebenundsiebzig
9. zehn – .... – zwölf
10. eintausend – .... – dreitausend
11. achtzig – .... – hundert
12. neunzehn – .... – einundzwanzig
13. fünfundsechzig – .... – siebenundsechzig
14. einundfünfzig – .... – dreiundfünfzig
15. sechzig – .... – achtzig

Rückblick

 Wichtige Redemittel 

Hören Sie die Redemittel.
Sprechen Sie die Wendungen nach und übersetzen Sie sie in Ihre Muttersprache.

Deutsch	**Ihre Muttersprache**
Fragen und Antworten zur Person	
Guten Morgen!	....
Guten Tag!	....
Guten Abend!	....
Hallo!	....
Wie heißen Sie?	....
Ich heiße *(Max Müller)*.	....
Mein Name ist *(Max Müller)*.	....
Wie ist Ihr Vorname/Familienname?	....
Mein Vorname ist *(Max)*.	....
Mein Familienname ist *(Müller)*.	....
Wie alt sind Sie?	....
Ich bin *(30)* Jahre alt.	....
Woher kommen Sie?	....
Ich komme aus *(Spanien)*.	....
Wo wohnen Sie?	....
Ich wohne in *(Madrid)*.	....
Was sind Sie von Beruf?	....
Ich bin *(Lehrer)*.	....
Ich arbeite als *(Managerin)* bei *(Siemens)*.	....
Was/Wo studieren Sie?	....
Ich studiere *(Medizin/in Berlin)*.	....
Welche Sprachen sprechen Sie?	....
Meine Muttersprache ist *(Italienisch)*.	....
Ich spreche sehr gut/gut/ein bisschen *(Englisch)*.	....
Ich lerne jetzt *(Deutsch)*.	....
Familienstand	
Ich bin ledig/verheiratet/geschieden.	....
Ich habe *(zwei/keine)* Kinder.	....
Hobbys	
Was sind deine/Ihre Hobbys?	....
Ich spiele gern *(Fußball)*.	....
Ich sammle *(Briefmarken)*.	....
Ich lese gern *(Romane)*.	....
Ich höre gern *(Jazz-Musik)*.	....
Ich schreibe gern *(Gedichte)*.	....

D2 Kleines Wörterbuch der Verben

sein	ich bin wir sind	du bist ihr seid	er ist sie sind
haben	ich habe wir haben	du hast ihr habt	er hat sie haben

arbeiten *(als Sekretärin arbeiten)*	ich arbeite wir arbeiten	du arbeitest ihr arbeitet	er arbeitet sie arbeiten
denken	ich denke wir denken	du denkst ihr denkt	er denkt sie denken
glauben	ich glaube wir glauben	du glaubst ihr glaubt	er glaubt sie glauben
heißen	ich heiße wir heißen	du heißt ihr heißt	er heißt sie heißen
hören *(Musik hören)*	ich höre wir hören	du hörst ihr hört	er hört sie hören
kommen *(aus Frankreich kommen)*	ich komme wir kommen	du kommst ihr kommt	er kommt sie kommen
lernen *(Deutsch lernen)*	ich lerne wir lernen	du lernst ihr lernt	er lernt sie lernen
lesen *(ein Buch lesen)*	ich lese wir lesen	du liest ihr lest	er liest sie lesen
sammeln *(Briefmarken sammeln)*	ich sammle wir sammeln	du sammelst ihr sammelt	er sammelt sie sammeln
schreiben *(ein Gedicht schreiben)*	ich schreibe wir schreiben	du schreibst ihr schreibt	er schreibt sie schreiben
singen	ich singe wir singen	du singst ihr singt	er singt sie singen
spielen *(Fußball spielen)*	ich spiele wir spielen	du spielst ihr spielt	er spielt sie spielen
sprechen *(Englisch sprechen)*	ich spreche wir sprechen	du sprichst ihr sprecht	er spricht sie sprechen
studieren *(Medizin studieren)*	ich studiere wir studieren	du studierst ihr studiert	er studiert sie studieren
wohnen *(in Berlin wohnen)*	ich wohne wir wohnen	du wohnst ihr wohnt	er wohnt sie wohnen

D3 Evaluation

Überprüfen Sie sich selbst.

Ich kann	gut	nicht so gut
Ich kann grüßen.	❐	❐
Ich kann mich kurz vorstellen.	❐	❐
Ich kann einige Sätze über meine Familie sagen.	❐	❐
Ich kann einige Länder, Sprachen und Berufe nennen.	❐	❐
Ich kann einfache Fragen zur Person stellen.	❐	❐
Ich kann einige Tätigkeiten nennen.	❐	❐
Ich kann bis 100 zählen und kenne das deutsche Alphabet.	❐	❐
Ich kann einfache Informationen über Länder (Einwohner/Hauptstadt/Sprachen) verstehen. *(fakultativ)*	❐	❐

Kapitel 2

Erste Kontakte am Arbeitsplatz

Kommunikation

- Gespräche mit Kollegen
- Die Büroeinrichtung beschreiben
- Die Abteilungen beschreiben
- Nach Preisen fragen
- Über Freizeitaktivitäten sprechen

Wortschatz

- Gegenstände im Büro
- Abteilungen
- Preisangaben
- Hobbys

Rund um die Arbeit: Im Büro

A1 Hören und lesen Sie. 1.21

Frau Herzberg:	Guten Tag. Suchen Sie etwas?
Herr Heinemann:	Ja, mein Büro. Ich bin neu hier.
Frau Herzberg:	Sind Sie Herr Heinemann?
Herr Heinemann:	Ja.
Frau Herzberg:	Herzlich willkommen! Mein Name ist Lisa Herzberg, ich arbeite hier als Sekretärin. Kommen Sie! Hier ist Ihr Büro.
Herr Heinemann:	Oh, das ist ein schönes Zimmer!
Frau Herzberg:	Hoffentlich ist alles da. Dort stehen: der Schreibtisch, das Telefon, der Computer, der Drucker, die Schreibtischlampe, der Stuhl und hier ist das Regal. Fehlt etwas?
Herr Heinemann:	Nein, ich glaube nicht. Vielen Dank, Frau Herzberg.
Frau Herzberg:	Vielleicht können wir später zusammen Kaffee trinken.
Herr Heinemann:	Gerne.
Frau Herzberg:	Meine Telefonnummer ist die 44 22. Ganz einfach!
Herr Heinemann:	Danke. Bis später.
Frau Herzberg:	Bis später.

A2 Ordnen Sie zu.

das Telefon • das Regal • die Lampe • der Drucker • der Stuhl • der Schreibtisch • der Computer • die Maus • das Wörterbuch • das Buch • die Brille • der Terminkalender • der Bleistift • der Kugelschreiber • die Kaffeemaschine

1  ....

2  ....

3  ....

4 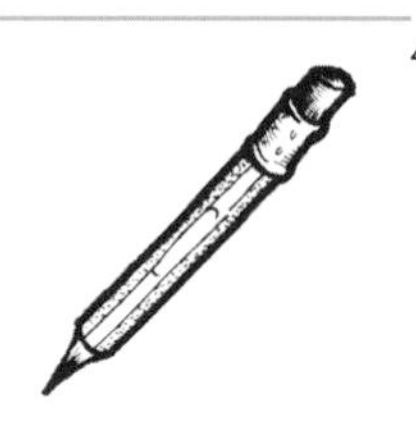 ....

5  ....

6  ....

7  ....

8 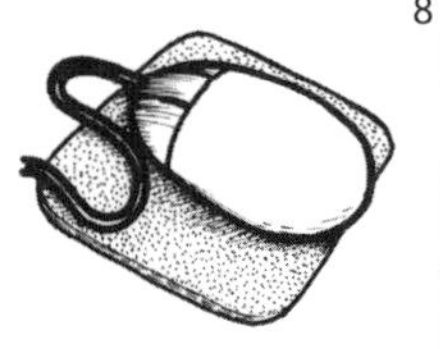 ....

9  ....

10  ....

11  ....

12  ....

13  ....

14  ....

15  ....

Die Nomengruppe: der bestimmte Artikel

⇨ Teil C Seite 48

Singular			Plural
maskulin	feminin	neutral	
der Computer	die Lampe	das Telefon	die Bücher

A3 Wo sind die Sachen? 1.22

Hören Sie und kreuzen Sie an.

	Peter Lindau	Rita Kalt
der Computer	❒	❒
der Drucker	❒	❒
die Brille	❒	❒
der Kugelschreiber	❒	❒
der Bleistift	❒	❒
das Regal	❒	❒
die Fotos	❒	❒
die Dokumente	❒	❒

	Peter Lindau	Rita Kalt
die Bücher	❒	❒
das Wörterbuch	❒	❒
die Lampe	❒	❒
die Kaffeemaschine	❒	❒
der Terminkalender	❒	❒
das Telefon	❒	❒
das Faxgerät	❒	❒

A4 Was sind die Leute von Beruf?

Was meinen Sie?

Ich denke, Peter Lindau ist .... von Beruf.
Rita Kalt ist ....

Die Nomengruppe: *ein(e)/kein(e)/mein(e)*

	Singular			Plural
	maskulin	feminin	neutral	
unbestimmter Artikel	ein Computer	eine Lampe	ein Telefon	Bücher
negativer Artikel	kein Computer	keine Lampe	kein Telefon	keine Bücher
Possessivartikel	mein Computer	meine Lampe	mein Telefon	meine Bücher

A5 Berichten Sie.

Im Büro von Peter Lindau ist *(ein/eine)* …
ein Computer.
....
....
....

Im Büro von Peter Lindau ist *(kein/keine)* …
kein Terminkalender.
....
....
....

Im Büro von Peter Lindau sind …
Fotos und Dokumente.
....
....

Im Büro von Peter Lindau sind *(keine)* …
....
....
....

Im Büro von Rita Kalt ist (*ein/eine*) …	Im Büro von Rita Kalt ist (*kein/keine*) …
ein Computer.	*kein Kugelschreiber.*
…………………………	…………………………
…………………………	…………………………
…………………………	…………………………

Im Büro von Rita Kalt sind …	Im Büro von Rita Kalt sind …
…………………………	*keine* …………………………
…………………………	…………………………

A6 Was kostet …?

Spielen Sie Dialoge. Benutzen Sie die Nomen aus Übung A7.

Verwenden Sie dabei: teuer • preiswert • billig ←→ schön • modern • praktisch

- ♦ Was kostet der Bürostuhl?
  - ◊ Der Bürostuhl kostet 30 Euro.
- ♦ 30 Euro? Das ist billig!
  - ◊ Ja, er ist billig und modern!

- ♦ Was kostet der Bürostuhl?
  - ◊ Der Bürostuhl kostet 500 Euro.
- ♦ 500 Euro? Das ist teuer!
  - ◊ Ja, aber er ist sehr schön!

der Drucker = er
die Kaffeemaschine = sie
das Faxgerät = es

A7 Was kostet das in Ihrem Land?

Berichten Sie.

ein Bürostuhl • ein Drucker • ein Computer • ein Bildschirm • eine Bürolampe • ein Kopiergerät • ein Laptop • ein Schreibtisch • ein Regal • ein Computertisch • ein Faxgerät • eine Kaffeemaschine • ein Papierkorb • ein Rollschrank • ein Taschenrechner • ein Scanner

A8 Probleme im Büro 1.23

Hören und lesen Sie.

Frau Herzberg:	Na, Herr Heinemann, wie geht es?
Herr Heinemann:	Danke, gut. Ich habe ein kleines Problem, Frau Herzberg. Mein Drucker funktioniert nicht. Ich kann nicht drucken.
Frau Herzberg:	Was? Das ist ein neuer Drucker! Ist der Computer auch kaputt?
Herr Heinemann:	Nein, der Computer funktioniert. Das Telefon auch.
Frau Herzberg:	Und die Lampe geht auch? Es ist eine alte Lampe.
Herr Heinemann:	Die Lampe funktioniert gut.
Frau Herzberg:	Also nur der Drucker …
Herr Heinemann:	Ja.
Frau Herzberg:	Ich komme gleich wieder. Ich frage mal Paul …

A9 Was ist das Problem?

Ergänzen Sie.

arbeiten (2 x) ♦ spielen ♦ ~~drucken~~ ♦ fahren ♦ schreiben ♦ sehen ♦ sitzen ♦ telefonieren

- ♦ Mein Drucker ist kaputt. Ich kann nicht *drucken*.
1. Mein Telefon ist kaputt. Ich kann nicht ....
2. Mein Kugelschreiber ist kaputt. Ich kann nicht ....
3. Mein Computer funktioniert nicht. Ich kann nicht ....
4. Mein Stuhl ist unbequem. Ich kann nicht ....
5. Meine Brille ist kaputt. Ich kann nicht ....
6. Mein Auto geht nicht. Ich kann nicht ....
7. Mein Laptop funktioniert nicht. Ich kann nicht ....
8. Mein Fußball ist kaputt. Ich kann nicht Fußball ....

Die Negation ⇨ Teil C Seite 52

Nomen → Hier ist kein Drucker.
Verb → Ich kann nicht drucken.

A10 Wie heißt der bestimmte Artikel?

Lesen und analysieren Sie die Sätze. Unterstreichen Sie die Adjektivendungen.

Das ist ein neuer Drucker.	.... Drucker
Es ist eine alte Lampe.	.... Lampe
Ich habe ein kleines Problem.	.... Problem

Das Adjektiv steht rechts vom Nomen.
→ Der Drucker ist neu.

Das Adjektiv steht links vom Nomen.
→ Das ist ein neuer Drucker.

Die Nomengruppe: *ein(e)/kein(e)* + Adjektiv ⇨ Teil C Seite 48

Singular			Plural
maskulin	feminin	neutral	
ein Computer	eine Lampe	ein Telefon	keine Bücher
ein neuer Computer	eine neue Lampe	ein neues Telefon	keine neuen Bücher

A11 Spielen Sie Dialoge.

der Drucker • das Telefon • das Faxgerät • der Stuhl • das Auto • der Computer • der Kugelschreiber
etwas funktioniert nicht • geht nicht • ist kaputt

Funktioniert Ihr/dein Drucker?
Geht Ihr/dein Drucker?

Nein, mein Drucker funktioniert nicht/geht nicht.
Nein, mein Drucker ist kaputt.
Ich kann nicht drucken.

Ist es ein alter Drucker?

Ja, das ist ein (sehr) alter Drucker.
Nein, das ist ein neuer Drucker.

A12 Hören und verbinden Sie die Antonyme. 1.24

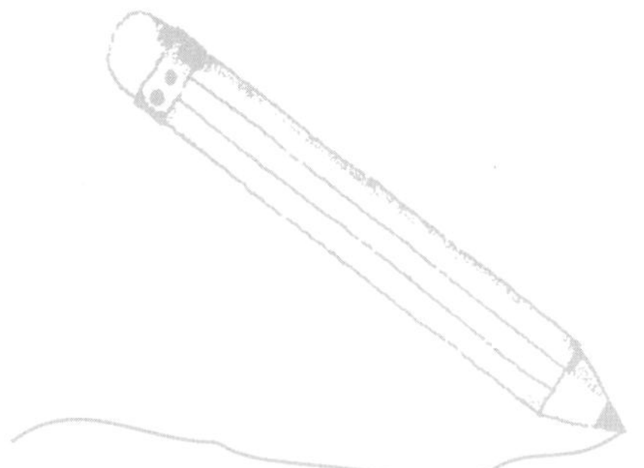

neu	unmodern
schön	alt
modern	groß
bequem	dunkel
klein	billig
teuer	unbequem
praktisch	langweilig
interessant	hässlich
hell	unpraktisch

A13 Bilden Sie Sätze mit den Adjektiven aus Übung A12.

- Die Kaffeemaschine *ist nicht alt. Es ist eine neue Kaffeemaschine.*

1. Der Computer *ist nicht neu. Es ist ein* ....
2. Die Uhr ....
3. Das Bild ....
4. Das Buch ....
5. Das Auto ....
6. Das Büro ....
7. Der Schreibtisch ....
8. Das Faxgerät ....
9. Die Lampe ....
10. Das Regal ....
11. Der Drucker ....
12. Das Telefon ....
13. Die Brille ....
14. Der Stuhl ....
15. Die Maus ....
16. Der Bleistift ....

Das ist ein neuer Drucker.
= Es ist ein neuer Drucker.

Der Stuhl ist teuer.
Es ist ein teurer Stuhl.

Das Büro ist dunkel.
Es ist ein dunkles Büro.

Rund um die Arbeit: An der Universität

A14 Abteilungen

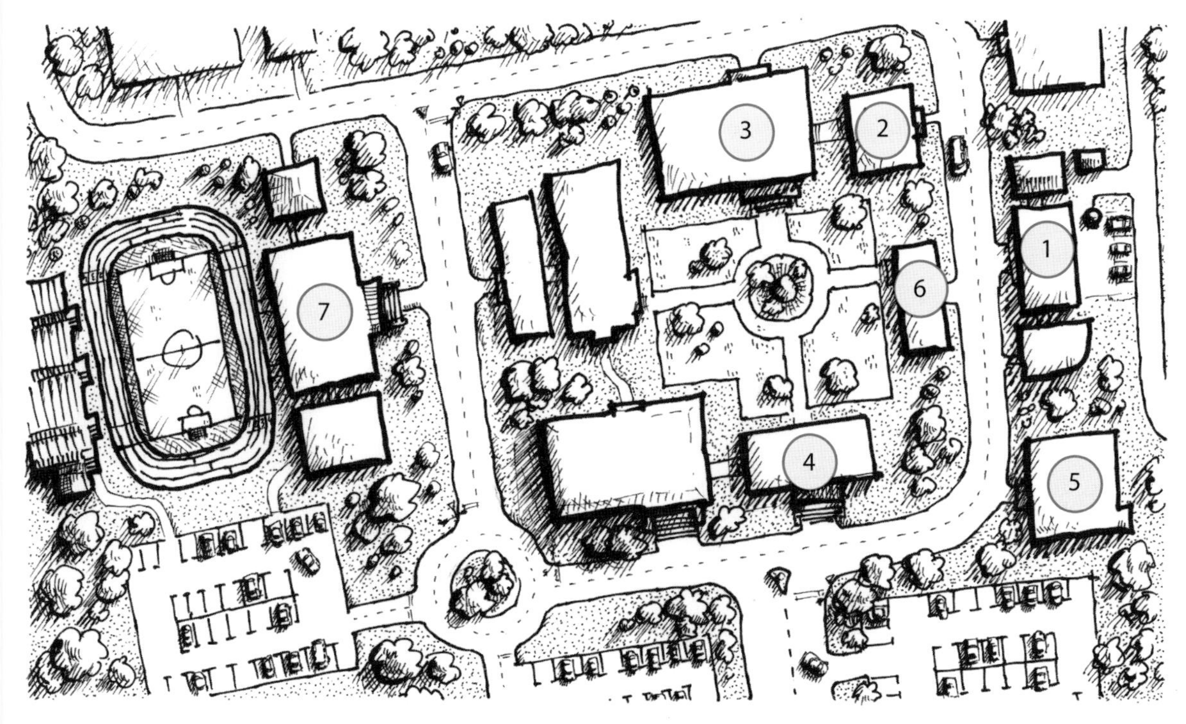

a) Lesen Sie.

1. die Verwaltung	2. die Kantine	3. die Mensa	4. die Cafeteria
5. die Bibliothek	6. das Sekretariat	7. die Sporthalle	

b) Hören Sie den Text und verbinden Sie. 1.25

(1) das Sekretariat	(a) Volleyball oder Fußball spielen
(2) die Verwaltung	(b) Zeitungen und Bücher lesen
(3) die Bibliothek	(c) etwas essen (Studenten)
(4) das Sprachenzentrum	(d) Kaffee trinken
(5) die Kantine	(e) Rechnungen bezahlen
(6) die Mensa	(f) Sprachen lernen, Sprachkurse besuchen
(7) die Sporthalle	(g) Informationen bekommen
(8) die Cafeteria	(h) etwas essen (Mitarbeiter)

A15 Berichten Sie.

- Das ist die Bibliothek. Hier kann man *Bücher lesen.*
1. Das ist die Cafeteria. Hier kann man ....
2. Das ist die Sporthalle. Hier kann man ....
3. Das ist das Sekretariat. Hier kann man ....
4. Das ist die Verwaltung. Hier kann man ....
5. Das ist das Sprachenzentrum. Hier kann man ....
6. Das ist die Mensa. Hier können die Studenten ....
7. Das ist die Kantine. Hier können die Mitarbeiter ....

können ⇨ Teil C Seite 50

Singular	ich du er/sie/es	kann kannst kann
Plural	wir ihr sie	können könnt können
formell	Sie	können

A16 Position der Verben

Bilden Sie Sätze.

1. hier – Studenten – können – etwas – essen
2. im Sekretariat – Informationen – bekommen – kann – man
3. ich – sehr gut – kann – schwimmen
4. hier – Zeitung – lesen – kann – man
5. wir – Englisch – lernen – können – im Sprachenzentrum

	I.	II.	III.	Satzende
1.	Hier	*können*	Studenten etwas	essen.
2.	Im Sekretariat	*kann*	....	....
3.	....	....	....	....
4.	....	....	....	....
5.	....	....	....	....

Fragen im Sprachkurs:

- Können Sie das bitte wiederholen?
- Können Sie das bitte noch einmal erklären?
- Was bedeutet das?

A17 Was kann man …?

Was passt zusammen? Ordnen Sie zu.

Fußball → spielen	
Rechnungen	bekommen
Bücher	spielen
Sprachen	bezahlen
Informationen	lernen
Zeitung	lesen
Sprachkurse	sammeln
Kaffee	schreiben
Englisch	trinken
Briefmarken	besuchen
Computerprogramme	

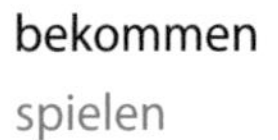

A18 Phonetik: Der Wortakzent

Hören und wiederholen Sie.

Grundregel:	Der Akzent ist links.	Abend – Bücher – Lampe – Name – Drucker – Zimmer – Zeitung sehen – arbeiten – fahren – schreiben – hören
Komposita:	Der Akzent ist links.	Fußball – Briefmarken – Bücherregal – Faxgerät – Wörterbuch – Schreibtisch – Kugelschreiber – Bleistift
Fremdwörter:	Der Akzent ist oft rechts.	Kaffee – Büro – Student – Dokument – Termin – Universität – Bibliothek – Kaffeemaschine – Bürostuhl – Terminkalender

Freizeit

A19 Die Deutschen und ihre Lieblingshobbys

a) Ordnen Sie zu.

Freunde besuchen • Auto fahren • Fremdsprachen lernen • wandern • kochen • im Internet surfen • lesen • Bier trinken • Musik hören • Fußball spielen • fotografieren • Euromünzen sammeln

b) Was sind die Lieblingshobbys in Ihrem Land?

In … kocht man gern …
Die Leute kochen gern …

 A20 Fragen Sie Ihre Nachbarin/Ihren Nachbarn.

Berichten Sie.

gern ←→ nicht gern

- Fährst du gern Auto?
  - ◇ Ja, ich fahre gern Auto.
- Kochen Sie gern?
  - ◇ Nein, ich koche nicht gern.
- Meine Nachbarin …
  Mein Nachbar …

fahren ⇨ Teil C Seite 51

Singular	ich du er/sie/es	fahre fährst ! fährt !
Plural	wir ihr sie	fahren fahrt fahren
formell	Sie	fahren

A21 Was machen Sie gern?

Spielen Sie Dialoge.

♦	Fahren Sie gern Auto?	*(Fußball spielen)*	*Nein, ich spiele lieber Fußball.*
1.	Lernen Sie gern Fremdsprachen?	*(schöne Landschaften fotografieren)*	....
2.	Spielst du gern Volleyball?	*(ein Instrument spielen)*	....
3.	Sammelt ihr gern Euromünzen?	*(Briefmarken sammeln)*	....
4.	Wandert Ihr Sohn gern?	*(Auto fahren)*	....
5.	Treiben deine Eltern gern Sport?	*(Romane lesen)*	....
6.	Hören Sie gern Musik?	*(im Internet surfen)*	....
7.	Kocht dein Vater gern?	*(Bier trinken)*	....
8.	Reisen Sie gern?	*(arbeiten)*	....
9.	Besucht ihr gern Freunde?	*(Fremdsprachen lernen)*	....

A22 In der Cafeteria 1.27

a) Hören Sie zuerst den Dialog. Markieren Sie: richtig *oder* falsch

		richtig	falsch
♦	Herr Heinemann kann Klavier spielen.	✗	❐
1.	Frau Herzberg kann nicht singen.	❐	❐
2.	Frau Herzberg möchte im Orchester singen.	❐	❐
3.	Frau Herzberg spielt gern Fußball.	❐	❐
4.	Herr Heinemann kann gut Volleyball spielen.	❐	❐
5.	Herr Heinemann spricht gut Englisch.	❐	❐
6.	Herr Heinemann raucht nicht.	❐	❐

b) Lesen Sie nun den Dialog mit verteilten Rollen.

Frau Herzberg: Was trinken Sie, Herr Heinemann?
Herr Heinemann: Kaffee bitte.
Frau Herzberg: Bitte sehr.
Herr Heinemann: Danke.
Frau Herzberg: Geht Ihr Drucker jetzt?
Herr Heinemann: Ja, er funktioniert, ich kann drucken.
Frau Herzberg: Wie finden Sie Marburg, Herr Heinemann?
Herr Heinemann: Marburg ist eine schöne Stadt.
Frau Herzberg: Das finde ich auch. Was machen Sie am Wochenende?
Herr Heinemann: Am Wochenende fahre ich nach München. Ich spiele dort im Universitätsorchester.
Frau Herzberg: Wir haben auch ein Universitätsorchester hier. Welches Instrument spielen Sie?
Herr Heinemann: Klavier. Und Sie, Frau Herzberg? Spielen Sie ein Instrument?
Frau Herzberg: Ich spiele ein bisschen Gitarre.
Herr Heinemann: Können Sie gut singen? Wir suchen noch eine Sängerin für unser Orchester.
Frau Herzberg: Nein, ich kann nicht singen. Ich spiele gern Volleyball oder Fußball.
Herr Heinemann: Ich bin ein sehr schlechter Fußballspieler. Spielt Ihr Mann auch Fußball?
Frau Herzberg: Natürlich. Mein Mann kommt aus England.
Herr Heinemann: Ach so. Und welche Sprache sprechen Sie zu Hause?
Frau Herzberg: Englisch und Deutsch.
Herr Heinemann: Frau Herzberg, Sie spielen Fußball und Sie rauchen?
Frau Herzberg: Ja. Aber nur fünf bis sechs Zigaretten pro Tag. Und Sie? Rauchen Sie?
Herr Heinemann: Nein, ich bin Nichtraucher.

Kapitel 

A23 Antworten Sie.

1. Spielen Sie gut Gitarre? ……………………
2. Singen Sie vielleicht? ……………………
3. Welche Sprache sprechen Sie zu Hause? ……………………
4. Können Sie gut Fußball spielen? ……………………
5. Rauchen Sie? ……………………
6. Lernen Sie gern Deutsch? ……………………

Die Negation

Verb:
Ich singe nicht.
Ich kann nicht singen.

Adjektiv:
Ich kann nicht gut singen.

⇨ Teil C Seite 52

A24 Wie sagen Studenten die folgenden Sätze?

- Welches Instrument spielen Sie *(Sg.)*? *Welches Instrument spielst du?*

1. Wie finden Sie *(Sg.)* Marburg? ……………………
2. Fahren Sie *(Pl.)* nach München? ……………………
3. Können Sie *(Sg.)* gut singen? ……………………
4. Welche Sprache sprechen Sie *(Pl.)* zu Hause? ……………………
5. Lernen Sie *(Pl.)* auch Deutsch? ……………………

Frau Herzberg und Herr Heinemann sagen: Sie.

Studenten sagen du *(Sg.)*/ihr *(Pl.)*.

A25 Sortieren Sie die Wörter.

Hip-Hop • Rockmusik • Gymnastik • Gitarre • Trompete • Klavier • Gedichte • Portugiesisch • Musik • Salsa • Schach • Briefmarken • Fußball • Fahrrad • Tennis • Pingpong • Mathematik • Literatur • Zeitung • Tango • Karten • klassische Musik • Saxofon • Deutsch • Motorrad • Golf • Ski • Euromünzen

Das kann man spielen: Violine, Volleyball, …
Das kann man machen: Yoga, …
Das kann man lesen: Romane, …
Das kann man lernen: Latein, …

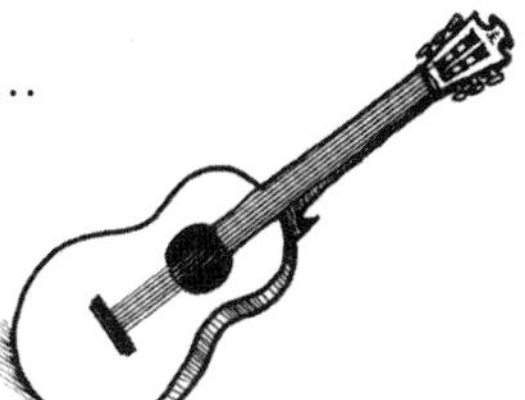

Das kann man hören: Jazz, …
Das kann man tanzen: Walzer, …
Das kann man fahren: Auto, …
Das kann man sammeln: Briefmarken, …

A26 Was können Sie gut/nicht gut?

a) Fragen Sie Ihre Nachbarin/Ihren Nachbarn und berichten Sie.

~~Salsa tanzen~~ • Saxofon spielen • Schach spielen • Motorrad fahren • Ski fahren • Spanisch sprechen • Tango tanzen • Trompete spielen • fotografieren • Golf spielen • Tennis spielen • Auto fahren

Kannst du/Können Sie gut Salsa tanzen?

Ja, ich kann gut Salsa tanzen.
Ja, natürlich! Ja, klar!
Und du/Sie?

Ich auch. ⟷ Ich (leider) nicht.

Nein, ich kann nicht gut Salsa tanzen.
Nein, leider nicht.
Und du/Sie?

Ich auch nicht. ⟷ Ich schon.

b) Berichten Sie.

Mein Nachbar/Meine Nachbarin kann gut/nicht gut Salsa tanzen.

……………………

Die Wochentage

Hören und wiederholen Sie.

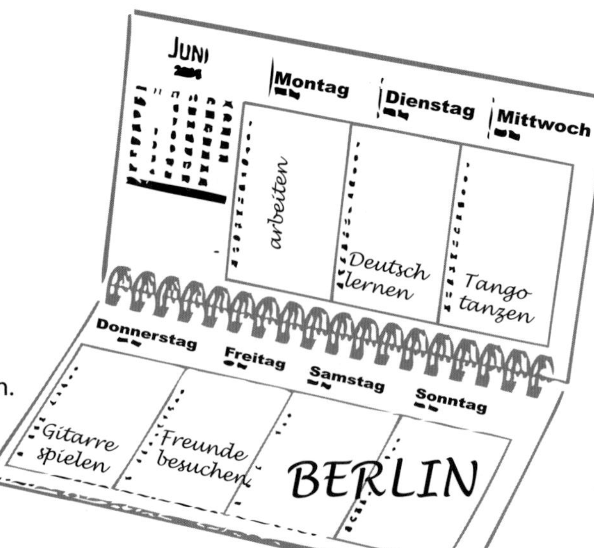

Die Arbeitstage

der Montag	Am Montag arbeite ich.
der Dienstag	Am Dienstag lerne ich Deutsch.
der Mittwoch	Am Mittwoch tanze ich Tango.
der Donnerstag	Am Donnerstag spiele ich Gitarre.
der Freitag	Am Freitag besuche ich Freunde.

Das Wochenende

der Samstag/Sonnabend	Am Wochenende fahre ich nach Berlin.
der Sonntag	

Herr und Frau Meier haben viel Zeit …

Was tun sie? Berichten Sie.

Motorrad fahren • Zeitung lesen • schöne Frauen fotografieren • Briefmarken sammeln • wandern • Walzer tanzen • Karten spielen • Musik hören • Russisch lernen • nach Berlin fahren • kochen • Gedichte schreiben • Tango tanzen • Yoga machen • Freunde besuchen • Golf spielen

Beachten Sie: Das Verb steht auf Position II.

Herr Meier

Am Montag *fährt Herr Meier Motorrad.*

Am Dienstag ....

Am ....

....

....

....

....

Frau Meier

Am Montag ....

....

....

....

....

....

....

Und Sie? Was machen Sie am Montag/am Dienstag …?

Nennen Sie für jeden Tag eine Tätigkeit.

Am Montag ....

....

....

....

....

....

....

Wissenswertes *(fakultativ)*

B1 Was kann man alles sammeln?

Ordnen Sie zu. Schlagen Sie unbekannte Wörter im Wörterbuch nach.

Briefmarken • alte Autos • Muscheln • alte Bücher • Zinnsoldaten • alte Radios • Gläser • Gartenzwerge • Münzen • Ansichtskarten • Kunstwerke • Wandteller • Steine • Käfer • Matchboxautos

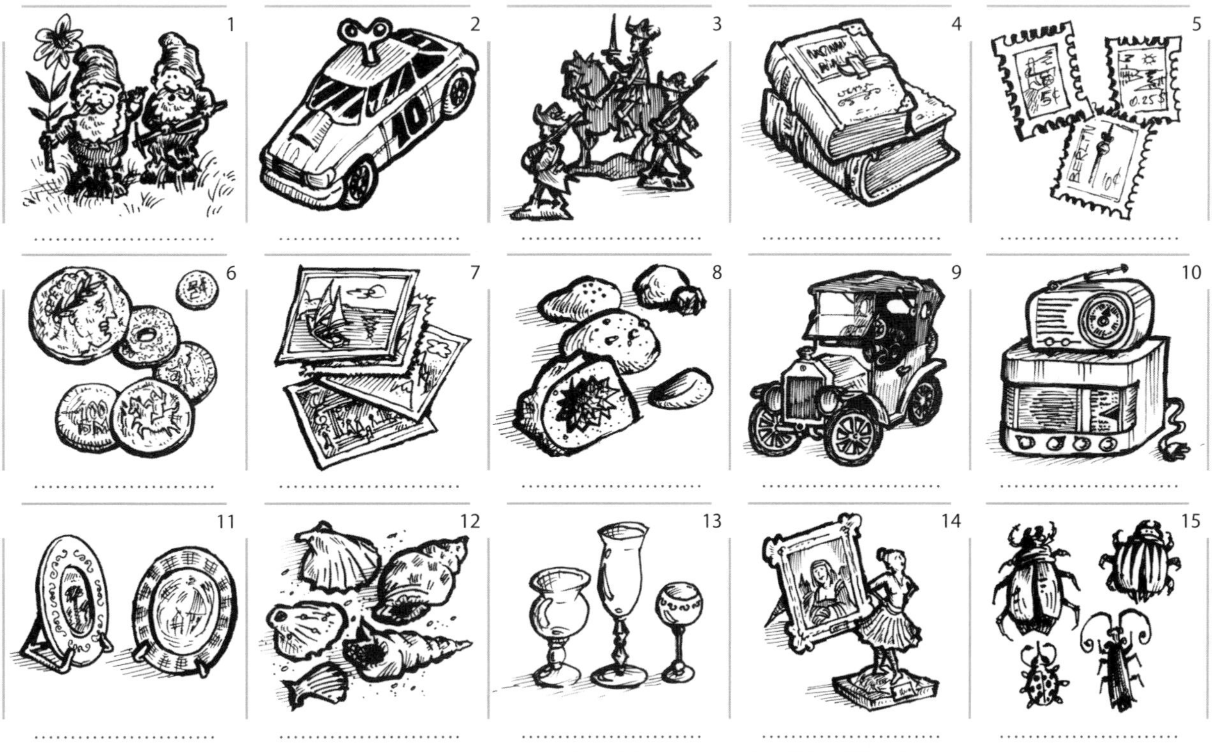

Sammeln Sie etwas? Kennen Sie jemanden, der etwas sammelt?

B2 Viele Deutsche sammeln etwas.

Beschreiben Sie die Grafik.

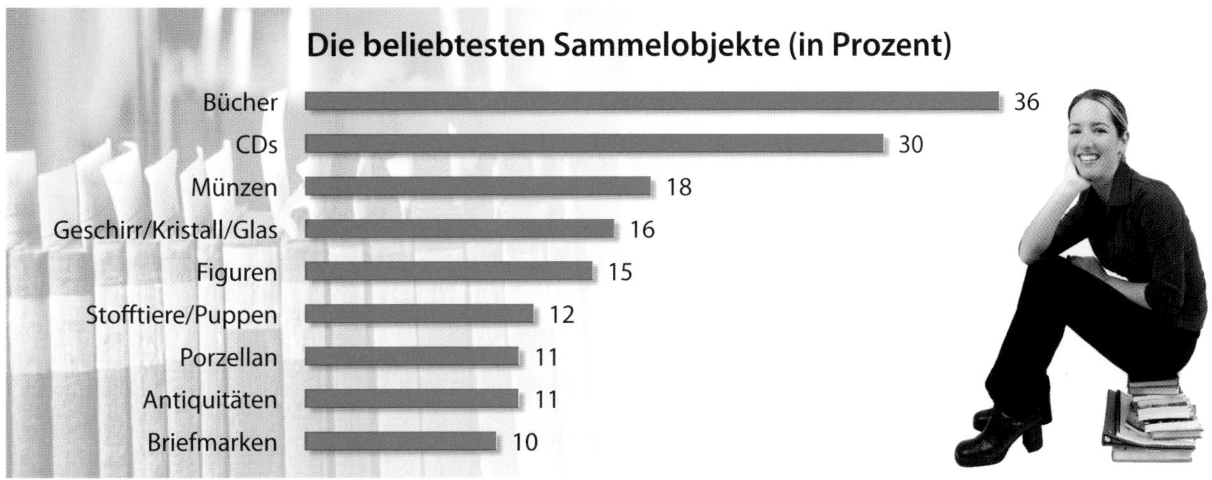

36 Prozent sammeln Bücher ...

Die Nomengruppe

Singular			Plural
maskulin	feminin	neutral	
der Computer	die Lampe	das Telefon	die Bücher
ein Computer	eine Lampe	ein Telefon	keine Bücher
ein neuer Computer	eine neue Lampe	ein neues Telefon	keine neuen Bücher

C1 Ordnen Sie zu.

Kantine • Sporthalle • Kaffeemaschine • Drucker • Computer • Universität • Telefon • Büro • Bleistift • Kugelschreiber • Maus • Buch • Bibliothek • Verwaltung • Brille • Faxgerät • Sprachkurs • Sprachenzentrum • Zeitung • Stuhl • Telefonnummer • Schreibtisch • Problem • Bild • Name

Tipp: Notieren und lernen Sie immer das Wort und den Artikel!

der	die	das
....	....	....
....	....	....
....	....	....
....	....	....
....	....	....
....	....	....
....	....	....
....	....	....
....	....	....

Ergänzen Sie diese Regeln:

Wörter auf *-ung (Zeitung, Verwaltung …)* sind immer ....

Viele Wörter auf *-e (Kantine, Sporthalle …)* sind ....

C2 Was kann man kombinieren?

Bilden Sie Sätze nach dem Beispiel.

schön • interessant • neu • modern • klein • preiswert • alt • hell • langweilig • praktisch • bequem • hässlich

- • Büro *Das ist ein modernes Büro.*
1. Telefon ....
2. Kantine ....
3. Kaffeemaschine ....
4. Bibliothek ....
5. Buch ....
6. Faxgerät ....
7. Lampe ....
8. Schreibtisch ....
9. Stuhl ....
10. Uhr ....
11. Regal ....
12. Bild ....
13. Bleistift ....
14. Kugelschreiber ....
15. Problem ....

C3 Ergänzen Sie den bestimmten Artikel und das Adjektiv.

Frau Sommer ist sehr zufrieden. Sie sagt:	Herr Winter ist unzufrieden. Er sagt:	
♦ D*er* Kaffee ist warm.	D*er* Kaffee ist *kalt.*	
1. D......... Computer ist neu.	D......... Computer ist	....
2. D......... Lampe ist schön.	D......... Lampe ist	....
3. D......... Sprachkurs ist interessant.	D......... Sprachkurs ist	....
4. D......... Büro ist groß.	D......... Büro ist	....
5. D......... Schreibtisch ist modern.	D......... Schreibtisch ist	....
6. D......... Zimmer ist hell.	D......... Zimmer ist	....
7. D......... Stuhl ist bequem.	D......... Stuhl ist	....
→ Alles ist perfekt.	→ Nichts ist perfekt.	

Personalpronomen und Possessivartikel

			Singular							Plural	
			maskulin		feminin		neutral				
Singular	ich	und	mein	Vater	meine	Mutter	mein	Kind		meine	Freunde
	du	und	dein	Vater	deine	Mutter	dein	Kind		deine	Freunde
	er/es	und	sein	Vater	seine	Mutter	sein	Kind		seine	Freunde
	sie	und	ihr	Vater	ihre	Mutter	ihr	Kind		ihre	Freunde
Plural	wir	und	unser	Vater	unsere	Mutter	unser	Kind		unsere	Freunde
	ihr	und	euer	Vater	eure	Mutter	euer	Kind		eure	Freunde
	sie	und	ihr	Vater	ihre	Mutter	ihr	Kind		ihre	Freunde
formell	Sie	und	Ihr	Vater	Ihre	Mutter	Ihr	Kind		Ihre	Freunde

C4 Ergänzen Sie die Possessivartikel.

1. *ich:* Ist das *mein* Buch?
   du: Ist das .... Buch?
   er: Ist das .... Buch?
   sie: Ist das .... Buch?
   wir: Ist das .... Buch?
   Sie: Ist das .... Buch?

2. *ich:* .... Drucker geht nicht.
   du: .... Drucker geht nicht.
   Sie: .... Drucker geht nicht.
   wir: .... Drucker geht nicht.
   ihr: .... Drucker geht nicht.

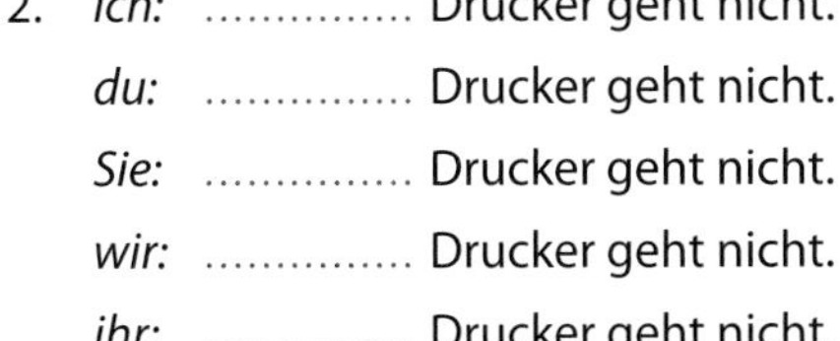

3. *ich:* Das ist .... Freundin Maria.
   er: Das ist .... Freundin Maria.
   sie: Das ist .... Freundin Maria.
   wir: Das ist .... Freundin Maria.

4. *ich:* .... Bruder ist Arzt.
   er: .... Bruder ist Arzt.
   sie: .... Bruder ist Arzt.
   wir: .... Bruder ist Arzt.

5. *wir:* .... Sohn spielt sehr gut Violine.
   er: .... Sohn spielt sehr gut Violine.

C5 Sagen Sie es informell bzw. formell.

informell: dein (deine)/euer (eure)		formell: Ihr (Ihre)
• Ist das dein Kugelschreiber?	→	*Ist das Ihr Kugelschreiber?*
• *Sind das eure Bücher?*	←	Sind das Ihre Bücher?
1.	←	Ist das Ihr Büro?
2.	←	Sind das Ihre Kinder?
3. Ist das dein Auto?	→	....
4.	←	Ist das Ihr Drucker?
5. Ist das dein Laptop?	→	....
6.	←	Ist das Ihr Schreibtisch?

Pronomen

Singular			Plural
maskulin	feminin	neutral	
der Computer = er	die Lampe = sie	das Telefon = es	die Bücher = sie

C6 Ergänzen Sie *er*, *sie* oder *es*.

• Ist dein Büro groß?	Nein, *es* ist klein.
1. Ist das dein neuer Computer?	Ja, aber .... funktioniert nicht.
2. Ist das dein Bleistift?	Ja, aber .... schreibt nicht.
3. Funktioniert dein Telefon?	Nein, ... ist kaputt.
4. Sind die Lampen kaputt?	Nein, ... gehen.
5. Geht deine Uhr?	Ja, ... funktioniert gut.
6. Ist das dein Auto?	Ja, aber .... fährt nicht.
7. Ist dein Schreibtisch neu?	Ja, ... ist neu.
8. Ist das Buch spannend?	Nein, ... ist langweilig.

Verben

Das Modalverb *können*

Konjugation	ich	kann	wir	können
	du	kannst	ihr	könnt
	er/sie/es	kann	sie/Sie	können

Satzbau Satzklammer: konjugiertes Verb + Infinitiv

I.	II.	III.	Satzende
Man	kann	hier viel	lernen.
Wir	können	leider nicht	singen.

Gebrauch

Fähigkeit: Ich kann sehr gut Fußball spielen.
Möglichkeit: Hier kann man Zeitungen lesen.

C7 Bilden Sie Fragen und antworten Sie.

- Können – du – tanzen? *Kannst du tanzen?* Natürlich *kann ich tanzen!*
1. Können – Sie – Gitarre spielen? .... Natürlich ....
2. Können – du – Auto fahren? .... Natürlich ....
3. Können – ihr – Fußball spielen? .... Natürlich ....
4. Können – Sie – kochen? .... Natürlich ....
5. Können – du – Klavier spielen? .... Natürlich ....
6. Können – Sie – hier gut arbeiten? .... Natürlich ....
7. Können – du – Englisch? .... Natürlich ....
8. Können – ihr – gut singen? .... Natürlich ....
9. Können – ich – hier Kaffee trinken? .... Natürlich ....

C8 Ergänzen Sie das Verb *können.*

- *Kannst* du Schach spielen?
1. ....ihr kochen?
2. .... du Bulgarisch sprechen?
3. Wo .... man Kaffee trinken?
4. .... ihr Ski fahren?
5. Ich .... nicht singen.
6. Wir .... nicht nach Berlin fahren.

C9 Ergänzen Sie die Tabelle.

	fahren	tanzen	lesen	sammeln	wandern	fotografieren
ich	*fahre*	....	....	*sammle!*	....	....
du	.... !	*tanzt!*	*liest!*	....	*wanderst*	....
er/sie/es/man	*fährt!*	*tanzt*	.... !	*sammelt*	....	....
wir	....	....	*lesen*	....	....	*fotografieren*
ihr	*fahrt*	....	....	....	....	....
sie	....	*tanzen*	....	....	*wandern*	....
Sie	....	*tanzen*	....	....	*wandern*	....

C10 Ergänzen Sie die Verben.

1. *Wohnen* Sie auch in Marburg? *(wohnen)* – Nein, ich .... in Gießen. *(wohnen)*
2. Was .... Sie am Freitag? *(machen)* – Wir .... nach Köln. *(fahren)*
3. .... Ihre Frau Gitarre spielen? *(können)* – Ja, sie .... sehr gut Gitarre. *(spielen)*
4. ....du auch Astronomie? *(studieren)* – Nein, ich .... Psychologie. *(studieren)*
5. .... du am Mittwoch nach Köln? *(fahren)* – Nein, ich .... am Mittwoch. *(arbeiten)*
6. .... ihr am Sonntag kommen? *(können)* – Nein, am Sonntag .... unsere Eltern. *(kommen)*
7. .... du gern Walzer? *(tanzen)* – Nein, ich .... nicht tanzen. *(können)*
8. .... ihr gern? *(fotografieren)* – Ja, wir .... sehr gern. *(fotografieren)*
9. .... ihr am Wochenende? *(wandern)* – Nein, wir .... Deutsch. *(lernen)*

C11 Welches Verb passt?

fahren • lesen • spielen • machen • können (4 x) • studieren • sammeln • singen • hören

- *Liest* er oft Krimis?
1. .... du im Chor?
2. .... du Briefmarken?
3. .... du heute Yoga?
4. .... Sie gern Musik?
5. .... ihr Tango tanzen?
6. .... du Gedichte schreiben?
7. .... sie auch Chemie?
8. .... Sie Saxofon?
9. .... du ein Instrument spielen?
10. .... du gern Ski?
11. .... dein Bruder Auto fahren?

C12 Was/Wen kann man nicht …?

- sammeln: Briefmarken – Zeitungen – Bücher – Fremdsprachen
  Fremdsprachen kann man nicht sammeln.
1. spielen: ein Instrument – Fußball – einen Kaffee – Saxofon – Schach
   ....
2. besuchen: Freunde – einen Sprachkurs – einen Roman
   ....
3. lernen: Latein – Deutsch – Mathematik – Zeitung
   ....
4. bezahlen: eine Rechnung – ein Buch – einen Sprachkurs – Englisch
   ....
5. fahren: Volleyball – Motorrad – Auto – Fahrrad – Ski
   ....
6. hören: klassische Musik – Jazz – Rockmusik – Fußball
   ....

Die Negation

Nomen	Verb	Adjektiv
Hier ist kein Drucker.	Ich singe nicht. Ich kann nicht singen.	Ich kann nicht gut singen.

C13 Ergänzen Sie *nicht* oder *kein/keine*.

- Hier sind *keine* Bücher.
1. Hier kann man .... lesen.
2. Paul kann .... tanzen.
3. Hier ist .... Computer.
4. Ich kann ....arbeiten.
5. Wir rauchen ....
6. Susanne kann .... gut Ski fahren.
7. Hier ist .... Kaffeemaschine.

8. Der Kaffee ist .... warm, er ist kalt.

Lokale Präpositionen

Woher?	Wo?	Wohin?
Woher kommen Sie?	**Wo wohnen/arbeiten/studieren Sie?**	**Wohin fahren Sie?**
Ich komme aus Italien.	Ich wohne in Italien.	Ich fahre nach Italien.
Ich komme aus Rom.	Ich wohne in Rom.	Ich fahre nach Rom.
	Wo arbeiten/studieren Sie?	
	Ich studiere/arbeite an der Universität in München.	
	Ich arbeite bei Siemens in München.	

C14 Ergänzen Sie die Präpositionen.

- Peter wohnt *in* Marburg.
1. Er arbeitet als Informatiker .... der Universität.
2. Am Wochenende fährt er .... München.
3. Sarah kommt .... Frankreich.
4. Sie studiert .... der Universität .... Paris Medizin.
5. Hans Behrens arbeitet .... BASF .... Ludwigshafen.
6. Susanne kommt auch .... Ludwigshafen.
7. .... Österreich wohnen 8,2 Millionen Menschen.
8. Wir fahren am Montag .... Österreich.

Fragen

C15 Ergänzen Sie die Fragewörter.

wie • was • wo • woher • welche

- *Wie* heißen Sie?
1. .... Sprachen sprichst du?
2. .... kommt ihr?
3. .... sind Sie von Beruf?
4. .... ist Ihre E-Mail-Adresse?
5. .... wohnt er?
6. .... kann ich hier Tennis spielen?

C16 Reagieren Sie.

Wie heißen Sie? ....
Wo wohnen Sie? ....
Wie ist Ihre Telefonnummer? ....
Was sind Sie von Beruf? ....
Haben Sie Hobbys? ....
Können Sie singen? ....
Rauchen Sie? ....
Fahren Sie gern Fahrrad? ....
Arbeiten Sie gern? ....

Rückblick

D1 Wichtige Redemittel  1.29

Hören Sie die Redemittel.
Sprechen Sie die Wendungen nach und übersetzen Sie sie in Ihre Muttersprache.

Deutsch	Ihre Muttersprache
Alltagskommunikation	
Guten Morgen!	....
Bitte sehr.	....
Danke *(sehr)*./Danke schön./Vielen Dank.	....
Herzlich willkommen!	....
Wie geht es?	....
Suchen Sie etwas?	....
Rauchen Sie?	....
Ich bin Nichtraucher.	....
Vielleicht können wir später zusammen Kaffee trinken.	....
Gerne.	....
Bis später.	....
Am Arbeitsplatz	
Das ist ein *(schönes)* Büro.	....
Hoffentlich ist alles da: *(Stuhl, Computer, Drucker)*.	....
Fehlt etwas?	....
(Die Kaffeemaschine) funktioniert/geht nicht.	....
(Der Drucker) ist kaputt.	....
Ich kann nicht *(drucken)*.	....
Was kostet *(der Bürostuhl)*?	....
(Der Bürostuhl) kostet *(600 Euro)*.	....
Das ist teuer!	....
Das ist ein teurer Stuhl.	....
Abteilungen	
▪ die Verwaltung:	....
Hier kann man Rechnungen bezahlen.	....
▪ die Cafeteria:	....
Hier kann man Kaffee trinken.	....
▪ die Kantine/die Mensa:	....
Hier kann man etwas essen.	....
▪ das Sekretariat:	....
Hier kann man Informationen bekommen.	....
▪ die Bibliothek:	....
Hier kann man Bücher und Zeitungen lesen.	....
▪ das Sprachenzentrum:	....
Hier kann man Sprachkurse besuchen.	....

Freizeit

Wie finden Sie *(Marburg)*?	....
Kochen Sie gern?	....
Was machen Sie am Wochenende?	....
Welches Instrument spielen Sie?	....
Ich spiele *(Klavier)*.	....
Ich kann leider *(kein Instrument)* spielen.	....
Ich kann leider nicht *(gut Salsa)* tanzen.	....

D2 Kleines Wörterbuch der Verben

können	ich kann wir können	du kannst ihr könnt	er kann sie können

bekommen *(Informationen bekommen)*	ich bekomme wir bekommen	du bekommst ihr bekommt	er bekommt sie bekommen
besuchen *(einen Sprachkurs besuchen)*	ich besuche wir besuchen	du besuchst ihr besucht	er besucht sie besuchen
bezahlen *(Rechnungen bezahlen)*	ich bezahle wir bezahlen	du bezahlst ihr bezahlt	er bezahlt sie bezahlen
drucken	ich drucke wir drucken	du druckst ihr druckt	er druckt sie drucken
fahren *(Motorrad fahren)*	ich fahre wir fahren	du fährst ihr fahrt	er fährt sie fahren
fehlen	Es fehlt etwas.		
finden	Das finde ich auch. Wie finden Sie Marburg?		
fotografieren	ich fotografiere wir fotografieren	du fotografierst ihr fotografiert	er fotografiert sie fotografieren
funktionieren	Das Gerät funktioniert nicht.		
gehen	Der Drucker geht nicht. Wie geht es?		
kochen	ich koche wir kochen	du kochst ihr kocht	er kocht sie kochen
kosten *(Geld kosten)*	Die Lampe kostet … Die Bücher kosten …		
machen *(Yoga machen)*	ich mache wir machen	du machst ihr macht	er macht sie machen
rauchen	ich rauche wir rauchen	du rauchst ihr raucht	er raucht sie rauchen
reisen	ich reise wir reisen	du reist ihr reist	er reist sie reisen

suchen *(ein Buch suchen)*	ich suche wir suchen	du suchst ihr sucht	er sucht sie suchen
surfen *(im Internet surfen)*	ich surfe wir surfen	du surfst ihr surft	er surft sie surfen
stehen	Im Büro steht ein Schreibtisch.		
tanzen	ich tanze wir tanzen	du tanzt ihr tanzt	er tanzt sie tanzen
telefonieren	ich telefoniere wir telefonieren	du telefonierst ihr telefoniert	er telefoniert sie telefonieren
trinken *(Kaffee trinken)*	ich trinke wir trinken	du trinkst ihr trinkt	er trinkt sie trinken
wandern	ich wandere wir wandern	du wanderst ihr wandert	er wandert sie wandern

D3 Evaluation

Überprüfen Sie sich selbst.

Ich kann	gut	nicht so gut
Ich kann wichtige Bürogegenstände und kaputte Geräte benennen.	❐	❐
Ich kann über Preise sprechen.	❐	❐
Ich kann einige Abteilungen kurz beschreiben.	❐	❐
Ich kann einfache Gespräche über Hobbys und Freizeit verstehen und führen.	❐	❐
Ich kann die Wochentage nennen.	❐	❐
Ich kann einige Wörter zum Thema „Sammeln". *(fakultativ)*	❐	❐

Kapitel

3

Unterwegs in München

Kommunikation

- Ein Hotelzimmer reservieren
- Sich im Hotel anmelden
- Probleme im Hotelzimmer benennen
- Sich in einer Stadt orientieren
- Informationen über Museen erfragen (Öffnungszeiten/Eintrittspreise)

Wortschatz

- Hotel
- Wörter auf dem Stadtplan
- Sehenswürdigkeiten
- Zeitangaben: die Uhrzeit, die Tageszeit

Im Hotel

A1 An der Rezeption

1.30

Hören und lesen Sie.

Herr Heinemann:	Guten Tag, haben Sie noch ein Zimmer frei?
Rezeptionistin:	Grüß Gott! Möchten Sie ein Doppelzimmer?
Herr Heinemann:	Nein, wir möchten gerne zwei Einzelzimmer.
Rezeptionistin:	Zwei Einzelzimmer? Moment mal … Ja, Sie haben Glück. Wir haben noch Einzelzimmer frei. Wie lange möchten Sie bleiben?
Herr Heinemann:	Zwei Nächte. Was kostet ein Einzelzimmer?
Rezeptionistin:	Das Zimmer kostet 65,– Euro pro Nacht.
Herr Heinemann:	Mit Frühstück?
Rezeptionistin:	Nein, der Preis ist ohne Frühstück. Das Frühstück kostet 20,– Euro extra.
Herr Heinemann:	Das ist teuer! Hat das Zimmer einen Internetanschluss?
Rezeptionistin:	Ja, alle Zimmer haben einen Internetanschluss, einen Fernseher, eine Minibar und ein Bad.
Herr Heinemann:	Gibt es auch ein Hotelrestaurant?
Rezeptionistin:	Ja, natürlich. Ein italienisches Spezialitätenrestaurant.
Herr Heinemann:	Gut, wir nehmen die Zimmer.
Rezeptionistin:	Ich brauche noch Ihre Adresse.
Herr Heinemann:	Hauptstraße 25, in Marburg.
Rezeptionistin:	Was ist Ihre Postleitzahl?
Herr Heinemann:	35037.
Rezeptionistin:	Danke. Zahlen Sie mit Kreditkarte?
Herr Heinemann:	Nein, ich zahle bar. Und du?
Herr Wegner:	Ich zahle lieber mit Kreditkarte.
Rezeptionistin:	Hier sind Ihre Zimmerschlüssel. *Ihre* Zimmernummer ist die 405 und *Ihre* Zimmernummer ist die 407. Schönen Aufenthalt!
Herr Heinemann:	Danke schön.
Herr Wegner:	Danke.

	Begrüßung	Verabschiedung
bis ca. 10.00 Uhr	*Guten Morgen!*	*Auf Wiedersehen!* (formell)
ca. 10.00 bis 18.00 Uhr	*Guten Tag!* *Hallo!* (informell)	*Tschüss!* (informell)
ab ca. 18.00 Uhr	*Guten Abend!*	
in Bayern und Österreich	*Grüß Gott!*	*Auf Wiederschauen!*
in der Schweiz	*Grüezi!*	

A2 Spielen Sie die Dialoge.

Gast	Rezeptionist(in)
Guten Tag. Haben Sie noch ein Zimmer frei?	
	Möchten Sie ein Einzelzimmer? Doppelzimmer? Dreibettzimmer?
Ja, ein .... bitte. Nein, ich möchte ein	
	Wie lange möchten Sie bleiben?
Eine Nacht/ .... Nächte. Hat das Zimmer ein Bad? einen Fernseher? einen Internetanschluss? eine Minibar? ein Telefon?	
	Ja, unsere Zimmer haben alle … Nein, unsere Zimmer haben keinen Fernseher. kein Bad. keinen Internetanschluss. keine Minibar. kein Telefon.
Wie viel/Was kostet das Zimmer?	
	.... Euro pro Nacht.
Gut, ich nehme es.	

Verben mit Akkusativ

⇨ Teil C Seite 77

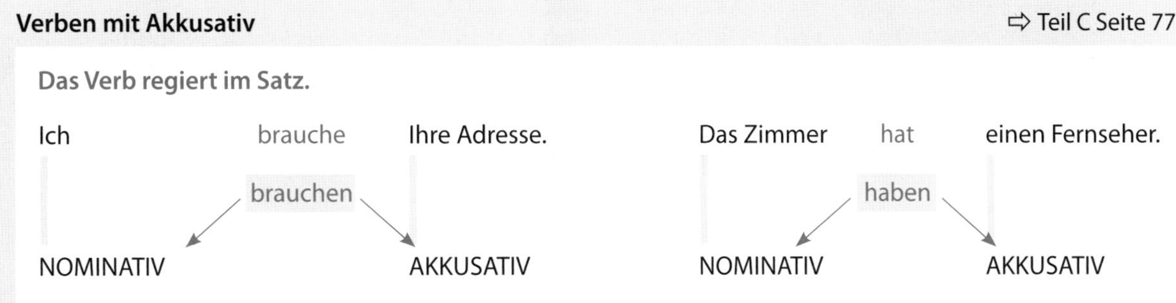

Die Nomengruppe

	Singular						Plural	
	maskulin		feminin		neutral			
Nominativ	der	Fernseher	die	Lampe	das	Bad	die	Zimmer
Akkusativ	den	Fernseher	die	Lampe	das	Bad	die	Zimmer
	einen	Fernseher	eine	Lampe	ein	Bad		Zimmer
	keinen	Fernseher	keine	Lampe	kein	Bad	keine	Zimmer

A3 Formulieren Sie Fragen.

- haben – du – Fernseher — *Hast du einen Fernseher?*

1. haben – Sie – Computer ....
2. brauchen – ihr – Radio ....
3. möchten – du – Fahrrad ....
4. haben – ihr – Auto ....
5. möchten – Sie – Tasse Kaffee ....
6. brauchen – du – Stuhl ....
7. haben – Sie – Saxofon ....
8. möchten – Sie – Zeitung ....
9. brauchen – Sie – Schreibtisch ....
10. haben – du – Kreditkarte ....
11. möchten – Sie – Doppelzimmer ....

möchte(n) ⇨ Teil C Seite 80

Singular	ich du er/sie/es	möchte möchtest möchte !
Plural	wir ihr sie	möchten möchtet möchten
formell	Sie	möchten

haben

Singular	ich du er/sie/es	habe hast ! hat !
Plural	wir ihr sie	haben habt haben
formell	Sie	haben

A4 Sie suchen im Internet ein Hotel in München.

Lesen Sie die folgenden Angebote.

Hotel Monaco

Adresse:	Schillerstraße 9, München
Zimmeranzahl:	23
Kreditkarten:	American Express, VISA, Euro-/Mastercard
Anreise:	ab 15.00 Uhr
Abreise:	bis 12.00 Uhr
Sterne:	* *
Lage:	im Zentrum von München wenige Minuten vom Hauptbahnhof entfernt
Preise:	***Einzelzimmer:*** 50 bis 160 Euro pro Zimmer mit Frühstück ***Doppelzimmer:*** 66 bis 175 Euro pro Zimmer mit Frühstück ***Dreibettzimmer:*** 86 bis 220 Euro pro Zimmer mit Frühstück
Zimmerausstattung:	Dusche mit WC, Haartrockner, Fernseher, Radio, Wecker, Schreibtisch

Hotel Bristol

Adresse:	Pettenkoferstraße 2, München
Zimmeranzahl:	56
Kreditkarten:	American Express, VISA, Euro-/Mastercard, Diners Club
Anreise:	ab 14.00 Uhr
Abreise:	bis 12.00 Uhr
Sterne:	* * *
Lage:	im Zentrum von München
Preise:	***Einzelzimmer:*** 55 bis 69 Euro pro Zimmer mit Frühstück ***Doppelzimmer:*** 69 bis 89 Euro pro Zimmer mit Frühstück
Zimmerausstattung:	Bad mit WC, Haartrockner, Fernseher, Radio, Wecker, Telefon, Schreibtisch, Balkon
Besonderheiten:	Tiefgarage, 13 Euro pro Tag

Hotel Arabella Sheraton Westpark

Adresse:	Garmischer Straße 2, München
Zimmeranzahl:	258
Kreditkarten:	American Express, VISA, Euro-/Mastercard, Diners Club
Anreise:	ab 15.00 Uhr
Abreise:	bis 12.00 Uhr
Sterne:	* * * *
Lage:	Theresienwiese, wenige Minuten vom Stadtzentrum entfernt
Preise:	***Einzelzimmer:*** 255 bis 325 Euro pro Zimmer ohne Frühstück ***Doppelzimmer:*** 275 bis 350 Euro pro Zimmer ohne Frühstück
Zimmerausstattung:	Bad mit WC, Haartrockner, Satelliten-Fernseher, Radio, Wecker, Schreibtisch, Hosenbügler, Minibar, Zimmersafe
Besonderheiten:	Parkplatz, Restaurant, Bar, Schwimmbad, Sauna, Fitnesscenter

A5 Welches Hotel nehmen Sie?

Antworten Sie.

Ich nehme das Hotel ....

Es liegt ....

Es hat .... Sterne.

Das Einzelzimmer/Doppelzimmer kostet zwischen ....

Der Preis ist mit/ohne ....

Alle Zimmer haben: ....

Außerdem hat das Hotel noch/gibt es im Hotel noch ....

Im Hotel gibt es aber keinen/keine/kein ....

A6 Fragen und antworten Sie. 1.31

Hören Sie danach die Lösungen auf der CD.

- Wie viel kostet ein Doppelzimmer im Hotel Bristol? *Es kostet zwischen 69 und 89 Euro.*
1. Ist der Preis mit oder ohne Frühstück? ....
2. Wie viele Sterne hat das Hotel Monaco? ....
3. Welche Besonderheit hat das Hotel Bristol? ....
4. Wie ist die Zimmerausstattung im Hotel Monaco? ....
5. Wie ist die Adresse vom Hotel Monaco? ....
6. Wie viele Zimmer hat das Hotel Bristol? ....
7. Gibt es ein Fitnesscenter im Hotel Arabella? ....
8. Wie viel kostet ein Dreibettzimmer im Hotel Monaco? ....
9. Liegt das Hotel Monaco im Zentrum von München? ....
10. Wie viel kostet ein Einzelzimmer im Hotel Arabella? ....
11. Gibt es im Hotel Monaco eine Tiefgarage? ....
12. Wie viele Sterne hat das Hotel Arabella? ....
13. Kann man im Hotel Arabella etwas essen? ....

A7 Ein Formular ausfüllen und unterschreiben

Ergänzen Sie das Anmeldeformular mit Angaben zu Ihrer Person.

Anmeldeformular

HOTEL MONACO

Zimmer-Nr. *405* Anreisetag *17.05.20....*
Anzahl Personen *1* Abreisetag *19.05.20....*

Herr/Frau	Name	Vorname
Geburtsort	Geburtsdatum	Staatsangehörigkeit
Land	Postleitzahl, Wohnort	Straße, Hausnummer
Telefon	E-Mail	Beruf
Datum		Unterschrift

A8 Ergänzen Sie die passenden Verben und lesen Sie dann den Text laut.

bleiben • kosten • ~~möchten~~ • zahlen • haben (4 x) • sein (2 x) • nehmen

Gast:	Guten Tag. Ich *möchte* gern ein Zimmer. .... Sie noch Einzelzimmer?
Rezeptionist:	Ja, wir .... noch Einzelzimmer. Wie lange möchten Sie ....?
Gast:	Eine Nacht. Was .... das Zimmer?
Rezeptionist:	120 Euro.
Gast:	120 Euro. Das .... teuer!
Rezeptionist:	Der Preis .... inklusive Frühstück.
Gast:	.... das Zimmer einen Internetanschluss?
Rezeptionist:	Nein, aber alle Zimmer .... einen Satelliten-Fernseher.
Gast:	Gut. Ich .... das Zimmer. Kann ich mit Kreditkarte ....?
Rezeptionist:	Ja, mit VISA oder Eurocard.

A9 der – die – das

Ordnen Sie zu. Benutzen Sie dabei das Wörterbuch und lernen Sie das Nomen mit Artikel.

~~Zimmer~~ • Preis • Hotel
Fernseher • Restaurant
Tiefgarage • Parkplatz
Fitnesscenter • Minibar
Hauptbahnhof • Adresse
Radio • Wecker • Bad
Haartrockner • Frühstück
Stadtzentrum • Dusche
Kreditkarte • Zimmersafe
Hosenbügler • Balkon
Internetanschluss • Bett
Zimmerschlüssel

der/ein	die/eine	das/ein
....	....	*das Zimmer*
....	....	....
....	....	....
....	....	....
....	....	....
....	....	....
....	....	....
....	....	....
....	....	....
....	....	....

A10 Phonetik: -er [ɐ] 1.32

Hören und wiederholen Sie.

- das Zimmer – das Fitnesscenter
- der Fernseher – der Drucker – der Wecker – der Haartrockner
  der Hosenbügler – der Computer – der Kugelschreiber – der Informatiker

Die Nomengruppe: *ein – eine – ein* oder *der – die – das*?

Es gibt im Zimmer	einen	Schreibtisch.	Ich finde	den	Schreibtisch sehr klein.
Das Zimmer hat auch	eine	Minibar.		Die	Minibar ist leer.
Das Zimmer hat	ein	Doppelbett.		Das	Doppelbett ist sehr schmal.
	↓ unbestimmter Artikel			↓ bestimmter Artikel	

A11 Was brauchen Sie unbedingt?

Was finden Sie im Hotel/im Hotelzimmer wichtig/unwichtig?

Fernseher • Telefon • Tiefgarage • Parkplatz • Fitnesscenter • Minibar • Wecker • Haartrockner • Schreibtisch • Bad • Zimmersafe • Hosenbügler • Dusche • Einzelbett • Doppelbett • extra Sessel • Internetanschluss • Faxgerät • Balkon • Restaurant

Ich brauche unbedingt einen/eine/ein ....

Ich finde einen/eine/ein .... wichtig.

Einen/eine/ein .... finde ich unwichtig/brauche ich nicht.

A12 Im Hotelzimmer 1.33

Hören und lesen Sie.

Herr Heinemann:	Ist dort die Rezeption?
Rezeptionistin:	Ja. Sie wünschen?
Herr Heinemann:	Hier ist Peter Heinemann, Zimmer 405. Ich habe ein Problem, nein – ich habe mehrere Probleme. Die Dusche ist kaputt, es gibt keine Handtücher und kein Toilettenpapier und der Fernseher geht auch nicht.
Rezeptionistin:	Das kann doch nicht sein!
Herr Heinemann:	Bitte kommen Sie doch und sehen Sie selbst.
Rezeptionistin:	Einen Moment bitte, ich komme. Wir bringen das sofort in Ordnung.

Bitte kommen Sie *doch*! ⟶ Man ist irritiert, aufgeregt.

Ich habe ein Problem
Ich habe mehrere Probleme
Ich habe viele Probleme

A13 Spielen Sie die Dialoge.

Fernseher • Bett • Bad • Minibar • Haartrockner • Dusche • Telefon • Radio • Handtücher • Kopfkissen …
kaputt • hart • sehr klein • leer • schmutzig • funktioniert nicht • geht nicht • zu dunkel • zu laut •
es gibt keinen/keine/kein …

Gast	Rezeptionist(in)
Ist dort die Rezeption?	
	Ja, Sie wünschen?
Hier ist .... Zimmer .... Ich habe ein Problem: .... Ich brauche	
	Das bringen wir in Ordnung.

A14 Phonetik: Umlaute – ö [øː] und ö [œ] 1.34

Hören und wiederholen Sie.

schön – langes ö [øː]	Wörter – kurzes ö [œ]
hören – schön – Danke schön!	zwölf – Wörter – Wörterbuch – können – möchten – öffnen
Wir hören gern Musik. ↘ Das ist ein schöner Stuhl. ↘	Marie und Sebastian können schon zwölf deutsche Wörter schreiben. ↘ Das Wörterbuch ist im Regal. ↘ Könnt ihr das Wort buchstabieren? ↗ Sind das elf oder zwölf Wörter? ↗ Möchten Sie ein Doppelzimmer? ↗

Was hören Sie? **ö** oder **e**?

k.....nnen   k.....nnen   zw.....lf   l.....sen   .....ffnen   s.....nden   .....lf

A15 Ordnen Sie zu.

duschen • fernsehen • ~~bezahlen~~ • sitzen • schlafen • lesen • telefonieren • arbeiten • senden • öffnen • parken

bezahlen = zahlen

•	Meine Kreditkarte ist weg.	Ich kann nicht *bezahlen*.
1.	Die Dusche ist kaputt.	Ich kann nicht ....
2.	Der Fernseher geht nicht.	Ich kann nicht ....
3.	Mein Zimmerschlüssel ist weg.	Ich kann die Tür nicht ....
4.	Das Bett ist zu hart.	Ich kann nicht ....
5.	Der Sessel ist nicht stabil.	Man kann nicht ....
6.	Im Zimmer gibt es keinen Schreibtisch.	Ich kann nicht ....
7.	Das Telefon funktioniert nicht.	Ich kann nicht ....
8.	Ich habe keinen Internetanschluss.	Ich kann keine E-Mails ....
9.	Die Lampe ist kaputt.	Ich kann nicht ....
10.	Es gibt keine Tiefgarage.	Ich kann mein Auto hier nicht ....

Die Nomengruppe

⇨ Teil C Seite 74

	Singular			Plural
	maskulin	feminin	neutral	
Nominativ	der Fernseher der alte Fernseher ein alter Fernseher	die Lampe die neue Lampe eine neue Lampe	das Radio das moderne Radio ein modernes Radio	die Zimmer die kleinen Zimmer keine kleinen Zimmer
Akkusativ	den Fernseher den alten Fernseher einen alten Fernseher			

A16 Ergänzen Sie die Nomengruppe im Nominativ.

Ist { … } kaputt?

- ◆ der neue Fernseher
1. d....... schön....... Uhr
2. d....... alt....... Auto
3. d....... teur....... Kaffeemaschine
4. d....... neu....... Faxgerät
5. d....... modern....... Lampe
6. d....... alt....... Computer
7. d....... bequem....... Stuhl

A17 Ergänzen Sie die Nomengruppe im Akkusativ.

- ◆ Ich brauche *(neu, Fernseher)* einen neuen Fernseher.
1. Martin möchte *(groß, Schreibtisch)* ....
2. Wir brauchen *(alt, Auto)* ....
3. Herr Krumm möchte *(teuer !, Uhr)* ....
4. Ich habe *(bequem, Sessel)* ....
5. Er möchte *(kalt, Bier)* ....
6. Wir brauchen *(groß, Doppelzimmer)* ....
7. Ich möchte *(weich, Bett)* ....
8. Der neue Informatiker hat *(gut, Drucker)* ....
9. Das moderne Hotel hat *(französisch, Spezialitätenrestaurant)* ....
10. Sein Freund möchte *(interessant, Buch)* ....

Und Sie? Was brauchen Sie für Ihr Büro?

Computer ◆ Lampe ◆ Regal ◆ Schreibtisch ◆ Drucker ◆ Kaffeemaschine ◆ Faxgerät ◆ Stuhl ◆ Wörterbuch …

Was brauchen Sie noch? Was möchten Sie gern?

Auto ◆ Motorrad ◆ Sessel ◆ Bad ◆ Bier …

Der Stadtplan

A18 Was es in einer Stadt alles gibt … 

a) Hören und lesen Sie die Wörter auf dem Stadtplan. Welche Wörter kennen Sie?

die Touristeninformation ♦ das Museum ♦ das Theater ♦ die Oper ♦ das Kino ♦ der Bahnhof ♦ das Hotel ♦ das Rathaus ♦ das Restaurant ♦ der Parkplatz ♦ die Bank ♦ die Post ♦ die Universität ♦ die Apotheke ♦ das Café ♦ der Supermarkt

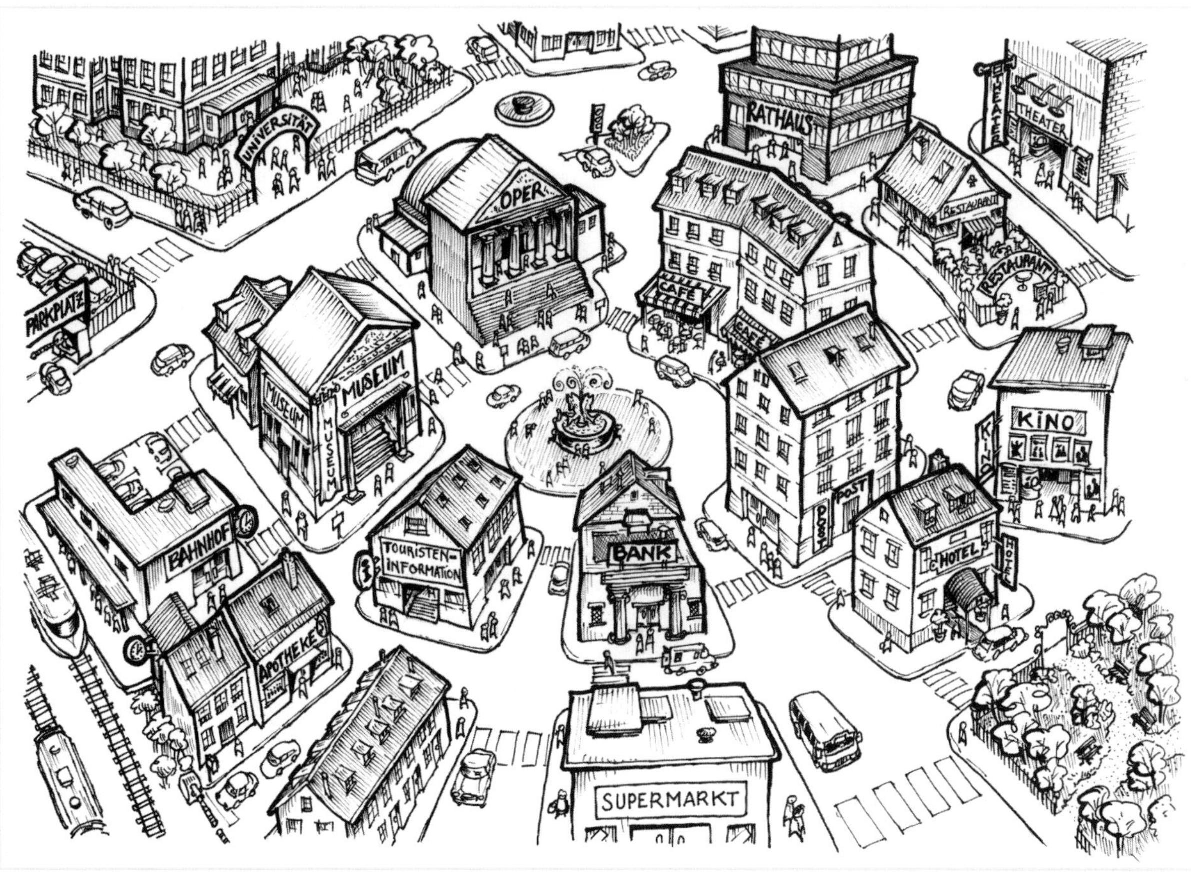

b) Was kann man wo? Welches Nomen passt? Ordnen Sie zu.

Hier kann man:

- Informationen bekommen: *die Touristeninformation*

1. übernachten: ....
2. etwas essen: ....
3. sein Auto parken: ....
4. einen Film sehen: ....
5. studieren: ....
6. berühmte Bilder bewundern: ....
7. eine Aspirintablette kaufen: ....
8. eine Oper oder ein Theaterstück sehen: ....
9. eine Tasse Kaffee trinken: ....
10. Geld abheben: ....
11. Briefmarken kaufen: ....
12. Lebensmittel kaufen: ....
13. Hier regiert der Bürgermeister: ....
14. Hier halten Züge: ....

c) Was gibt es in Ihrer Heimatstadt? Was gibt es nicht? Berichten Sie.

In *(Heidelberg)* gibt es eine Touristeninformation. Dort kann man Informationen bekommen.
In *(Heidelberg)* gibt es keine Touristeninformation.

A19 Phonetik: Umlaute – ü [y:] und ü [ʏ] 1.36

Hören und wiederholen Sie.

Frühstück – langes ü [y:]	fünf – kurzes ü [ʏ]
Frühstück – für – natürlich – Bücher Handtücher – Züge	fünf – Schlüssel – wünschen – München – Euromünzen – Glück
Möchten Sie neue Handtücher? ↗ Natürlich lese ich Bücher! ↘ Das Frühstück ist im Hotelrestaurant. ↘	Ich habe fünf Münzen aus Griechenland. ↘ Hier ist Ihr Zimmerschlüssel. ↘ Sie wünschen? ↗ Ich fahre nach München. ↘

Was hören Sie? **ü** oder **ie/i**?

B......cher v......r T......r Z......mmer Gl......ck f......nf sp......len

In München

A20 Sehenswürdigkeiten

Es ist Samstag. Peter Heinemann möchte etwas unternehmen, vielleicht ein Museum besuchen oder spazieren gehen. In einem Prospekt findet Peter die folgenden Informationen.

Lesen Sie die Informationen.

München – Sehenswürdigkeiten

Das Deutsche Museum

Information:
Segelschiffe, Windmühlen, Industrieroboter, Raumsonden – das alles finden Sie im *Deutschen Museum*. Das *Deutsche Museum* ist ein naturwissenschaftlich-technisches Museum. Es zeigt viele technische Erfindungen und hat eine Ausstellungsfläche von 50.000 qm (Quadratmeter).

Adresse:
Museumsinsel 1, 80538 München
Tel.: (0 89) 21 79-1

Öffnungszeiten:
Täglich 9.00 bis 17.00 Uhr

Eintrittspreise:
Tageskarte 7,50 Euro
Schüler- und Studentenkarte 3,00 Euro
Familienkarte 15,00 Euro

Der Englische Garten

Information:
Der Englische Garten ist 373 ha (Hektar) groß und 200 Jahre alt. Er bietet viele Freizeitmöglichkeiten. Man kann dort lange Spaziergänge machen oder im Biergarten ein kühles Bier trinken und etwas essen.

Adresse:
Zwischen Prinzregentenstraße und Freimann

Öffnungszeiten:
Immer geöffnet

Eintrittspreise:
Eintritt frei

A21 Hören Sie die Dialoge.

1.37

Ergänzen Sie die Angaben.

Die Pinakothek der Moderne

Information:
Die Pinakothek der Moderne zeigt bedeutende Kunstwerke aus dem 20. Jahrhundert. Man kann dort Bilder von Wassily Kandinsky, Paul Klee, Pablo Picasso oder René Magritte bewundern.

Adresse:
Kunstareal München, Barer Str. 40
80799 München, Tel.: (0 89) 23 80 53 60

Öffnungszeiten:
Von Dienstag bis Sonntag
.... bis 17.00 Uhr
Donnerstag und Freitag
10.00 bis .... Uhr
.... geschlossen

Eintrittspreise:
Tageskarte .... Euro
Schüler- und Studentenkarte .... Euro
sonntags 1,00 Euro

Das Kartoffelmuseum

Information:
Im Kartoffelmuseum finden Sie alles rund um die Kartoffel: Informationen, Rezepte und Kunstwerke.

Adresse:
Grafinger Str. ....
81671 München, Tel.: (0 89) 40 40 50

Öffnungszeiten:
Freitag: .... bis 18.00 Uhr
............:11.00 bis .... Uhr

Eintrittspreise:
Eintritt ....

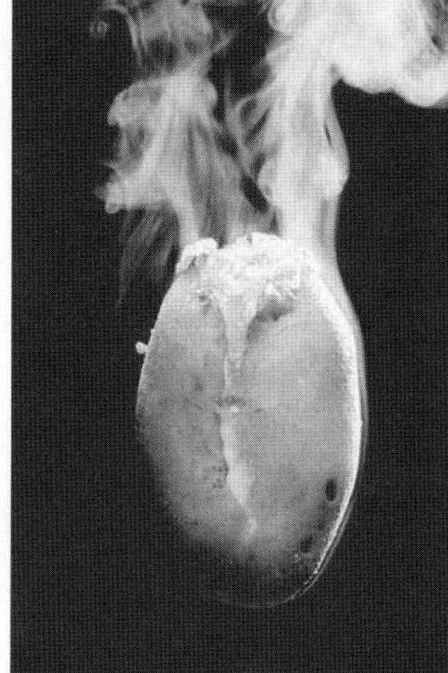

Sehenswürdigkeiten

München

A22 Zeitangaben

Lesen und ergänzen Sie.

Uhrzeit

Wann/Wie lange ist/hat das Museum geöffnet?	Von 9.00 Uhr bis 17.00 Uhr.
Wann öffnet das Museum?	Um 9.00 Uhr.
Wann schließt das Museum?	Um 17.00 Uhr.

Tage

Wann ist das Museum geöffnet?
Wann hat das Museum geöffnet?

am Montag/am Dienstag ...
am Wochenende
von Montag bis Sonntag = täglich
montags (jeden Montag)

dienstags *mitt*.................
....
....

A23 Geben Sie die Informationen wieder. 1.38

Hören Sie danach die Lösungen auf der CD.

Wann hat das Museum geöffnet?

Das Deutsche Museum hat täglich von 9.00 bis 17.00 Uhr geöffnet.
Die Pinakothek der Moderne ....
Das Kartoffelmuseum ....
Der Englische Garten ....

Wann öffnet und schließt das Museum?

Das Deutsche Museum öffnet um 9.00 und schließt um 17.00 Uhr.
Die Pinakothek der Moderne ....
Das Kartoffelmuseum ....

Wie viel kostet eine Eintrittskarte?

Das Kartoffelmuseum: Die Eintrittskarte kostet nichts./Der Eintritt ist frei.
Das Deutsche Museum: Eine Tageskarte für das Deutsche Museum kostet ....
Eine Studentenkarte ....
Die Pinakothek der Moderne: ....
....
Der Englische Garten: ....
....

A24 Was passt zusammen?

Ordnen Sie zu.

hat bedeutende Kunstwerke von Pablo Picasso ◆ erhält man viele Informationen über die Kartoffel ◆ bietet viele Freizeitmöglichkeiten ◆ zeigt viele technische Erfindungen

1. Das Deutsche Museum ....
2. Die Pinakothek der Moderne ....
3. Im Kartoffelmuseum ....
4. Der Englische Garten ....

A25 Was möchten Sie besuchen?

Entscheiden Sie.

Ich möchte .... besuchen.
Dort kann man ....
Ich finde .... sehr interessant.
....

Satzbau

Ich möchte das Kartoffelmuseum besuchen.
Dort kann man viele Informationen über die Kartoffel bekommen.

A26 Spielen Sie Dialoge.

	Öffnungszeiten	Eintrittspreise
Stadtmuseum	Di.–So. 10.00 bis 18.00 Uhr am Montag geschlossen	2,50 Euro Schüler und Studenten 1,50 Euro sonntags frei
Ägyptisches Museum	Di.–Sa. 13.00 bis 17.00 Uhr So. und Mo. geschlossen	3,50 Euro Schüler und Studenten 2,00 Euro
Museum für moderne Kunst	Mo.–So. 10.00 bis 19.00 Uhr	5,50 Euro Schüler und Studenten 4,00 Euro sonntags 1,00 Euro
Fotomuseum	Mo.–Fr. 14.00 bis 18.00 Uhr Sa. und So. geschlossen	1,00 Euro für alle
Industriemuseum	Mo.–Sa. 9.00 bis 18.00 Uhr So. geschlossen	2,00 Euro für Schüler und Studenten frei
Museum für Natur und Technik	Mi.–So. 10.00 bis 17.00 Uhr Mo. und Di. geschlossen	2,00 Euro für alle

a) nach Öffnungszeiten fragen

Ja, guten Tag. Ich habe eine Frage.
Wann hat das Stadtmuseum geöffnet?

Das Stadtmuseum hat von .... bis .... geöffnet.

Haben Sie immer geöffnet, von Montag bis Sonntag?

Wir haben von .... bis .... geöffnet.
Nein, am .... ist das Museum geschlossen.

Und wie viel kostet eine Eintrittskarte?

Eine Eintrittskarte kostet ....

b) Eintrittskarten kaufen

Guten Tag.
Zwei Tageskarten/Studentenkarten/Eine Familienkarte bitte.

Das kostet .... Euro.

Kann ich mit Kreditkarte bezahlen?

Nein, wir nehmen nur Bargeld.

Gibt es eine Cafeteria/ein Restaurant im Museum?

Ja./Nein.

Danke für die Auskunft.

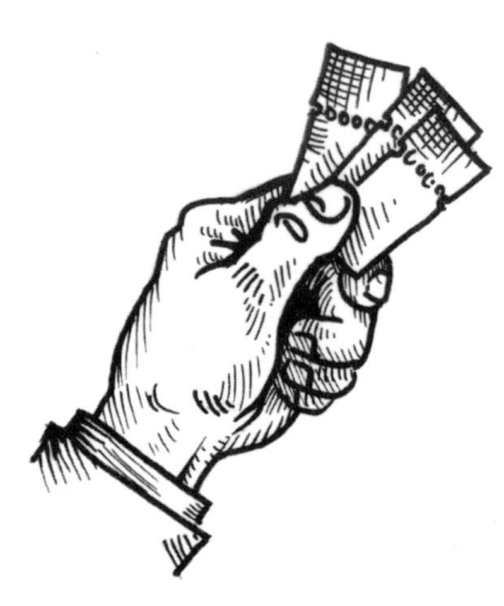

A27 Lesen Sie die E-Mail von Peter an Klara.

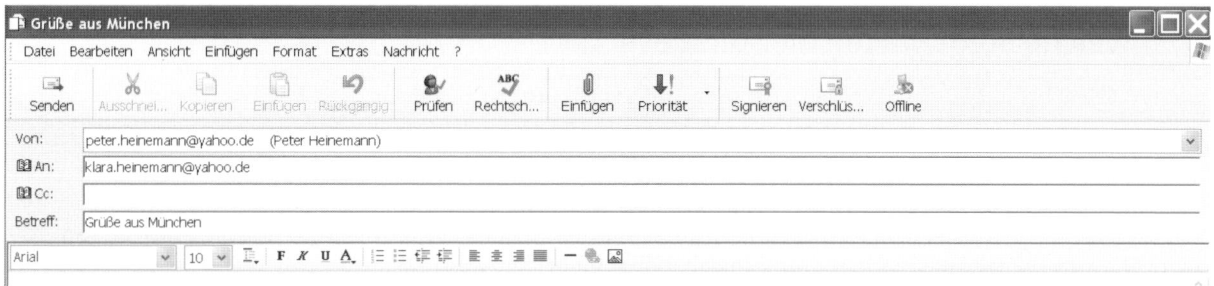
Grüße aus München

Datei Bearbeiten Ansicht Einfügen Format Extras Nachricht ?

Senden Ausschnei... Kopieren Einfügen Rückgängig Prüfen Rechtsch... Einfügen Priorität Signieren Verschlüs... Offline

Von: peter.heinemann@yahoo.de (Peter Heinemann)

An: klara.heinemann@yahoo.de

Cc:

Betreff: Grüße aus München

Liebe Klara,

viele Grüße aus München. Mein Hotel liegt im Zentrum. Das Hotelzimmer ist sehr groß. Es hat einen Fernseher und zum Glück einen Internetanschluss. Heute Abend um 20.00 Uhr gibt das Universitätsorchester ein Konzert und ich spiele, wie immer, Klavier. Aber bis 20.00 Uhr habe ich noch etwas Zeit. Ich möchte gerne das Deutsche Museum besuchen und die vielen interessanten Erfindungen bewundern. Vielleicht mache ich auch noch einen Spaziergang und trinke ein Bier. Aber nur *ein* Bier, ich möchte heute Abend natürlich gut spielen.

Liebe Grüße
Dein Peter

Zeitangaben

die Sekunde (Sekunden)
die Minute (Minuten)
die Stunde (Stunden)
der Tag (Tage)
der Monat (Monate)
das Jahr (Jahre)

der Tag	tagsüber !		
	vorgestern ← gestern ← heute → morgen → übermorgen		
die Tageszeit	ca. 8–10 Uhr	der Morgen	morgens
	ca. 10–12 Uhr	der Vormittag	vormittags
	ca. 12–14 Uhr	der Mittag	mittags
	ca. 14–18 Uhr	der Nachmittag	nachmittags
	ca. 18–22 Uhr	der Abend	abends
	ab ca. 22 Uhr	die Nacht	nachts

A28 Schreiben Sie selbst eine E-Mail.

Grüße aus München • Hotel liegt günstig • preiswertes Hotel • Hotelzimmer klein • Fernseher kaputt • Minibar leer • aber: Internetanschluss • Kartoffelmuseum besuchen • 19.00 Uhr Fußball spielen • noch etwas Zeit • Tee trinken • etwas essen • liebe Grüße

A29 Was machen Sie? Bilden Sie Sätze.

heute Vormittag • heute Mittag • heute Nachmittag • heute Abend • heute Nacht • morgen Vormittag • morgen Mittag • morgen Nachmittag • morgen Abend • morgen Nacht

einen Spaziergang machen • das Heimatmuseum besuchen • Klavier spielen • ein Bier trinken • schlafen • Tango tanzen • einen Sprachkurs besuchen • Zeitung lesen • eine E-Mail schreiben • klassische Musik hören

Heute Vormittag mache ich einen Spaziergang. ....

....

....

....

....

Wissenswertes *(fakultativ)*

B1 Welche Stadt hat die meisten Besucher?

Raten Sie.

Frankfurt am Main • München • Berlin • Köln • Hamburg

- Ich glaube, auf Platz 1 liegt …/Platz 1 belegt …

1. .... (4 953 000 Besucher pro Jahr)
2. .... (3 462 000 Besucher pro Jahr)
3. .... (2 956 000 Besucher pro Jahr)
4. .... (2 272 000 Besucher pro Jahr)
5. .... (1 876 000 Besucher pro Jahr)
6. Düsseldorf (1 269 000 Besucher pro Jahr)
7. Stuttgart (1 171 000 Besucher pro Jahr)
8. Dresden (1 104 000 Besucher pro Jahr)
9. Nürnberg (996 000 Besucher pro Jahr)
10. Leipzig (879 000 Besucher pro Jahr)
11. Hannover (706 000 Besucher pro Jahr)
12. Bremen (599 000 Besucher pro Jahr)
13. Bonn (497 000 Besucher pro Jahr)
14. Heidelberg (482 000 Besucher pro Jahr)

B2 Welche Stadt interessiert Sie?

Welche Stadt möchten Sie gern einmal besuchen?

Ich finde .... *(Berlin)* interessant.

.... *(Berlin)* ist eine .... *(interessante, schöne, moderne, historische, große, romantische, berühmte)* Stadt.

Ich möchte gerne einmal .... *(Berlin)* besuchen.

Ich möchte gern einmal nach .... *(Berlin)* fahren.

B3 Wo liegt …?

Beantworten Sie die Fragen. Benutzen Sie die Deutschlandkarte.

Wo liegt …?

im Norden
im Nordosten
im Osten
aber: in der Mitte

Wo liegt Berlin? *Berlin liegt im Osten von Deutschland.*
Wo liegt Hamburg? ....
Wo liegt München? ....
Wo liegt Köln? ....
Wo liegt Dresden? ....
Wo liegt Hannover? ....
Wo liegt Leipzig? ....
Wo liegt Düsseldorf? ....
Wo liegt Frankfurt am Main? ....
Wo liegt Frankfurt an der Oder? ....

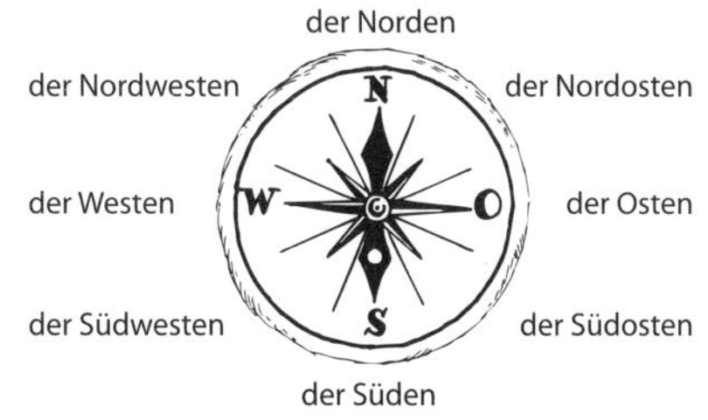

B4 Hören und lesen Sie den Text. 1.39

München – die Landeshauptstadt Bayerns

In München wohnen ca. 1,26 Millionen Menschen. München liegt im Süden von Deutschland und ist die Landeshauptstadt von Bayern.

München hat zwei Universitäten: die Ludwig-Maximilians-Universität und die Technische Universität. An der LMU (Ludwig-Maximilians-Universität) studieren 47 000 Studenten.

München hat 71 Theater, drei große Orchester und 50 Museen und Sammlungen.

Die Sammlung der Alten Pinakothek umfasst 9000 Bilder großer europäischer Maler aus dem 15. bis 18. Jahrhundert. Die bekanntesten Bilder sind von den Malern Albrecht Dürer und Peter Paul Rubens. Die Pinakothek der Moderne zeigt moderne Kunst und Architektur. Sie ist ein international bedeutendes Museum für Kunst aus dem 20. Jahrhundert.

Aber München bietet noch viel mehr, zum Beispiel das berühmteste Wirtshaus der Welt, das Hofbräuhaus. Es ist 400 Jahre alt. Insgesamt trinken die Gäste im Hofbräuhaus täglich 1000 Liter Bier.

In München findet man auch viele große Firmen wie Siemens (Hersteller von Elektrogeräten, Telefonen und Computern), BMW (Hersteller von Autos), MAN (Hersteller von Lastkraftwagen) oder Rodenstock (Hersteller von Brillen).

Die Sammlung der Alten Pinakothek umfasst (= hat) 9000 Bilder.
Wirtshaus = besonderes Restaurant

B5 Ergänzen Sie die fehlenden Informationen aus dem Text.

München hat ...

1,26 Millionen ....

die Alte Pinakothek:
Die Sammlung .... 9000 ....

die Pinakothek der Moderne:
Sie ist ein international .... Museum.

das Hofbräuhaus:
Es ist 400 ....

zwei Universitäten:
die Ludwig-Maximilians-Universität
mit 47 000 .... und
die .... Universität.

große Firmen:
Siemens – Hersteller von ....
BMW – Hersteller von ....
MAN – Hersteller von ....
Rodenstock – Hersteller von ....

B6 Berichten Sie über Ihre Heimatstadt.

Meine Heimatstadt ist ....
Es gibt dort ....
.... hat ....
In ....
kann man ....
finden/besuchen/sehen/bewundern.

Ihre Stadt
Wie alt?
Einwohner
Theater Museen
Universitäten
Sehenswürdigkeiten
Firmen

Die Nomengruppe

Nominativ und Akkusativ

	Singular			Plural
	maskulin	feminin	neutral	
Nominativ	der Fernseher der alte Fernseher ein alter Fernseher kein alter Fernseher	die Lampe die neue Lampe	das Radio das moderne Radio	die Zimmer die kleinen Zimmer
Akkusativ	den Fernseher den alten Fernseher einen alten Fernseher keinen alten Fernseher	eine neue Lampe keine neue Lampe	ein modernes Radio kein modernes Radio	keine kleinen Zimmer

C1 Wer ist das? Was ist das?

Antworten Sie. Die Ergänzung steht im Nominativ.

Auto • Computerfirma • Kunstwerk • Museum • Philosoph • Physiker • ~~Stadt~~
russisch • amerikanisch • griechisch • italienisch • ~~japanisch~~ • dänisch • französisch

- ♦ Kyoto ist *eine japanische Stadt.*
1. Niels Bohr ist ....
2. IBM ist ....
3. Peugeot ist ....
4. Plato ist ....
5. Die Davidstatue von Michelangelo ist ....
6. Die Eremitage ist ....

C2 Was brauchst du?

Ergänzen Sie die Sätze mit *einen/keinen*, *eine/keine* oder *ein/kein*.

- ♦ Brauchst du *eine* Eintrittskarte? – Nein danke, *ich brauche keine Eintrittskarte.*
1. Braucht ihr .... Wecker? – Nein, *wir brauchen* ....
2. Brauchen Sie .... Radio? – Nein, ...
3. Brauchst du .... Lampe? – Nein, ...
4. Braucht sie .... Kugelschreiber? – Nein, ...
5. Braucht er .... Brille? – Nein, ...
6. Brauchst du .... Drucker? – Nein, ...
7. Brauchen Sie .... Zeitung? – Nein, ...
8. Braucht er .... Schlüssel? – Nein, ...
9. Braucht ihr .... Regal? – Nein, ...
10. Brauchen Sie .... Faxgerät? – Nein, ...
11. Brauchst du .... Kaffeemaschine? – Nein, ...
12. Brauchen wir .... Wörterbuch? – Nein, ...
13. Braucht er .... Terminkalender? – Nein, ...

C3 Was möchtest du?

Ergänzen Sie den unbestimmten Artikel und das Adjektiv im Akkusativ.

♦ Wörterbuch, neu	Möchtest du	*ein neues Wörterbuch?*
1. Wecker, klein	Möchtest du	....
2. Computer, modern	Möchtest du	....
3. Zeitung, alt	Möchtest du	....
4. Büro, groß	Möchtest du	....
5. Computertisch, praktisch	Möchtest du	....
6. Laptop, preiswert	Möchtest du	....
7. Bleistift, neu	Möchtest du	....
8. Bücherregal, leer	Möchtest du	....

C4 Was hast du?

Fragen und antworten Sie. Die Ergänzung steht im Akkusativ.

hart ♦ alt ♦ hässlich ♦ unbequem ♦ langweilig ♦ klein ♦ unmodern ♦ langsam ♦ leer

♦ Hast du *(neu, Fernseher)*?	*Hast du einen neuen Fernseher?*
	Nein, ich habe *keinen neuen Fernseher. Ich habe einen alten.*
1. Haben Sie *(weich, Bett)*?	....
	Nein, ich habe ....
2. Hast du *(voll, Minibar)*?	....
	Nein, ich habe ....
3. Haben Sie *(groß, Bad)*?	....
	Nein, ich habe ....
4. Hast du *(interessant, Buch)*?	....
	Nein, ich habe ....
5. Haben Sie *(bequem, Stuhl)*?	....
	Nein, ich habe ....
6. Hast du *(schnell, Auto)*?	....
	Nein, ich habe ....
7. Haben Sie *(modern, Lampe)*?	....
	Nein, ich habe ....
8. Hast du *(schön, Zimmer)*?	....
	Nein, ich habe ....

C5 Ergänzen Sie den bestimmten Artikel und antworten Sie.

♦ Wie findest du *das* Bild? *(sehr schön)*	*Ich finde das Bild sehr schön.*
1. Wie finden Sie .... Sprachkurs? *(interessant)*	....
2. Wie finden Sie .... Zimmer? *(zu klein)*	....
3. Wie finden Sie .... Hotel? *(unmodern)*	....
4. Wie finden Sie .... Restaurant? *(zu dunkel)*	....
5. Wie finden Sie .... Museum? *(sehr modern)*	....
6. Wie finden Sie .... Frühstück? *(sehr gut)*	....

C6 Ergänzen Sie die Endungen, wenn nötig.

- Wir besuchen d*en* Japanisch*en* Garten.
1. Kennt ihr d........ neu........ Roman von Patrick Süskind?
2. Trinken Sie auch ein........ Kaffee?
3. Gibt es hier ein........ bequem........ Stuhl?
4. Dagmar möchte schon wieder ein........ neu........ Telefon.
5. Liest du auch d........ Süddeutsch........ Zeitung?
6. Das ist ein........ uninteressant........ Buch. Ich lese es nicht.
7. Habt ihr auch ein........ modern........ Fernseher?
8. Ich schreibe ein........ sehr wichtig........ E-Mail.
9. Mein Sohn möchte d........ Deutsch........ Museum besuchen. Es ist ein........ interessant........ Museum.
10. D........ neu........ Dusche ist schon kaputt!
11. D........ Bibliothek braucht neu........ Bücher.
12. Mein........ Freundin sammelt kein........ Münzen.

Eigennamen schreibt man groß:

- Ich besuche das Deutsche Museum und den Englischen Garten.
- Ich lese die Süddeutsche Zeitung.

„Normale" Adjektive schreibt man klein:

- Ich lerne die deutsche Sprache.
- Ich habe eine englische Kollegin.

Verben

Zusammengesetzte Nomen (Komposita)

Im Deutschen gibt es sehr lange Wörter:

das Telefon	+	die Nummer	=	die Telefonnummer			
das Internet	+	der Anschluss	=	der Internetanschluss			
das Hotel	+	der Schlüssel	=	der Hotelschlüssel			
das Hotel	+	das Zimmer	=	das Hotelzimmer			
das Hotel	+	das Zimmer	+	der Schlüssel	=	der Hotelzimmerschlüssel	

Das letzte Wort bestimmt den Artikel.

C7 Bilden Sie neue Wörter.

♦	der Computer	+	*das*	Programm	=	*das Computerprogramm*
1.	das Zimmer	+	*die*	Nummer	=	....
2.	das Zimmer	+	....	Schlüssel	=	....
3.	das Hotel	+	....	Restaurant	=	....
4.	der Kredit	+	....	Karte	=	....
5.	das Bier	+	....	Garten	=	*der* ....
6.	die Musik	+	....	Instrument	=	....
7.	die Industrie	+	....	Roboter	=	....
8.	das Hotel	+	....	Rezeption	=	....
9.	die Stadt	+	....	Zentrum	=	....
10.	die Industrie	+	....	Museum	=	....
11.	der Termin	+	....	Kalender	=	....

Verben

C8 Ergänzen Sie das Verb *haben*.

- Ich *habe* zwei Brüder.

1. Theresa und ihr Mann .... keine Kinder.
2. Das Mozarthaus .... bis 17 Uhr geöffnet.
3. Viele Hotels .... keine Zimmer mit Internetanschluss.
4. .... ihr einen Terminkalender im Büro?
5. Wir .... keine Probleme.
6. .... Sie einen Euro?
7. .... du ein neues Auto?
8. Wo .... du deinen Schlüssel?

C9 Ergänzen Sie die Tabelle.

	haben	brauchen	besuchen	bezahlen	geben	sehen
ich	*habe*	....	....	....	....	....
du	...............!	....	....	....	*gibst!*	*siehst!*
er/sie/es/man	...............!	*braucht*	....	....	...............!	*sieht!*
wir	*haben*	....	....	*bezahlen*	....	....
ihr	....	....	....	....	*gebt*	....
sie/Sie	....	....	*besuchen*	....	....	....

Verben mit Akkusativ

Er	ist (sein)	ein guter Arzt.	Das	ist (sein)	ein alter Fernseher.
NOMINATIV		NOMINATIV	NOMINATIV		NOMINATIV

Frage: Wer? Was?

Das Verb regiert im Satz.

Ich	brauche (brauchen)	ein Auto.	Das Zimmer	hat (haben)	einen Fernseher.
NOMINATIV		AKKUSATIV	NOMINATIV		AKKUSATIV
Ich	trinke (trinken)	einen Kaffee.	Sie	besucht (besuchen)	ihren Freund.
NOMINATIV		AKKUSATIV	NOMINATIV		AKKUSATIV

Frage: Wen? Was?

Verben mit Akkusativ: besuchen, bezahlen, brauchen, es gibt, essen, finden, haben, hören, kennen, kosten, lesen, machen, möchte(n), öffnen, parken, sehen, studieren, trinken

C10 Nominativ oder Akkusativ?

Kreuzen Sie an. Markieren Sie die Verben.

		Nominativ	Akkusativ
•	Ich habe *keinen Drucker.*	❐	✗
1.	Ich finde *die Bilder* sehr interessant.	❐	❐
2.	Das ist *ein schöner Schreibtisch.*	❐	❐
3.	Wir brauchen *einen neuen Computer.*	❐	❐
4.	Besuchst du *einen Deutschkurs*?	❐	❐
5.	Mein Vater ist *Arzt.*	❐	❐
6.	Herr Müller liest *die Zeitung.*	❐	❐
7.	Ich möchte *ein Bier.*	❐	❐
8.	Wir bezahlen *das Zimmer* morgen.	❐	❐
9.	Das ist *mein Radio*!	❐	❐
10.	Schreiben Sie *eine E-Mail*?	❐	❐

C11 Was/Wen kann man nicht …?

• besuchen: alte Kollegen – ein Museum – Frankfurt am Main – einen Sprachkurs – ~~Musik~~
Musik kann man nicht besuchen.

1. trinken: ein kaltes Bier – einen Capuccino – einen Kaffee – einen Internetanschluss – einen Tee – eine Cola
…………………………………………

2. lesen: einen Fernseher – die Zeitung – ein interessantes Buch – Liebesgedichte – einen Kriminalroman
…………………………………………

3. schreiben: einen Brief – eine lange E-Mail – einen Deutschkurs – ein Computerprogramm
…………………………………………

4. machen: einen Kaffee – eine Homepage – Frühstück – eine Dusche – einen Sprachkurs
…………………………………………

5. studieren: Architektur – Medizin – Informatiker – Physik – Chemie
…………………………………………

6. bezahlen: das Hotelzimmer – eine Tasse Tee – die Eintrittskarte – das Kartoffelmuseum – das Buch
…………………………………………

C12 Was kann man …?

Was passt zusammen? Ordnen Sie zu.

öffnen →	einen Kaffee
parken	eine Tür
studieren	die Zeitung
bezahlen	Informatik
trinken	ein Auto
lesen	einen Sprachkurs
besuchen	Glück
hören	Deutsch
machen	eine Eintrittskarte
haben	ein Museum
sprechen	ein Konzert

C13 Ergänzen Sie die Verben.

studieren	Ich	*studiere*	
	Ihr	....	Informatik.
	Werner und Otto	....	
können	Mein Bruder	....	
	Frau Krause	....	gut Tennis spielen.
	Wir	....	
sprechen	Du	....	
	Karin	....	ein bisschen Deutsch.
	Sie *(Pl.)*	....	
sehen	Ich	....	
	Wir	....	den Chef morgen.
	Sie	....	
lesen	Peter und Paul	....	
	Mein Bruder	....	einen Krimi.
	Ich	....	
trinken	Wir	....	
	Ihr	....	eine Tasse Kaffee.
	Martin	....	

C14 Bilden Sie Sätze.

- das Hotelzimmer – bezahlen – ich — *Ich bezahle das Hotelzimmer.*

1. zeigen – das Museum – viele Kunstwerke ....
2. wann – das Kartoffelmuseum – öffnen? ....
3. einen Spaziergang – machen – wir – heute ....
4. das Hotel – im Zentrum – liegen ....
5. du – haben – noch etwas Zeit? ....
6. Otto – die Erfindungen – im Deutschen Museum – bewundern ....

C15 Finden Sie das passende Verb.

a) sehen • machen • besuchen • studieren • finden • parken • lesen • ~~kosten~~ • möchte(n)

- Das Zimmer *kostet* 200 Euro pro Nacht.

1. Wann .... du das Ägyptische Museum?
2. .... dein Freund in München Medizin?
3. Ich .... meine Brille nicht.
4. Wo kann ich mein Auto ....?
5. .... ihr einen Kaffee?
6. .... du die Frau dort? Sie ist meine alte Englischlehrerin.
7. Ich .... meine Hausaufgaben.
8. .... du schon wieder ein Kochbuch?

b) brauchen • hören • haben (2 x) • geben • kennen • öffnen • suchen • bezahlen • trinken

1. Ich .... einen neuen Stuhl.
2. .... du die Musik?
3. Wir .... den Mann nicht.
4. Kannst du bitte die Tür ....?
5. .... du deinen Schlüssel? Hier ist er.
6. Marie .... einen Tee.
7. Ich .... leider keine Zeit.
8. Guten Morgen! Wo .... es hier billige Radios?
9. .... du die Eintrittskarte für das Museum?
10. .... du einen neuen Fernseher?

brauchen ?

finden ?

Das Modalverb *möchte(n)*

Konjugation	ich	möchte	wir	möchten
	du	möchtest	ihr	möchtet
	er/sie/es	möchte	sie/Sie	möchten

Satzbau konjugiertes Verb + Substantiv oder konjugiertes Verb + Infinitiv

I.	II.	III.	Satzende
Ich	möchte	ein neues Auto.	
Er	möchte	jetzt einen Kaffee	trinken.

Gebrauch Wunsch: Ich möchte einen großen Fernseher.
Ich möchte am Freitag nach Berlin fahren.

C16 Formulieren Sie Fragen mit *möchte(n)*.

Achten Sie auf den Satzbau.

- Sie – ein Doppelzimmer — *Möchten Sie ein Doppelzimmer?*
1. noch – eine Tasse Kaffee – du ....
2. heute – ihr – besuchen – das Kartoffelmuseum ....
3. am Wochenende – fahren – Sie – nach München ....
4. einen neuen Computer – du ....
5. klassische Musik – du – hören – jetzt ....

C17 Formulieren Sie sechs Wünsche.

1. ....
2. ....
3. ....
4. ....
5. ....
6. ....

Präpositionen

C18 Ergänzen Sie die temporalen Präpositionen.

am ♦ um ♦ von ♦ bis

1. Der Park schließt .... neun Uhr abends.
2. Arbeiten Sie auch .... siebzehn Uhr?
3. Das Kartoffelmuseum hat .... 10.00 Uhr .... 18.00 Uhr geöffnet.
4. Das Museum hat .... Montag nicht geöffnet.
5. Unsere Mitarbeiter arbeiten täglich .... 9.00 Uhr .... 17.50 Uhr.
6. .... Wochenende ist niemand im Büro.
7. Das Museum schließt .... 19.00 Uhr.

Temporale Präpositionen

Wann?

am Montag
um 18.00 Uhr
● Zeitpunkt

Wann? Wie lange?

von 18.00 Uhr bis 19.00 Uhr
● Beginn —Dauer→ ● Ende

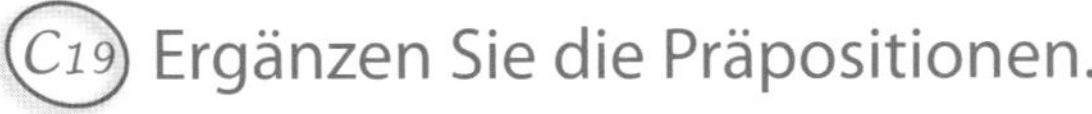

C19 Ergänzen Sie die Präpositionen.

mit/ohne ♦ vom ♦ im ♦ nach

1. Fahrt ihr auch .... München?
2. Unser Hotel liegt .... Stadtzentrum.
3. Das Museum ist nur wenige Minuten .... Stadtzentrum entfernt.
4. .... Deutschen Museum kann man viele technische Erfindungen bewundern.
5. Unser Hotelzimmer kostet 80 Euro .... Frühstück.
6. Wir gehen am Nachmittag .... Englischen Garten spazieren.
7. Der Drucker steht .... Büro.
8. Fahren Sie morgen .... Berlin?

im

C20 Zeitangaben

Ordnen Sie die Zeitangaben.

morgen ♦ der Sonntag ♦ der Montag ♦ übermorgen ♦ der Abend ♦ der Freitag ♦ der Samstag ♦ der Vormittag ♦ der Morgen ♦ der Dienstag ♦ die Nacht ♦ der Mittwoch ♦ der Mittag ♦ heute ♦ der Donnerstag ♦ gestern ♦ der Nachmittag ♦ vorgestern

der Montag	*der Morgen*	*vorgestern*
....	....	....
....	....	....
....	....	....
....	....	*übermorgen*
....	*die Nacht*	
der Sonntag		

Rückblick

Wichtige Redemittel

Hören Sie die Redemittel.
Sprechen Sie die Wendungen nach und übersetzen Sie sie in Ihre Muttersprache.

	Deutsch		Ihre Muttersprache
Verabschiedung			
	Auf Wiedersehen! *(formell)*		....
	Tschüss! *(informell)*		....
Im Hotel			
Hotelgast:	Haben Sie noch ein Zimmer frei?		....
Rezeptionist:	Möchten Sie ein Einzelzimmer?		....
Hotelgast:	Wir möchten gerne ein Einzel-/		....
	Doppel-/Dreibettzimmer.		....
Rezeptionist:	Wir haben noch Zimmer frei.		....
	Wie lange möchten Sie bleiben?		....
Hotelgast:	Wir bleiben eine Nacht/zwei Nächte.		....
	Wie viel kostet ein Doppelzimmer?		....
Rezeptionist:	Das Zimmer kostet *(80,–)* Euro pro Nacht.		....
	Der Preis ist mit/inklusive Frühstück.		....
	Der Preis ist ohne/exklusive Frühstück.		....
	Das Frühstück kostet *(20,–)* Euro extra.		....
Hotelgast:	Hat das Zimmer	einen *(Balkon)*?	....
		eine *(Minibar)*?	....
		ein *(Bad)*?	....
	Gibt es auch	einen *(Fernseher)*?	....
		eine *(Dusche)*?	....
		ein *(Radio)*?	....
Rezeptionist:	Ja, alle Zimmer haben *(ein Bad)*.		....
Hotelgast:	Wir nehmen das Zimmer.		....
Rezeptionist:	Ich brauche noch *(Ihre Anschrift)*.		....
	Wie zahlen Sie?		....
	Zahlen Sie mit Kreditkarte?		....
Hotelgast:	Wir zahlen bar/mit Kreditkarte.		....
Rezeptionist:	Hier ist Ihr Zimmerschlüssel.		....
	Ihre Zimmernummer ist die *(405)*.		....
	Schönen Aufenthalt!		....
Hotelgast:	Danke schön./Danke.		....
Hotelgast:	Ich habe ein Problem.		....
	Ich brauche *(neue Handtücher)*.		....
Rezeptionist:	Das bringen wir in Ordnung.		....

Sehenswürdigkeiten	
Ich möchte heute Nachmittag etwas unternehmen, vielleicht ein Museum besuchen.	....
Das Museum zeigt *(technische Erfindungen)*.	....
Es hat eine Ausstellungsfläche von *(50 000 m^2)*.	....
Im Museum kann man *(Bilder von Picasso)* bewundern.	....
Man findet dort *(viele bedeutende Kunstwerke)*.	....
Ich finde *(moderne Kunst)* sehr interessant.	....
Wann hat *(das Deutsche Museum)* geöffnet?	....
Es hat täglich von *(9.00)* bis *(17.00)* Uhr geöffnet.	....
Wann öffnet und schließt das Deutsche Museum?	....
Es öffnet um *(9.00)* und schließt um *(17.00)* Uhr.	....
Wie viel/Was kostet eine Eintrittskarte?	....
Eine Tageskarte/Studentenkarte kostet *(zwei)* Euro.	....
Der Englische Garten bietet viele Freizeitmöglichkeiten.	....
Man kann einen Spaziergang machen/spazieren gehen oder ein kühles Bier trinken.	....

D2 Kleines Wörterbuch der Verben

möchte(n)	ich möchte wir möchten	du möchtest ihr möchtet	er möchte sie möchten

bewundern *(berühmte Bilder bewundern)*	ich bewundere wir bewundern	du bewunderst ihr bewundert	er bewundert sie bewundern
bieten	Das Museum bietet …		
bleiben *(zwei Nächte bleiben)*	ich bleibe wir bleiben	du bleibst ihr bleibt	er bleibt sie bleiben
brauchen	ich brauche wir brauchen	du brauchst ihr braucht	er braucht sie brauchen
bringen *(etwas in Ordnung bringen)*	ich bringe wir bringen	du bringst ihr bringt	er bringt sie bringen
duschen	ich dusche wir duschen	du duschst ihr duscht	er duscht sie duschen
fernsehen	*siehe Kapitel 5*		
finden *(Informationen finden)*	ich finde wir finden	du findest ihr findet	er findet sie finden
liegen	Das Hotel liegt …		
nehmen *(zwei Brötchen nehmen)*	ich nehme wir nehmen	du nimmst ihr nehmt	er nimmt sie nehmen
öffnen *(eine Tür öffnen)*	ich öffne wir öffnen	du öffnest ihr öffnet	er öffnet sie öffnen

parken	ich parke wir parken	du parkst ihr parkt	er parkt sie parken
schlafen	ich schlafe wir schlafen	du schläfst ihr schlaft	er schläft sie schlafen
schließen *(eine Tür schließen)*	ich schließe wir schließen	du schließt ihr schließt	er schließt sie schließen
senden *(eine E-Mail senden)*	ich sende wir senden	du sendest ihr sendet	er sendet sie senden
spazieren gehen	ich gehe spazieren wir gehen spazieren	du gehst spazieren ihr geht spazieren	er geht spazieren sie gehen spazieren
übernachten *(im Hotel übernachten)*	ich übernachte wir übernachten	du übernachtest ihr übernachtet	er übernachtet sie übernachten
unternehmen *(etwas unternehmen)*	ich unternehme wir unternehmen	du unternimmst ihr unternehmt	er unternimmt sie unternehmen
wünschen	Sie wünschen?		
zahlen	ich zahle wir zahlen	du zahlst ihr zahlt	er zahlt sie zahlen
zeigen	Das Museum zeigt technische Erfindungen.		

D3 Evaluation

Überprüfen Sie sich selbst.

Ich kann	gut	nicht so gut
Ich kann ein Hotelzimmer reservieren/nehmen.	❐	❐
Ich kann Gegenstände im Hotel benennen.	❐	❐
Ich kann ein einfaches Problem melden.	❐	❐
Ich kann ein Formular mit Angaben zu meiner Person ausfüllen.	❐	❐
Ich kann wichtige Gebäude in einer Stadt nennen.	❐	❐
Ich kann einfache Informationen über Sehenswürdigkeiten verstehen und geben.	❐	❐
Ich kann Eintrittskarten kaufen und nach Öffnungszeiten fragen.	❐	❐
Ich kann die Tageszeiten nennen.	❐	❐
Ich kann eine einfache E-Mail über den Besuch in einer Stadt verstehen und schreiben.	❐	❐
Ich kann einen einfachen Text über München lesen und einige Informationen über meine Heimatstadt geben. *(fakultativ)*	❐	❐

Kapitel 4

Essen und Trinken

Kommunikation

- Essen und Trinken bestellen
- Nahrungsmittel einkaufen
- Einfache Rezepte lesen
- Informationen über Essgewohnheiten geben und erfragen

Wortschatz

- Frühstück
- Lebensmittel
- Verpackungen und Maße
- Anweisungen zum Kochen
- Essgewohnheiten
- Essen im Restaurant

Frühstück im Hotel

A1 Hören und lesen Sie. 1.41

Norbert:	Guten Morgen, Peter. Wie geht's?
Peter:	Guten Morgen. Danke, gut. Ich habe jetzt richtigen Hunger.
Norbert:	Ich auch. Was nimmst du zum Frühstück? … Hm, was für ein tolles Büfett! Wo stehen die Teller?
Peter:	Dort. Da liegt auch das Besteck.
Norbert:	Ach ja, ich sehe es. Ich nehme erst mal nur Joghurt mit Früchten.
Peter:	Nur Joghurt mit Früchten! Also, ich esse zwei Brötchen mit Käse und Schinken, ein gekochtes Ei … und … vielleicht noch zwei Scheiben Lachs.
Kellnerin:	Was möchten Sie trinken?
Peter:	Eine Tasse Kaffee bitte.
Norbert:	Und ich möchte bitte einen Tee, einen Kräutertee …
Peter:	Kräutertee und Joghurt mit Früchten. Du lebst wirklich gesund!

A2 Unser Frühstücksangebot

Lesen Sie und wählen Sie aus.

Frühstücksangebot : Frühstücksangebot : Frühstücksangebot

der Orangensaft
der Kaffee
der Tee
der Kräutertee
die Milch
die heiße Schokolade

die Butter
die Margarine
der Frischkäse
die Marmelade
der Honig
der/das Joghurt natur
der/das Joghurt mit Früchten

das Brötchen
das Vollkornbrot
das Weißbrot
das Toastbrot

der Schinken
die Salami
die Leberwurst
der Lachs
das Ei (gekocht)
das Rührei

der Apfel
die Banane
die Pflaume
die Aprikose
die Birne
die Weintrauben *(Pl.)*

Frühstücksangebot : Frühstücksangebot : Frühstücksangebot

Ich esse/trinke …
Ich nehme …
Ich möchte (gern) …
Ich hätte gern …

ein Glas Orangensaft ◆ Milch
eine Tasse Kaffee ◆ Tee ◆ Kräutertee
eine Scheibe/zwei Scheiben Brot ◆ Lachs ◆ Salami ◆ Schinken
ein Ei/zwei Eier ◆ Rühreier

A3 Hören und ergänzen Sie. 1.42

a) Ich nehme: ein Glas Orangensaft,
eine Tasse ....,
.... Scheiben Toastbrot,
zwei ....eier,
Butter, ... und Joghurt mit Früchten.

b) Ich möchte bitte: zwei ...., Butter und Marmelade,
ein gekochtes ....,
zwei Scheiben ....
ein Glas Orangensaft und eine Tasse ....

c) Ich hätte gern: zwei Scheiben Vollkornbrot,
etwas Frisch..............,
eine Banane, einen ....
und eine Tasse Kräutertee.

nehmen

Singular	ich	nehme
	du	nimmst !
	er/sie/es	nimmt !
Plural	wir	nehmen
	ihr	nehmt
	sie	nehmen
formell	Sie	nehmen

essen

Singular	ich	esse
	du	isst !
	er/sie/es	isst !
Plural	wir	essen
	ihr	esst
	sie	essen
formell	Sie	essen

A4 Spielen Sie Dialoge.

a) Fragen Sie Ihre Nachbarin/Ihren Nachbarn und berichten Sie.

- Was nimmst/isst/trinkst du zum Frühstück?
  Was nehmen/essen/trinken Sie zum Frühstück?
  - Ich nehme/esse/trinke ...
- Mein Nachbar/Meine Nachbarin nimmt/isst/trinkt ...

b) Diskutieren Sie in kleinen Gruppen und berichten Sie.
Finden Sie die Gemeinsamkeiten und Unterschiede.

- Was essen Sie/esst ihr zum Frühstück?
  - Alle/Viele essen/trinken ...
    Niemand isst/trinkt ...
    Nur *(Peter)* isst/trinkt ...

A5 Hören und lesen Sie den Text. 1.43

Das Frühstücksbüfett

70 % der Menschen möchten im Hotel ein Frühstück in Büfettform. Das Frühstücksbüfett kommt ursprünglich aus Amerika.

Auch Gäste aus Deutschland essen im Hotel gern ein „englisches" oder „amerikanisches" Frühstück mit Käse, Schinken, Wurst, Eiern, Tomaten, Obst und Joghurt. Im Gegensatz zu diesem reichhaltigen Angebot besteht ein deutsches Normalfrühstück oft nur aus Kaffee oder Tee, Brötchen, Butter und Marmelade.

In vielen Hotels kostet das Frühstück etwa 20 Euro, im Hotel „Adlon" in Berlin bezahlt man 40 Euro. Doch der Service ist nicht immer gut. Manchmal gibt es auch in teuren Hotels beim Frühstück unfreundliches Personal, kalte Eier oder altes Brot.

A6 Frühstück im Hotel

a) Kombinieren Sie.

kalte Eier und altes Brot • Brötchen, Butter und Marmelade • ein englisches oder amerikanisches Frühstück

1. Im Hotel essen deutsche Gäste gern ....
2. Auch in teuren Hotels gibt es manchmal ....
3. In Deutschland isst man zum Frühstück nur ....

b) Ergänzen Sie die Verben.

Das Frühstücksbüfett .... ursprünglich aus Amerika. Im Hotel .... deutsche Gäste gern ein „englisches" oder „amerikanisches" Frühstück. In vielen Hotels .... das Frühstück etwa 20 Euro. Manchmal .... es in teuren Hotels beim Frühstück unfreundliches Personal, kalte Eier oder altes Brot.

A7 Phonetik: Diphthonge – eu, äu [ɔy] und au [aʊ] (1.44)

Hören und wiederholen Sie.

eu – Deutsch/ äu – Kräutertee [ɔy]

Deutsch – euch – Euro – teuer – Deutschland – unfreundlich
Kräutertee

Ich spreche Deutsch. ↘
Das Frühstück in deutschen Hotels ist teuer. ↘
Manchmal gibt es unfreundliches Personal. ↘
Wie viele Euro kostet ein Kräutertee? ↗

au – Auto [aʊ]

Auto – auch – kaufen – Frau – Weintrauben

Hast du auch ein Auto? ↗
Frau Krause kauft Weintrauben. ↘

A8 Kombinieren Sie.

m = maskulin • f = feminin • n = neutral • Pl. = Plural

die Äpfel sind sau<u>er</u> → sau<u>re</u> Äpfel

kalt • hart • alt • süß • weich • heiß • frisch • gekocht • sauer • salzig • scharf • roh • warm

- *harte, süße, saure* Äpfel *(Pl.)*

1. .... Brot *(n)*
2. .... Käse *(m)*
3. .... Kaffee *(m)*
4. .... Joghurt *(m/n)*
5. .... Fleisch *(n)*
6. .... Schinken *(m)*
7. .... Eier *(Pl.)*
8. .... Pflaumen *(Pl.)*
9. .... Orangensaft *(m)*
10. .... Milch *(f)*

Die Nomengruppe: Adjektive ohne Artikel

⇨ Teil C Seite 100

	Singular			Plural
	maskulin	feminin	neutral	
Nominativ	de<u>r</u> Schinken rohe<u>r</u> Schinken	di<u>e</u> Milch kalt<u>e</u> Milch	da<u>s</u> Brot alte<u>s</u> Brot	di<u>e</u> Eier gekocht<u>e</u> Eier
Akkusativ	de<u>n</u> Schinken rohe<u>n</u> Schinken			

A9 Was essen Sie gern?

Berichten Sie. Benutzen Sie den Wortschatz von Übung A8.

Geschirr und Besteck

A10 Ordnen Sie zu.

A11 Singular – Plural

Ergänzen Sie den Singular und die Pluralendungen.

Gruppe 1	Singular	Plural
	das Messer	Messer
	....	Äpfel
	....	Teller
	....	Brötchen
	Pluralendung: ---	

Gruppe 2	Singular	Plural
	....	Telefone
	....	Faxgeräte
	Pluralendung:	

Gruppe 3	Singular	Plural
	....	Büros
	....	Hobbys
	Pluralendung:	

Gruppe 4	Singular	Plural
	das Glas	Gläser
	....	Häuser
	....	Männer
	....	Eier
	Pluralendung: *-er*	

Gruppe 5	Singular	Plural
	....	Tassen
	....	Gabeln
	....	Schüsseln
	....	Servietten
	....	Birnen
	....	Bananen
	Pluralendung:	

Essen und Trinken

A12 Einkaufen im Supermarkt

Lesen Sie die Angebote und ordnen Sie die Oberbegriffe zu.

Süßigkeiten ♦ Milchprodukte ♦ Getränke ♦ Fleisch- und Wurstwaren ♦ Backwaren ♦ Obst und Gemüse

supermarkt Angebote der Woche

....

BioBio Joghurt
150 g 0,29 €

Kraft Gouda, 125 g
8 Scheiben, mild und aromatisch 1,75 €

Landbutter
250 g 1,48 €

Schlagsahne
200 g 0,63 €

Quark 20%
250 g 0,59 €

....

Junge Erbsen
Extra fein,
425 ml 1,07 €

große Zwiebeln
1 kg 0,65 €

Kartoffeln, hart kochend
5 kg 2,99 €

Grüne Bohnen
425 ml 0,94 €

Ananasscheiben
im eigenen Saft
425 ml 0,59 €

....

Französisches Weißbrot
500 g 1,19 €

Bauern Schwarzbrot
500 g 1,35 €

Vollkornbrötchen
Stück 0,39 €

Pflaumenkuchen
Stück 0,49 €

Erdbeersahnetorte
ganz 6,99 €

....

Eszet Vollmilch
75 g 0,91 €

Wagner Nougatpralinen
200 g 5,37 €

Haribo Goldbärchen
250 g 1,79 €

Schwarzwälder Schinken
500 g 1,75 €

....

Ungarische Salami
70 g 1,24 €

saftiges Rindfleisch
1 kg 8,02 €

Hühnerfilet
500 g 8,43 €

Schweinslende
500 g 8,34 €

....

Apfelsaft, frisch gepresst
1 l 1,35 €

Paulaner Weißbier
Kasten 5,59 €

Moet Champagner
0,75 l 43,44 €

Öffnungszeiten

Mo–Fr: 7.00 bis 20.00 Uhr
Sa: 8.00 bis 14.00 Uhr

A13 Was passt zusammen?

a) eine Flasche • eine Dose • ein Becher • eine Tafel • eine Packung • eine Tüte • ein Stück

- *eine Tafel* Schokolade

1. .... Quark
2. .... Landbutter
3. .... Bier
4. .... Ananasscheiben
5. .... Ungarische Salami
6. .... Gummibärchen

b) Trauben • Kartoffel • Apfel • Bier • Wein • Tomaten • Obst • Orangen • Sahne • Milch

Apfel- -saft

-torte

-salat

-flasche

-marmelade

-glas

A14 Antworten Sie.

a) Was essen und trinken Sie gern? Was mögen Sie?

Mögen Sie Weißwein?

Ja, ich mag Weißwein.
Ich trinke sehr oft Weißwein.
Ja, ich trinke gern Weißwein.

Nein, ich mag keinen Weißwein.
Nein, ich trinke nie Weißwein!
Nein, ich trinke nicht gern Weißwein.

Mögen Sie Bier?
Magst du Schokolade?
Trinkst du gern kalte Milch?
Mögen Sie rohen Schinken?
Isst du gern Gemüse?
Magst du saure Äpfel?
Trinken Sie gern ein Glas Champagner?
Essen Sie gern Salat?
Mögen Sie Pflaumenkuchen?
Trinkst du gern Apfelsaft?
Isst du täglich Joghurt?

Mögen Sie grüne Bohnen?
Trinken Sie gern Kräutertee?
Essen Sie gern Spaghetti?
Isst du zum Frühstück gern Brötchen?
Essen Sie gern französisches Weißbrot?

mögen ⇨ Teil C Seite 102

Singular	ich du er/sie/es	mag magst mag
Plural	wir ihr sie	mögen mögt mögen
formell	Sie	mögen

b) Diskutieren Sie. Wie oft essen/trinken Sie …?

Ich esse/trinke einmal/zweimal/dreimal pro Woche *(Gemüse/Tee …)*
Ich esse/trinke täglich/nie *(Schokolade/Bier …)*

A15 Einkaufen beim Gemüsehändler 1.45

Hören Sie den Dialog. Ergänzen Sie die Angaben.

Was kauft die Kundin?

zwei Kilo ....
.... Bananen
ein Kilo ....
.... Orangen
.... Kilo Tomaten
zwei .... Mangos

Was zahlt die Kundin? ....

A16 Spielen Sie Dialoge.

Kaufen Sie ein für: einen Obstsalat/eine Party am Arbeitsplatz/ein Familienfrühstück.

Guten Tag.

Guten Tag. Sie wünschen?

Ich möchte bitte .../Ich nehme ...
Ich brauche .../Ich hätte gern ...

Sonst noch etwas?

Ja, ich ... noch ...

Ist das jetzt alles?

Ja.

Dann bekomme ich .../Das macht ... *(umg.)*
Das kostet ...
Haben Sie das Geld passend?

A17 Essen Sie gern Obst?

Welches Obst mögen Sie, welches nicht?

Kiwis • Bananen • Melonen • Äpfel • Ananas • Erdbeeren • Weintrauben • Orangen • Kirschen • Pflaumen • Birnen • Mangos

A18 Raten Sie.

Welches Obst belegt welchen Platz?

Bananen • Äpfel • Ananas • Erdbeeren • Orangen

Die Top Ten: Das Lieblingsobst der Deutschen

Platz 1	– 24 %	*Ich glaube, Platz 1 belegen die* ....
Platz 2	– 20 %	*Ich denke, auf Platz 2 sind die* ....
Platz 3	– 12 %	*Ich denke, auf Platz 3 stehen* ....
Platz 4	– 7,3 %	.... *Weintrauben.*
Platz 5	– 4,3 %	.... *Melonen.*
Platz 6	– 4,0 %	....
Platz 7	– 3,3 %	.... *Nektarinen.*
Platz 8	– 2,4 %	.... *Zitronen/Limetten.*
Platz 9	– 2,2 %	....
Platz 10	– 2,1 %	.... *Kiwis.*

A19 Lesen Sie unser Rezept für Obstsalat.

Gemischter Obstsalat mit Schuss

Zutaten
2 Äpfel
2 Bananen
2 Orangen
1 Mango
1 Esslöffel Zitronensaft
1 Esslöffel Zucker
50 g Haselnüsse
1 Gläschen Cointreau (Likör)

Zubereitung
1. Schälen Sie das Obst.
2. Schneiden Sie die Äpfel, Orangen, Bananen und die Mango in kleine Stücke.
3. Geben Sie die Obststücke in eine Schüssel und vermengen Sie das Obst mit Zucker, Zitronensaft, Haselnüssen und Likör.

Guten Appetit!

A20 Imperativ

⇨ Teil C Seite 104

Ergänzen Sie die Verben.

I.	II.	III.
....	Sie	das Obst.
....	Sie	die Äpfel in kleine Stücke.
....	Sie	die Obststücke in eine Schüssel.

Das Verb steht auf Position ....

A21 Jetzt kochen wir.

Formulieren Sie Anweisungen zum Kochen.

schälen • schneiden • kochen • braten
die Zwiebeln *(Pl.)* • die Kartoffeln *(Pl.)* • das Fleisch • das Obst • die Karotten *(Pl.)* • die Salami • das Steak • die Äpfel *(Pl.)* • die Spaghetti *(Pl.)* • die Orangen *(Pl.)* • das Ei

1. *Schälen und schneiden Sie die Zwiebeln.*
2. …

A22 Kombinieren Sie.

Geben Sie Ratschläge für eine gesunde Ernährung.

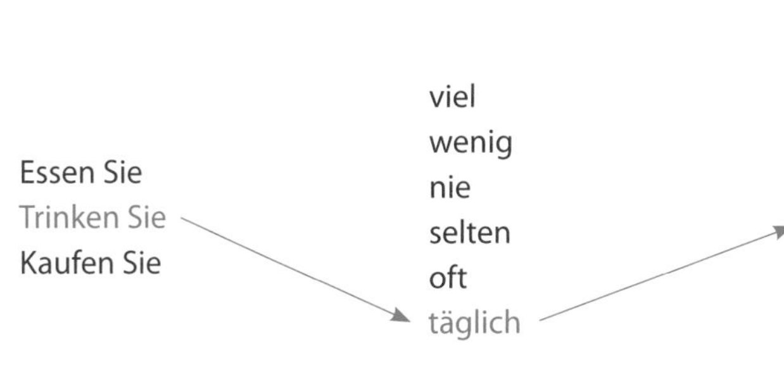

Vollkornbrot
Obst
Sahnetorte
frischen Fisch
ein Glas Rotwein
Gemüse
zwei Liter Mineralwasser
Hamburger mit Pommes frites
Bier
Käse
fettes Fleisch
Weißbrot

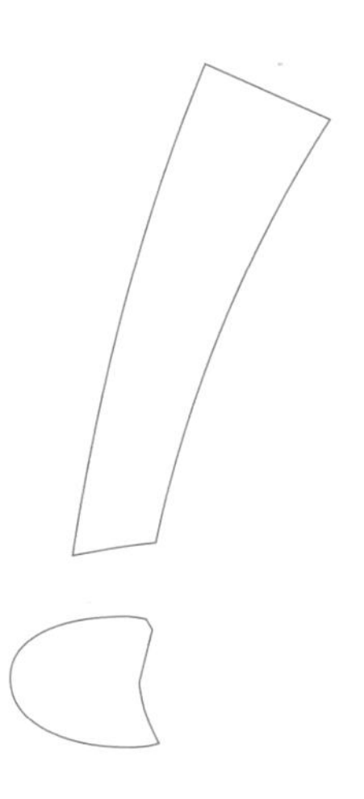

A23 Essen und Trinken in Deutschland 1.46

Hören und lesen Sie den Text.

Esskultur in Deutschland

In Deutschland isst man dreimal am Tag. Zum Frühstück gibt es normalerweise Brötchen oder Brot mit Marmelade oder Käse und eine Tasse Kaffee.

Die Hauptmahlzeit ist das Mittagessen zwischen 12.00 Uhr und 14.00 Uhr. Es besteht aus Fleisch, Gemüse und Kartoffeln. Viele Betriebe haben eine Kantine. Dort essen die Mitarbeiter mittags warm. In vielen Kantinen kann man auch vegetarische Gerichte bekommen.

Zum Abendbrot isst man in Deutschland traditionell nur eine Scheibe Brot mit Käse oder Wurst. Doch viele junge Menschen bevorzugen auch abends Fisch, Fleisch, Spaghetti, Pizza oder einen Hamburger.

Als Getränk ist Kaffee sehr beliebt. Außerdem mögen die Deutschen Bier und Wein. Man kann Wein auch mit Wasser mischen und als „Weinschorle" trinken.

Ein besonderes Getränk in den Bundesländern Hessen, Rheinland-Pfalz und Saarland ist der Apfelwein. Bei den Erfrischungsgetränken liegt das Mineralwasser an der Spitze.

sie bevorzugen = sie möchten lieber (präferieren)
liegt an der Spitze = hat den 1. Platz

A24 Ergänzen Sie die Informationen.

etwas zum Frühstück/Mittagessen/Abendbrot essen/nehmen

a) Was isst man in Deutschland?

zum Frühstück	zum Mittagessen	zum Abendbrot/Abendessen
Brötchen mit ...		

b) Welche Getränke sind in Deutschland beliebt?

A25 Berichten Sie.

Ich esse zum Frühstück ...
zum Mittagessen ...
zum Abendbrot ...

Ich trinke gerne/oft ...

In *(Ihr Heimatland)* isst man ...
Zum *(Frühstück)* gibt es normalerweise/in der Regel: ...
Das *(Mittagessen)* besteht aus: ...
Zum *(Abendbrot)* essen viele Menschen ...

In ... trinkt man gern/oft ...
(Kaffee) ist sehr beliebt.
Viele Menschen mögen auch ...
Ein besonderes Getränk ist ...

Phonetik: Umlaute – ä [ɛ:] und ä [ɛ] 1.47

Hören und wiederholen Sie.

Käse – langes ä [ɛ:]	Äpfel – kurzes ä [ɛ]
Käse – spät – wählen	Äpfel – Getränke – Länder – Männer – Gäste
Ich esse gern ein Brötchen mit Frischkäse. ↘	Als Getränk ist Kaffee sehr beliebt. ↘ In deutschsprachigen Ländern trinken Männer gern Bier. ↘

Im Restaurant

Hier ist die Speisekarte.

Wählen Sie eine Vorspeise, ein Hauptgericht, eine Nachspeise und ein Getränk.

ich möchte bitte … • ich nehme … • ich esse … • ich trinke … • ich hätte gern …

SPEISEKARTE

Vorspeisen

Tomatensuppe	*3,90 €*	*Gemischter Salat*	*3,50 €*
Italienische Gemüsesuppe	*4,50 €*	*Roher Schinken mit Melone*	*5,50 €*

Hauptgerichte

Alle Hauptgerichte servieren wir mit Salzkartoffeln oder Pommes frites.

Fleischgerichte		*Fischgerichte*	
Schweinebraten mit Sauerkraut	*8,75 €*	*Forelle in Weißwein*	*15,50 €*
Wiener Schnitzel mit Blumenkohl	*12,00 €*	*Steinbutt mit Gemüse*	*18,90 €*
Rindergulasch mit grünen Bohnen	*10,50 €*	*Lachs in Knoblauch*	*13,90 €*

Nachspeisen

Frischer Obstsalat	*3,90 €*	*Apfelkuchen*	*2,75 €*
Frische Erdbeeren mit Sahne	*4,50 €*	*Käseauswahl*	*3,75 €*

Getränke

Kaffee	*2,50 €*	*Mineralwasser*	*1,75 €*
Cappuccino	*2,75 €*	*Frischer Orangensaft*	*3,25 €*
Espresso	*2,25 €*	*Cola*	*1,75 €*
Tee	*2,25 €*	*Limonade*	*1,75 €*

A28 Antworten Sie.

Wie schmeckt der Salat?

Er schmeckt ausgezeichnet.	Er schmeckt schrecklich!
Er schmeckt (sehr) gut.	Er schmeckt nicht gut.
Ich finde ihn lecker/köstlich!	Ich finde ihn ungenießbar!

Wie schmeckt …

die Tomatensuppe	....	die Gemüsesuppe	....
der Schinken mit Melone	....	der Schweinebraten	....
das Schnitzel	....	der Lachs	....
der Rindergulasch	....	die Forelle	....
der Steinbutt	....	der Apfelkuchen	....
der Obstsalat	....	der Käse	....
die Erdbeeren	....	der gemischte Salat	....

Personalpronomen

		Nominativ	Akkusativ
Wie schmeckt	der Salat?	Er schmeckt ausgezeichnet.	Ich finde ihn ausgezeichnet.
Wie schmeckt	die Gemüsesuppe?	Sie ist zu salzig.	Ich finde sie zu salzig.
Wie schmeckt	das Brötchen?	Es ist zu hart.	Ich finde es zu hart.
Wie schmecken	die Spaghetti?	Sie sind köstlich.	Ich finde sie köstlich.

A29 Im Restaurant 1.48

Hören Sie das Gespräch und beantworten Sie die Fragen.

		richtig	falsch
♦	Andreas trinkt Mineralwasser.	✗	❒
1.	Beate trinkt zwei Gläser Weißwein.	❒	❒
2.	Andreas nimmt den Lachs.	❒	❒
3.	Beate isst nur in Italien Fisch.	❒	❒
4.	Andreas findet rohen Fisch ungenießbar.	❒	❒
5.	Der Sohn von Andreas wohnt zur Zeit in Japan.	❒	❒
6.	Beate war noch nie in Japan.	❒	❒
7.	Andreas hat das Essen nicht geschmeckt.	❒	❒

Wichtige Redemittel im Restaurant

etwas bestellen:	Ich hätte gern …/Ich möchte bitte …/Ich nehme …	
Wünsche zum Essen und Trinken:	Essen:	Guten Appetit!
	Trinken (Bier):	Prost!
	(Wein):	Zum Wohl!
bezahlen:	Ich möchte zahlen/bezahlen. Die Rechnung bitte!	

A30 Lesen Sie nun den Dialog laut.

Kellner: Guten Tag.
Andreas: Guten Tag.
Kellner: Einen Tisch für zwei Personen?
Andreas: Ja, bitte.
Kellner: Hier ist die Speisekarte. Möchten Sie schon etwas trinken?
Andreas: Ja, bitte. Ich hätte gern ein Mineralwasser.
Beate. Ich nehme ein Glas Weißwein.
Kellner: Die Getränke kommen sofort.

Beate: Was nimmst du?
Andreas: Hm, die Auswahl ist schwer. Der Fisch ist hier sehr gut.
Ich glaube, ich nehme den Lachs. Und du?
Beate: Ich weiß nicht. Vielleicht esse ich das Schnitzel oder auch Lachs. Ich esse sehr gern Fisch. Letztes Jahr waren wir in Italien, in Rom! Dort gibt es ein ausgezeichnetes Fisch-Restaurant! Ich glaube, es heißt „Sardine".
Andreas: Wir waren letztes Jahr in Japan. In Japan isst man den Fisch oft roh!
Beate: Roh! Schmeckt das?
Andreas: Ja, es schmeckt gut und es ist auch gesund. Wir hatten Glück.
Mein Sohn studiert in Japan. Wir waren zusammen in einem sehr guten Restaurant.
Beate: Ich war noch nie in Japan …

Kellner: Hier sind Ihre Getränke.
Andreas: Danke sehr. Ich nehme den Lachs.
Beate: Ich auch.
Kellner: Also: Zweimal den Lachs …
Andreas: Ja, bitte …

Kellner: Zweimal Lachs für Sie …
Andreas: Danke.
Beate: Danke sehr. Guten Appetit!
Andreas: Danke, gleichfalls.

Kellner: Wie war das Essen?
Andreas: Danke, sehr gut. Ich möchte bitte zahlen.
Kellner: Das waren: zweimal Lachs, ein Glas Wein, ein Mineralwasser …
Macht zusammen 27,50 Euro. Herzlichen Dank.

A31 Wo waren Sie schon überall?

Was gibt es/isst man/trinkt man dort zum Frühstück/zum Mittagessen/zum Abendbrot?

Ich war schon mal/schon oft in *(Italien)*.
Dort gibt es/isst man/trinkt man *(zum Abendbrot)* sehr gute/gute/leckere/köstliche *(Spaghetti)*.

Präteritum ⇨ Teil C Seite 104

Präsens	heute/jetzt/im Moment/dieses Jahr …	Wir sind im Moment in Japan. Wir haben Glück.
Präteritum	früher/letztes Jahr/gestern …	Wir waren letztes Jahr in Japan. Wir hatten Glück.

A32 Berichten Sie über Ihre Essgewohnheiten.

Essen Sie gesund? Kochen Sie gern? Gehen Sie oft in ein Restaurant?
Was essen Sie zum Frühstück? Was essen Sie sonntags? Was ist Ihre Hauptmahlzeit?
Trinken Sie (viel) Kaffee/täglich zwei Liter Wasser/gern Bier …?

Wissenswertes *(fakultativ)*

B1 Das *Essen-und-Trinken*-Quiz

Wissen Sie das? Diskutieren Sie mit Ihrer Nachbarin/Ihrem Nachbarn.

Verwenden Sie dafür: ich denke • ich glaube • vielleicht • ich weiß • ich habe keine Ahnung

1. Woher kommt die Kartoffel?

A: aus Asien
C: aus Südamerika
B: aus Europa
D: aus Afrika

2. Was isst man in Deutschland traditionell zu Weihnachten (am 25.12.)?

A: Lachs
C: Rind
B: Gans
D: Schwein

3. Wo war das erste Kaffeehaus (Café) in Europa?

A: in Venedig
C: in Wien
B: in Hamburg
D: in Prag

4. Der erste „Hamburger": Wann war das?

A: 1954
C: 1904
B: 1974
D: 1944

5. Wo produziert man den meisten Wein?

A: in Spanien
C: in Argentinien
B: in Südafrika
D: in Frankreich

6. Was ist das teuerste Gewürz auf der Welt?

A: Pfeffer
C: Curry
B: Safran
D: Ingwer

B2 Die Kartoffel 1.49

a) Hören und lesen Sie den Text.

Die Kartoffel

Die Kartoffel ist schon sehr alt. Sie kam im 16. Jahrhundert mit spanischen Seefahrern aus Südamerika nach Europa. Schon ab dem 17. Jahrhundert war die Kartoffel in Europa das Hauptnahrungsmittel von armen Leuten.

Das Bild „Die Kartoffelesser" von Vincent van Gogh ist weltbekannt. Es ist aus dem 19. Jahrhundert und zeigt die Kartoffel als wichtiges Nahrungsmittel in armen Familien.

Heute isst man Kartoffeln auf verschiedene Weise. In Deutschland sind Salzkartoffeln sehr beliebt. Salzkartoffeln kann man sehr einfach zubereiten: Man schält die Kartoffel, danach kocht man sie mit etwas Salz. In Belgien oder Frankreich isst man die Kartoffeln anders: Man schneidet sie in Streifen und frittiert sie. Dann heißen sie nicht mehr Kartoffeln, sondern Pommes frites. Pommes frites haben aber einen großen Nachteil: sie enthalten sehr viel Fett. Aus Irland kommt eine weitere Erfindung: die Kartoffelchips. Das sind ganz dünne, frittierte Kartoffelscheiben mit Käse und Zwiebeln oder Salz und Essig.

In Form von Pommes frites oder Kartoffelchips ist die „alte" Kartoffel noch im 21. Jahrhundert ein modernes und beliebtes Nahrungsmittel.

b) Essen Sie gern Kartoffeln, Pommes frites oder Kartoffelchips?

kam = Präteritum von kommen

B3 Was passt zusammen? Ordnen Sie zu.

(1) Die Kartoffel kam im 16. Jahrhundert
(2) Ab dem 17. Jahrhundert war die Kartoffel
(3) Das Bild „Die Kartoffelesser" von Vincent van Gogh
(4) Heute isst man Kartoffeln
(5) In Deutschland
(6) Pommes frites haben

(a) das Hauptnahrungsmittel von armen Leuten.
(b) einen Nachteil: Sie enthalten zu viel Fett.
(c) aus Südamerika.
(d) sind Salzkartoffeln sehr beliebt.
(e) ist weltbekannt.
(f) auf verschiedene Weise.

B4 Zwei Rezepte mit Kartoffeln

Kartoffelsuppe mit Champignons

Zutaten
für 4 Personen
500 g Kartoffeln
500 g Porree
500 g Champignons
Gemüsebrühe
1 Becher Sahne
Salz
Pfeffer

Zubereitung
Schälen Sie die Kartoffeln. Machen Sie den Porree und die Champignons sauber.
Schneiden Sie alles klein. Braten Sie die Kartoffeln, den Porree und die Champignons in Öl an. Geben Sie die Brühe dazu und kochen Sie alles etwa 20 Minuten. Pürieren Sie die Suppe und geben Sie die Sahne hinzu. Würzen Sie die Suppe mit Salz und Pfeffer.

Guten Appetit!

Kartoffelsalat mit Apfel

Zutaten
für 4 Personen
750 g Kartoffeln
1 Zwiebel
3 Äpfel
¼ Liter Gemüsebrühe
4 Esslöffel Essig
2 Esslöffel Öl
1 Bund Petersilie
Salz
Pfeffer

Zubereitung
Schälen und schneiden Sie die Zwiebel und kochen Sie die Zwiebel mit Brühe, Essig, Pfeffer und Salz ca. 10 Minuten.
Kochen Sie die Kartoffeln und schneiden Sie sie in Scheiben. Waschen und schneiden Sie die Petersilie und die Äpfel. Geben Sie die Brühe, die Kartoffeln, das Öl, die Petersilie und die Äpfel in eine Schüssel und vermengen Sie alles.

Guten Appetit!

Die Nomengruppe

Nominativ und Akkusativ

	Singular			Plural
	maskulin	feminin	neutral	
Nominativ	der Schinken	die Milch	das Brot	die Eier
	roher Schinken	kalte Milch	altes Brot	gekochte Eier
	der rohe Schinken	die kalte Milch	das alte Brot	die gekochten Eier
	ein roher Schinken	eine kalte Milch	ein altes Brot	
Akkusativ	den Schinken			
	rohen Schinken			
	den rohen Schinken			
	einen rohen Schinken			

C1 Was mögen Sie?

Ergänzen Sie die Adjektivendungen.

Ich mag
- alt*en* Käse
- weich...... Brötchen *(Pl.)*
- scharf...... Salami
- süß...... Orangensaft

Ich mag
- gekocht...... Eier *(Pl.)*
- frisch...... Brot
- italienisch...... Rotwein
- heiß...... Kaffee

C2 Welche Adjektive passen?

a) Ergänzen Sie die Adjektive in der richtigen Form.

sauer • frisch • roh • hässlich • neu • schnell • teuer • bitter • heiß • groß • ~~kalt~~

• Ich trinke gerne *kalte* Milch.
1. Ich habe .... Hunger.
2. Fred fährt ein .... Motorrad.
3. Wir haben einen ....Drucker.
4. Isst du täglich .... Obst?
5. Mögt ihr .... Schokolade?
6. Ich nehme einen .... Tee mit Rum.
7. Für den Apfelkuchen brauchen Sie drei .... Äpfel.
8. Wir kaufen den .... Stuhl nicht!
9. Ich möchte gern 100 Gramm .... Schinken.
10. In meinem Büro habe ich nur .... Möbel.

b) Ergänzen Sie die Adjektive in der richtigen Form.

ausgezeichnet • gut • gekocht • frisch • roh (2 x)

Andreas: Die Auswahl ist schwer. Hier gibt es sehr .... Fisch.
Beate: Ich möchte heute .... Gemüse.
Letztes Jahr waren wir in Rom! Dort gibt es ein .... Fisch-Restaurant.
Andreas: Wir waren letztes Jahr in Japan. In Japan isst man .... Fisch!
Beate: Ich esse lieber .... Fisch.
Andreas: Aber .... Fisch schmeckt gut und ist gesund.

Der Plural der Nomen

1.	Singular	Plural
---	das Messer das Zimmer das Brötchen	die Messer die Zimmer die Brötchen

2.	Singular	Plural
-e (oft Umlaut)	das Telefon das Gerät der Baum	die Telefone die Geräte die Bäume

3.	Singular	Plural
-s	das Büro das Hobby der Euro	die Büros die Hobbys die Euros

4.	Singular	Plural
-er (oft Umlaut)	das Glas der Mann das Bild	die Gläser die Männer die Bilder

5.	Singular	Plural
-(e)n	die Banane der Mensch die Tasse	die Bananen die Menschen die Tassen

Sonderformen:

Nomen auf *-um*: das Museum → die Museen

Mengen und Maße:
1 Kilo/Pfund Kartoffeln → 3 Kilo/Pfund Kartoffeln
1 Liter Wasser → 4 Liter Wasser

C3 Ergänzen Sie die Pluralformen.

- • das Brötchen — Ich esse zum Frühstück zwei *Brötchen*.
1. das Weinglas — Wo sind die ....?
2. die Zwiebel — Wie viele .... brauchen wir?
3. das Küchenmesser — Ich nehme zum Kochen immer zwei ....
4. das Kilo/das Pfund — Ich hätte gern fünf .... Kartoffeln und drei .... Bohnen.
5. der Teller — Haben wir für so viele Gäste genug ....?
6. der Apfel, die Banane/die Orange — Für einen guten Obstsalat brauchen Sie zwei ...., zwei .... und zwei ....
7. die Tasse — Er trinkt jeden Tag drei .... Kaffee.
8. die Scheibe — Ich nehme zwei .... Schinken.
9. die Schüssel — Für die Nachspeise brauchen wir vier kleine ....
10. das Ei — Wie viele .... isst du zum Frühstück?

C4 Ergänzen Sie die Singularformen.

	Plural	Singular
•	die Menschen	*der Mensch*
1.	die Einwohner	....
2.	die Universitäten	....
3.	die Hochschulen	....
4.	die Elektrogeräte	....
5.	die Telefone	....
6.	die Computer	....
7.	die Autos	....

	Plural	Singular
8.	die Filme	....
9.	die Jahre	....
10.	die Theater	....
11.	die Museen !	....
12.	die Bilder	....
13.	die Kunstwerke	....
14.	die Erfindungen	....
15.	die Städte	....

Verben

Das Modalverb *mögen*

Konjugation	ich	mag	wir	mögen
	du	magst	ihr	mögt
	er/sie/es	mag	sie/Sie	mögen

Satzbau

oft: konjugiertes Verb + Nomen/Personalpronomen
selten: konjugiertes Verb + Infinitiv

I.	II.	III.	Satzende
Ich	mag	keinen Fisch.	
Sie	mag	die Kollegin.	
Ich	mag	heute nicht ins Kino	gehen.

Gebrauch

Sympathie:	Ich mag dich.
Vorliebe:	Ich mag Schokolade.
Abneigung:	Ich mag keine Leberwurst.
	Ich mag heute nicht ins Kino gehen.

C5 Ergänzen Sie *mögen.*

1. Ich *mag* / Paul .... / Wir .... — kein Fleisch.
2. .... du / .... ihr / .... Sie — die neue Sekretärin?
3. Herr Krüger .... / Fritz und Georg .... / Ich .... — Krimis.
4. Oma .... / Wir .... / Unsere Freunde .... — Kartoffelsalat sehr.

C6 Mögen – können – möchte(n).

Ergänzen Sie die richtige Form.

- *Magst* du Schokolade?

1. .... Sie klassische Musik?
2. .... du gut Tennis spielen?
3. Ich .... ein Pfund Erdbeeren.
4. .... du noch eine Tasse Tee?
5. Wo .... man hier etwas essen?
6. Nein danke, ich .... bitte keinen Wein mehr.
7. .... ihr meinen Drucker reparieren?
8. Franz .... die Rechnung nicht bezahlen.
9. Wir .... bitte ein Zweibettzimmer.

C7 Ergänzen Sie die Tabelle.

	kochen	kaufen	trinken	essen	nehmen	braten
ich	koche	....	....	....	....	....
du	....	....	....	.... !	nimmst!	brätst !
er/sie/es/man	....	kauft	....	.... !	.... !	brät !
wir	kochen	....	....	essen	....	....
ihr	....	....	....	....	....	....
sie/Sie	....	....	trinken	....	....	....

C8 Ergänzen Sie die fehlenden Verben.

können ♦ spielen ♦ haben (2 x) ♦ geben ♦ wohnen ♦ arbeiten ♦ finden ♦ gehen ♦ besuchen ♦ sein ♦ möchte(n) ♦ essen (2 x)

Liebe Beate,
viele Grüße aus Berlin! Ich wohne bei Familie Müller. Herr Müller .... als Physiker bei Siemens und Frau Müller .... Lehrerin. Sie .... zwei Kinder, Marie ist 13 Jahre alt und Gustav ist 16. Mit dem Essen .... ich ein paar Probleme. Zum Frühstück .... es nur Brötchen mit Butter, Marmelade, Honig oder Käse. Ich .... aber viel lieber Rühreier zum Frühstück! Mittags .... man in Deutschland warm. Das .... ich seltsam. Ich .... jetzt mittags Wiener Schnitzel oder Spaghetti. Abends .... ich oft in ein kleines Restaurant. Dort .... man gut und billig essen. Morgen früh .... ich mit Marie und Gustav Tennis und nachmittags .... wir das Pergamon-Museum.

Bis bald!
Dein Paolo

C9 Berichten Sie.

Schreiben Sie selbst in einem Brief an eine Freundin (einen Freund):

… wo Sie wohnen
… was Sie besonders mögen
… was Sie essen und trinken
… was Sie heute/morgen noch machen …

C10 Formulieren Sie Aufforderungen.

- Kartoffeln – kochen *Kochen Sie die Kartoffeln.*
1. Obst – waschen ....
2. Orangen – schälen ....
3. nicht mehr – rauchen ....
4. Tomaten – in kleine Stücke – schneiden ....
5. täglich – Vollkornbrot – essen ....
6. viel Milch – trinken ....
7. die Suppe – mit Salz – würzen ....
8. das Fenster – öffnen ....

Imperativ *(formell)*

Schälen Sie die Zwiebeln!
Schreiben Sie bitte den Brief.

Präteritum von *sein* und *haben*

sein	Präsens	Präteritum
ich	bin	war
du	bist	warst
er/sie/es	ist	war
wir	sind	waren
ihr	seid	wart
sie	sind	waren
Sie	sind	waren

haben	Präsens	Präteritum
ich	habe	hatte
du	hast	hattest
er/sie/es	hat	hatte
wir	haben	hatten
ihr	habt	hattet
sie	haben	hatten
Sie	haben	hatten

C11 Ergänzen Sie *haben* oder *sein* im Präteritum.

1. Wir *hatten* / Ich .... / Du .... Glück.
2. .... ihr / .... Sie / .... Otto am Wochenende in Berlin?
3. Wo .... du? / .... Frau Krause? / .... die Studenten?
4. Mein Bruder .... / Wir .... / Unsere Freunde .... früher einen Hund.

C12 Ergänzen Sie.

Verwenden Sie das Präteritum von *haben* und *sein* in der richtigen Form.

- Wie viele Tage *waren* Sie in London?
1. .... ihr schon mal in Italien?
2. Ich .... ein sehr ruhiges Zimmer.
3. Wie lange .... du in München?
4. .... ihr einen Fernseher im Zimmer?
5. Marie .... kein Geld.
6. .... Sie im Deutschen Museum?
7. Ich .... keine Zeit.
8. Johann .... früher Taxifahrer.
9. Das Restaurant .... eine große Auswahl an Fischgerichten.
10. Nein, wir .... keinen Fernseher und kein Radio.

Personalpronomen im Akkusativ

C13 Fragen und Antworten

Ersetzen Sie die Nomen und antworten Sie.

- Besuchst du Peter heute Abend?
  Ja, ich besuche ihn heute Abend.
1. Findest du Beate nett?
   ....
2. Isst du den Fisch?
   ....
3. Findest du das Konzert interessant?
   ....
4. Trinkst du den Kaffee noch?
   ....
5. Kannst du den Lehrer hören?
   ....
6. Brauchen Sie die Dokumente noch?
   ....
7. Liest du deine E-Mails heute? ....
8. Nehmt ihr das Zimmer? ....
9. Findest du den Salat lecker? ....
10. Schmecken die Kartoffeln gut? ....
11. Magst du deinen Chef? ....
12. Isst du deine Pommes frites noch? ....
13. Trinkst du den Tee mit Zucker? ....
14. Siehst du das alte Haus? ....
15. Kennst du Frau Krause? ....
16. Hörst du die Musik? ....
17. Kaufst du den Wein? ....

Personalpronomen im Akkusativ

		Nominativ	Akkusativ
Singular	1. Person	ich	mich
	2. Person	du	dich
	3. Person	er sie es	ihn sie es
Plural	1. Person	wir	uns
	2. Person	ihr	euch
	3. Person	sie	sie
formell		Sie	Sie

C14 Ich oder mich?

Ergänzen Sie die richtige Form.

- *Ich* esse gern Gemüse.
1. Die Ausstellung interessiert .... nicht.
2. Kommt ihr .... besuchen?
3. .... fahre nach Italien.
4. Peter mag ....
5. Liebesromane lese .... sehr gern.
6. Findest du .... schön?
7. Hört ihr ....?
8. Kennst du .... nicht mehr?
9. Brauchen Sie .... noch?
10. Liebst du ....?
11. .... komme morgen.

Rückblick

Wichtige Redemittel

Hören Sie die Redemittel.
Sprechen Sie die Wendungen nach und übersetzen Sie sie in Ihre Muttersprache.

Deutsch	Ihre Muttersprache
Im Restaurant	
Guten Morgen!	....
Ich möchte bitte *(eine Tasse Kaffee).*	....
Ich nehme *(das Schnitzel).*	....
Ich esse *(den Lachs).*	....
Ich trinke *(ein Bier).*	....
Ich hätte gern *(ein Glas Weißwein).*	....
Wie schmeckt *(der Salat)*?	....
(Er) schmeckt ausgezeichnet/gut!	....
(Er) schmeckt schrecklich!	....
Ich finde *(ihn)* lecker/köstlich!	....
Ich finde *(ihn)* ungenießbar!	....
Guten Appetit!	....
Zum Wohl!	....
Prost!	....
Die Rechnung bitte!	....
Ich möchte bitte zahlen.	....
Lebensmittel einkaufen	
Ich möchte bitte *(zwei Kilo Kartoffeln).*	....
Ich nehme *(drei Bananen).*	....
Ich brauche *(200 Gramm Schinken).*	....
Sonst noch etwas?	....
Ist das alles? Ja, das ist alles.	....
Haben Sie das Geld passend?	....
Kochen	
Schälen Sie *(das Obst).*	....
Schneiden Sie *(die Äpfel).*	....
Kochen Sie *(die Kartoffeln).*	....
Braten Sie *(das Fleisch).*	....
Geben Sie *(die Obststücke)* in eine Schüssel.	....
Vermengen Sie *(das Obst mit Zucker).*	....
Essgewohnheiten	
Ich esse zum Frühstück *(frisches Obst),*	....
zum Mittagessen *(Fleisch mit Kartoffeln)* und	....
zum Abendbrot *(Spaghetti).*	....

Ich trinke gerne/oft *(ein Glas Orangensaft).*	....
Ich mag *(keine Tomatensuppe).*	....
In *(Frankreich)* isst man viel Weißbrot/ trinkt man gern *(ein Glas Wein).*	....
Zum *(Frühstück)* gibt es normalerweise *(ein Brötchen mit Marmelade).*	....
Das *(Mittagessen)* besteht aus *(Fleisch und Kartoffeln).*	....
Zum *(Abendbrot)* essen viele Menschen *(Brot und Wurst).*	....
(Kaffee) ist sehr beliebt.	....
Viele Menschen mögen auch *(Schokolade).*	....
Ein besonderes Getränk ist *(der Apfelwein).*	....

D2 Kleines Wörterbuch der Verben

mögen	ich mag wir mögen	du magst ihr mögt	er mag sie mögen

bestehen	Das Frühstück besteht aus …		
bevorzugen *(etwas bevorzugen)*	ich bevorzuge wir bevorzugen	du bevorzugst ihr bevorzugt	er bevorzugt sie bevorzugen
braten *(Fleisch braten)*	ich brate wir braten	du brätst ihr bratet	er brät sie braten
enthalten	Die Kartoffel enthält …/Pommes frites enthalten …		
geben	Es gibt in teuren Hotels …		
kaufen	ich kaufe wir kaufen	du kaufst ihr kauft	er kauft sie kaufen
leben	ich lebe wir leben	du lebst ihr lebt	er lebt sie leben
mischen *(Wein mit Wasser mischen)*	ich mische wir mischen	du mischst ihr mischt	er mischt sie mischen
pürieren	ich püriere wir pürieren	du pürierst ihr püriert	er püriert sie pürieren
schälen *(einen Apfel schälen)*	ich schäle wir schälen	du schälst ihr schält	er schält sie schälen
schmecken	Der Käse schmeckt …/Die Weintrauben schmecken …		
schneiden *(das Obst schneiden)*	ich schneide wir schneiden	du schneidest ihr schneidet	er schneidet sie schneiden
vermengen *(Obst mit Zucker vermengen)*	ich vermenge wir vermengen	du vermengst ihr vermengt	er vermengt sie vermengen
waschen *(die Petersilie waschen)*	ich wasche wir waschen	du wäschst ihr wascht	er wäscht sie waschen
würzen *(das Essen würzen)*	ich würze wir würzen	du würzt ihr würzt	er würzt sie würzen

D3 Evaluation

Überprüfen Sie sich selbst.

Ich kann	gut	nicht so gut
Ich kann über meine Essgewohnheiten berichten.	❐	❐
Ich kann Lebensmittel einkaufen.	❐	❐
Ich kann im Restaurant bestellen und zahlen.	❐	❐
Ich kann einfache Anweisungen zum Kochen verstehen und geben.	❐	❐
Ich kann einfache Ratschläge zur gesunden Ernährung verstehen und geben.	❐	❐
Ich kann meine Meinung über das Essen sagen.	❐	❐
Ich kann einen einfachen Text über Essgewohnheiten verstehen.	❐	❐
Ich kann einen einfachen Text über die Kartoffel und einfache Kartoffel-Rezepte verstehen. *(fakultativ)*	❐	❐

Kapitel 5

Alltag

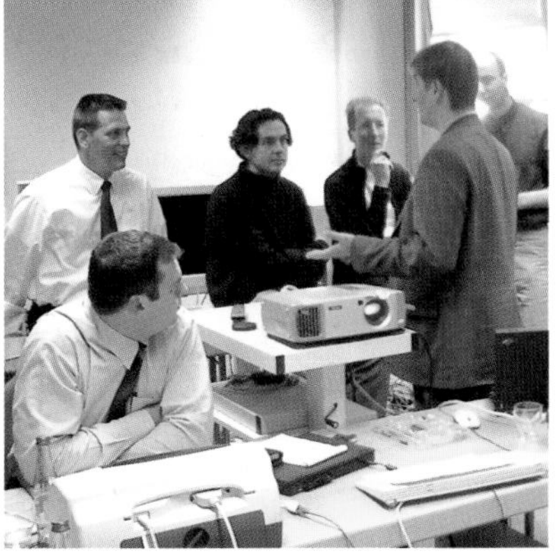

Kommunikation

- Tagesablauf beschreiben
- Arbeitstätigkeiten und Computerfunktionen benennen
- Über Vergangenes berichten
- Termine vereinbaren und absagen

Wortschatz

- Tagesablauf
- Tätigkeiten am Arbeitsplatz
- Arbeit am Computer
- Terminvereinbarung
- Zeitangaben: Datum und Uhrzeit
- Anrede und Grüße in Briefen

Tagesablauf

A1 Was macht Martin? 2.02

Hören und lesen Sie.

Um 8.00 Uhr steht Martin auf.

Um 8.30 Uhr frühstückt er.

Um 9.00 Uhr fährt Martin mit dem Auto zur Arbeit.

Um 9.30 Uhr fängt er mit der Arbeit an. Martin liest und schreibt viele E-Mails.

Um 10.30 Uhr ruft er Frau Körner an. Er vereinbart einen Termin.

Von 13.00 bis 13.30 Uhr macht Martin Mittagspause. Er geht in die Kantine.

Von 13.30 bis 17.30 Uhr arbeitet Martin wieder. Er hat eine Besprechung mit Frau Müller. Danach übersetzt er zwei Briefe aus Italien.

Um 17.30 Uhr hat Martin Feierabend. Er fährt in die Stadt und kauft im Supermarkt ein. Zu Hause kocht er Fisch zum Abendessen.

Ab 19.00 Uhr sieht Martin fern. Er sieht Nachrichten und einen Spielfilm. Um 22.30 Uhr geht er ins Bett.

A2 Wie heißt der Infinitiv?

Schreiben Sie die Verben aus Übung A1 noch einmal im Infinitiv auf.

♦	um 8.00 Uhr:	*aufstehen*
1.	8.30 Uhr:	....
2.	9.00 Uhr:	zur Arbeit ....
3.	9.30 Uhr:	mit der Arbeit ...., E-Mails .... und ....
4.	10.30 Uhr:	Frau Körner ...., einen Termin ....
5.	13.00 Uhr:	Mittagspause ...., in die Kantine ....
6.	13.30 Uhr:	eine Besprechung ...., zwei Briefe ....
7.	17.30 Uhr:	Feierabend ...., in die Stadt................, im Supermarkt ...., Fisch ....
8.	19.00 Uhr:	....................., einen Spielfilm ....
9.	22.30 Uhr:	ins Bett ....

Verben mit Präfix

⇨ Teil C Seite 130

aufstehen:	ich stehe auf	Diese Verben sind trennbar. Das Präfix steht am Satzende.
einkaufen:	ich kaufe ein	
fernsehen:	ich sehe fern	
anfangen:	ich fange an	
beginnen:	ich beginne	Verben mit den Präfixen *be-* oder *ver-* sind nicht trennbar.
bezahlen:	ich bezahle	
vereinbaren:	ich vereinbare	
übersetzen:	ich übersetze	Verben mit dem Präfix *über-* können trennbar oder nicht trennbar sein.

A3 Fragen Sie Ihre Nachbarin/Ihren Nachbarn und berichten Sie.

a) Wann?

Wann stehst du (stehen Sie) auf?	*Meine Nachbarin/Mein Nachbar* ....
Wann frühstückst du (frühstücken Sie)?	....
Wann fährst du (fahren Sie) zur Arbeit/zur Universität?	....
Wann fängt deine (Ihre) Arbeit/dein (Ihr) Unterricht an?	....
Wann isst du (essen Sie) zu Mittag?	....
Wann kaufst du (kaufen Sie) im Supermarkt ein?	....
Wann isst du (essen Sie) zu Abend?	....
Wann siehst du (sehen Sie) fern?	....
Wann gehst du (gehen Sie) ins Bett?	....

b) Was?

Was machst du (machen Sie) oft, manchmal oder selten?

Freunde besuchen ♦ Deutsch lernen ♦ Hausarbeit machen ♦ kochen ♦ studieren ♦ ausgehen ♦ in die Kneipe gehen ♦ fernsehen ♦ lesen ♦ Musik hören ♦ ins Fitnessstudio gehen ♦ ins Theater gehen ♦ im Internet surfen

Meine Nachbarin/Mein Nachbar …
Er/Sie …

A4 Die Tagesabläufe von Elli und Marcus 2.03

Hören Sie. Was ist richtig, was falsch? Kreuzen Sie an.

Das ist Elli.

		richtig	falsch
♦	Elli wohnt in München.	✗	❐
1.	Sie studiert Germanistik.	❐	❐
2.	Sie steht um 9.30 Uhr auf.	❐	❐
3.	Tagsüber studiert sie.	❐	❐
4.	Abends arbeitet Elli in einem Restaurant.	❐	❐
5.	Sie braucht das Geld für ihre Eltern.	❐	❐
6.	Elli mag keine Hamburger.	❐	❐

Das ist Marcus.

		richtig	falsch
1.	Marcus steht um 8.00 Uhr auf.	❐	❐
2.	Mittags isst er alleine in der Kantine.	❐	❐
3.	Er arbeitet bis 17.00 Uhr.	❐	❐
4.	Nach der Arbeit spielt er manchmal Tennis.	❐	❐
5.	Er kann sehr gut kochen.	❐	❐
6.	In der Regel isst er um 19.00 Uhr Abendbrot und sieht fern.	❐	❐

A5 Wie spät ist es? 2.04

Hören und wiederholen Sie die Uhrzeit.

gesprochen: 14 Uhr 30
geschrieben: 14.30 Uhr

Es ist um eins.
Es ist ein Uhr/13 Uhr.

Es ist halb drei.
Es ist 14.30 Uhr.

Es ist Viertel nach fünf.
Es ist 17.15 Uhr.

Es ist Viertel vor sieben.
Es ist 18.45 Uhr.

Es ist zehn (Minuten) nach vier.
Es ist 16.10 Uhr.

Es ist fünf (Minuten) vor neun.
Es ist 20.55 Uhr.

A6 Wann …? 2.05

Hören Sie. Notieren Sie die genaue Uhrzeit.

- Wann kommst du? Ich komme 9.55 Uhr.
1. Wann fängt das Konzert an? Es fängt .... Uhr an.
2. Wie spät ist es? Es ist .... Uhr.
3. Wann landet das Flugzeug? Es landet .... Uhr.
4. Wann öffnet das Museum? Das Museum öffnet um .... Uhr.
5. Wann beginnt der Unterricht? Der Unterricht beginnt .... Uhr.
6. Wann fährt dein Bus? Mein Bus fährt .... Uhr.
7. Wann können wir uns treffen? Morgen früh .... Uhr.
8. Wann kommt der Zug aus Berlin an? Der Zug aus Berlin kommt .... Uhr in Leipzig an.

Zeitpunkt

Wann **beginnt das Konzert?**
Es beginnt (um) 20.00 Uhr.

Wann **ist das Konzert zu Ende?**
Ungefähr (um) 23.00 Uhr.

A7 Wie lange dauert …?

Ergänzen Sie.

- Wie lange dauert 1 (eine) Stunde?

  Eine Stunde dauert 60 Minuten.
1. Wie lange dauert ½ (eine halbe) Stunde?

   .... *Minuten.*
2. Wie lange dauern 2 (zwei) Stunden? .... *Minuten.*
3. Wie lange dauern 1 ½ (anderthalb) Stunden? .... *Minuten.*
4. Wie lange dauern 2 ½ (zweieinhalb) Stunden? .... *Minuten.*

Dauer

Wie lange **dauert das Konzert?**

Es dauert ungefähr drei Stunden.
Es dauert von **20.00 Uhr** bis **23.00 Uhr.**

Beginn —Dauer→ Ende

A8 Zeitpunkt und Dauer

Beantworten Sie die Fragen.

Deutschkurs 18.30–21.00 Uhr	Fotomuseum 14.00–18.00 Uhr	Konzert 19.30–22.00 Uhr	Arbeitszeit 8.30–17.00 Uhr
Flug 16.30–19.30 Uhr	Schlaf 23.00–7.00 Uhr	Bus 17.32–18.02 Uhr	??? Uhrzeit

- Wann fängt das Konzert an? *Das Konzert fängt um 19.30 Uhr an.*
1. Wie lange dauert das Konzert? *Es dauert* ....
2. Wie spät ist es? ....
3. Wann landet das Flugzeug aus München? ....
4. Wie lange dauert der Flug von München nach Madrid? ....
5. Wann öffnet das Fotomuseum? ....
6. Wann schließt das Fotomuseum? ....
7. Wann beginnt der Deutschunterricht? ....
8. Wie lange dauert der Unterricht? ....
9. Wann fährt dein Bus? ....
10. Wie lange fährst du? ....
11. Wann beginnt Ihre Arbeit? ....
12. Wie viele Stunden arbeiten Sie am Tag? ....
13. Wann stehst du auf? ....
14. Wie lange schläfst du? ....

Stress im Büro

Wer muss etwas tun?

Bilden Sie Sätze. Beachten Sie den Satzbau.

Das müssen die Mitarbeiter tun:

- Martin: 55 E-Mails beantworten
- ich: einen Termin mit Frau Kümmel vereinbaren
- Irina: zwei Kollegen in München anrufen
- du: ein Gespräch mit dem Computerspezialisten führen
- wir: ein Angebot für die Firma MEFA schreiben
- Otto: den Computer reparieren
- ich: meine E-Mails lesen
- ihr: Gäste begrüßen

Das ist wichtig und notwendig:

- *Martin muss heute noch 55 E-Mails beantworten.*

1. *Ich* ....
2. ....
3. ....
4. ....
5. ....
6. ....
7. ....

müssen ⇨ Teil C Seite 131

Singular	ich	muss
	du	musst
	er/sie/es	muss
Plural	wir	müssen
	ihr	müsst
	sie	müssen
formell	Sie	müssen

Wer soll etwas tun?

Bilden Sie Sätze. Beachten Sie den Satzbau.

Das sollen die Mitarbeiter heute noch alles tun:

- die Sekretärin: für Herrn Krause ein Hotelzimmer buchen
- du: einen Tisch im Restaurant für zwei Personen reservieren
- Maria: zwei Briefe aus Portugal übersetzen
- ich: einen Blumenstrauß für Frau Krause bestellen
- Peter: Herrn McDonald in Amerika anrufen
- ihr: den Termin mit Frau Kümmel absagen
- Hans: ein Computerproblem lösen

Das sind die Aufträge von Herrn Krause (Chef):

1. *Die Sekretärin soll* ....
2. ....
3. ....
4. ....
5. ....
6. ....
7. ....

sollen ⇨ Teil C Seite 131

Singular	ich	soll
	du	sollst
	er/sie/es	soll
Plural	wir	sollen
	ihr	sollt
	sie	sollen
formell	Sie	sollen

(A11) Der Terminkalender von Paul Feuerstein

a) Lesen Sie die Termine.

Freitag 13 Oktober

8.00 E-Mails
9.30 Anruf Firma KOPO -> Termin
10.00 Fahrt zum Flughafen
11.00 Ankunft der Gäste aus Italien – Begrüßung
12.00 Mittagessen im „Ratskeller"
13.00 Besprechung mit den Gästen
15.00 Gespräch mit dem Informatiker
16.00 Buchung Flug und Hotelzimmer im Internet

Samstag 14 Oktober

Sonntag 15 Oktober

b) Was macht Paul Feuerstein am Freitag? Ergänzen Sie die Verben.

fahren • vereinbaren • essen • haben • ankommen • lesen • buchen • anrufen • führen • begrüßen

I.	II.	III.	Satzende
Zuerst	*liest*	er seine E-Mails.	
Um halb zehn	....	er die Firma KOPO	*an.*
Er	muss	einen Termin	....
Um 10.00 Uhr	....	er zum Flughafen.	
Um 11.00 Uhr	....	die Gäste aus Italien	....
Herr Feuerstein	muss	die Gäste	....
Um 12.00 Uhr	....	Herr Feuerstein im „Ratskeller" zu Mittag.	
Danach	....	er eine Besprechung mit den Gästen.	
Um 15.00 Uhr	muss	er ein Gespräch mit dem Informatiker	....
Zum Schluss	....	er einen Flug und ein Hotelzimmer im Internet.	

zuerst → dann/danach → zum Schluss

(A12) Was musst du/müssen Sie morgen machen?

Fragen Sie Ihre Nachbarin/Ihren Nachbarn und berichten Sie.

Kaffee kochen • zur Arbeit/zur Universität fahren • E-Mails lesen und schreiben • Gespräche führen • telefonieren • Termine vereinbaren • Lehrveranstaltungen besuchen • Deutsch lernen • Bücher lesen • Essen und Getränke einkaufen • Abendessen kochen …

- Was musst du morgen machen?
  Was müssen Sie morgen machen?
  - ◊ Zuerst – dann – um … Uhr – danach – zum Schluss …
- Meine Nachbarin …
  Mein Nachbar …

A13 Formulieren Sie Fragen.

Spaghetti • das Fenster • der Computer • der Brief • Eintrittskarten • der Fernseher • die E-Mail • ein Hotelzimmer • zwei Plätze im Restaurant „Edel"	einschalten • übersetzen • reservieren • kochen • öffnen • buchen • kaufen • reparieren • schreiben

- Soll ich zum Mittag *Spaghetti* kochen? *Nein, das brauchst du nicht. Ich mache das schon.*
  Ja, bitte.
  Ja, das ist nett! Danke!

1. ....
2. ....
3. ....
4. ....
5. ....
6. ....
7. ....
8. ....

A14 Hören und lesen Sie den Dialog. 2.06

Barbara Feuerstein: Wie war dein Tag heute, Paul?

Paul Feuerstein: Ach, er war schrecklich. Alles ist schiefgegangen. Zuerst habe ich meine E-Mails gelesen, wie immer. Danach habe ich die Firma KOPO angerufen, aber es war niemand im Büro. Um 11.00 Uhr bin ich zum Flughafen gefahren.

Barbara Feuerstein: Bist du mit dem Auto gefahren?

Paul Feuerstein: Ja, aber ich bin nicht pünktlich auf dem Flughafen angekommen. Ich hatte kein Benzin mehr.

Barbara Feuerstein: Du hattest kein Benzin mehr? Und was hast du gemacht, ohne Benzin?

Paul Feuerstein: Ich bin zu einer Tankstelle gelaufen und habe Benzin gekauft. Ich war 13.00 Uhr auf dem Flughafen, aber die Gäste aus Italien waren nicht mehr da.

Barbara Feuerstein: Das ist ja furchtbar!

Paul Feuerstein: Dann bin ich wieder zurückgefahren.

Barbara Feuerstein: Waren die Gäste schon im Büro?

Paul Feuerstein: Ja, und um 14.00 Uhr hat die Besprechung angefangen.

Barbara Feuerstein: Und du hast den ganzen Tag nichts gegessen?

Paul Feuerstein: Nein.

Barbara Feuerstein: Ach, du Armer …

etwas essen ⟷ nichts essen
es ist jemand da ⟷ es ist niemand da

A15 Der Tag von Paul Feuerstein

Was ist richtig, was ist falsch? Kreuzen Sie an.

		richtig	falsch
1.	Paul hatte einen schlechten Tag.	❒	❒
2.	Sein Auto war kaputt.	❒	❒
3.	Er war zur richtigen Zeit auf dem Flughafen.	❒	❒
4.	Paul hat Hunger.	❒	❒

A16 Was ist passiert?

Lesen Sie die Sätze noch einmal. Wie heißen die Verben im Infinitiv?

- ♦ Wie war dein Tag? *sein*
  Alles ist schiefgegangen. *schiefgehen*

1. Zuerst habe ich meine E-Mails gelesen. ....
2. Danach habe ich die Firma KOPO angerufen. ....
3. Um 11.00 Uhr bin ich zum Flughafen gefahren. ....
4. Ich bin nicht pünktlich angekommen. ....
5. Ich hatte kein Benzin mehr. ....
6. Und was hast du gemacht, ohne Benzin? ....
7. Ich bin zu einer Tankstelle gelaufen. ....
8. Ich habe Benzin gekauft. ....
9. Die Besprechung hat um 14.00 Uhr angefangen. ....
10. Und du hast den ganzen Tag nichts gegessen? ....

Die Vergangenheitsform der Verben ⇨ Teil C Seite 132

Präteritum

Heute:	Der Tag <u>ist</u> schön. Ich <u>habe</u> kein Benzin mehr.	⇨	Gestern:	Der Tag war schön. Ich hatte kein Benzin mehr.

Für mündliche und schriftliche Kommunikation: Bei haben und sein oft Präteritum.

Perfekt

Heute:	Ich <u>fahre</u>. Ich <u>lese</u>.	⇨	Gestern:	Ich bin gefahren. Ich habe gelesen.

Für mündliche Kommunikation: Bei vielen Verben oft Perfekt.

	sein	oder	*haben*
Bildung:	Ich bin gefahren. sein + Partizip II		Ich habe gelesen. haben + Partizip II
Verwendung:	Wechsel von Ort oder Zustand		alle anderen Verben

A17 Was hat Martin gemacht?

a) Ergänzen Sie *sein* oder *haben* im Perfekt.

Um 8.00 Uhr *ist* Martin aufgestanden.

Um 8.30 Uhr .... er gefrühstückt.

Um 9.00 Uhr .... Martin mit dem Auto zur Arbeit gefahren.

Um 9.30 Uhr .... er mit der Arbeit angefangen. Martin .... viele E-Mails geschrieben und gelesen.

Um 10.30 Uhr .... er Frau Körner angerufen. Er .... einen Termin vereinbart.

Von 13.00 bis 13.30 Uhr .... Martin Mittagspause gemacht. Er .... in die Kantine gegangen.

Von 13.30 bis 17.00 Uhr .... Martin wieder gearbeitet. Er hatte eine Besprechung mit Frau Müller. Danach .... er zwei Briefe aus Italien übersetzt.

Um 17.00 Uhr hatte Martin Feierabend. Er .... in die Stadt gefahren und .... im Supermarkt eingekauft. Zu Hause .... er Fisch zum Abendessen gekocht.

Ab 19.00 Uhr .... Martin ferngesehen. Er .... Nachrichten und einen Spielfilm gesehen. Um 22.30 Uhr .... er ins Bett gegangen.

b) Suchen Sie jetzt die Perfektformen aus dem Text. Ordnen Sie die Verben nach der Endung.

aufstehen • frühstücken • fahren • anfangen • lesen • schreiben • anrufen • vereinbaren • machen • gehen • arbeiten • übersetzen • einkaufen • kochen • fernsehen • sehen

-en → **unregelmäßige Verben**	***-t*** → **regelmäßige Verben**
Martin ist aufgestanden.	*Martin hat gefrühstückt.*
....	....
....	....
....	....
....	....
....	....
....	....
....	....
....	....

c) Analyse

⇨ Teil C Seite 132

- gefahren – gelesen – geschrieben – gemacht … → Die meisten Verben bilden das Partizip mit: *ge-*
- vereinbart – übersetzt → Nicht trennbare Verben bilden das Partizip ohne: *ge-*
- aufgestanden – angefangen – eingekauft … → Welche Verben haben das *ge-* in der Mitte?

....

A18 Berichten Sie.

Was haben Sie gestern alles gemacht? Benutzen Sie die Verben aus Übung A17b.

A19 Fragen und antworten Sie.

- Hat Sabine das Essen schon *(kochen)*? — *Hat Sabine das Essen schon gekocht? Ja, sie hat das Essen schon gekocht. Nein, sie hatte noch keine Zeit.*

1. Hast du schon *(frühstücken)*? ....
2. Hast du die E-Mail schon *(schreiben)*? ....
3. Habt ihr die Hausaufgaben schon *(machen)*? ....
4. Hast du das Buch schon *(lesen)*? ....
5. Hat Susanne die Kollegen in München schon *(anrufen)*? ....
6. Ist Paul schon zum Flughafen *(fahren)*? ....
7. Hast du schon den Termin mit Frau Kümmel *(vereinbaren)*? ....
8. Hat Maria die Briefe aus Portugal schon *(übersetzen)*? ....
9. Hast du für heute Abend schon *(einkaufen)*? ....
10. Habt ihr den Film schon *(sehen)*? ....
11. Ist Otto schon *(aufstehen)*? ....
12. Hast du schon deine Hausaufgaben *(machen)*? ....

Am Computer

A20 Ordnen Sie zu.

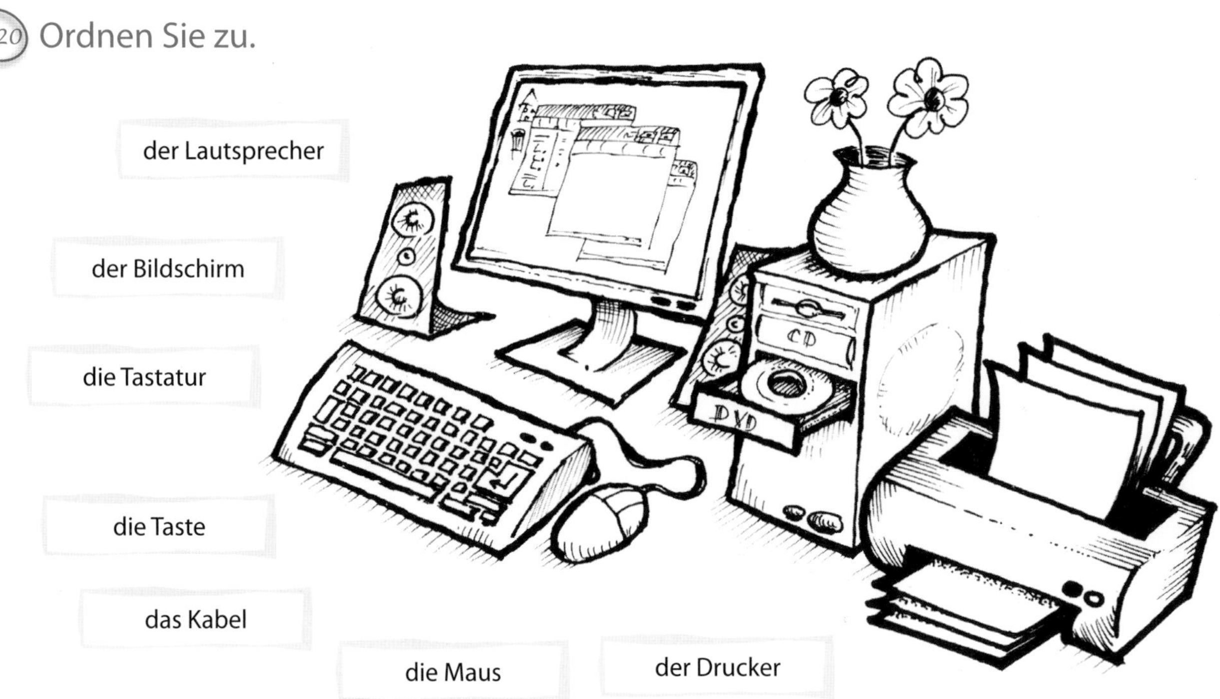

A21 Was kann oder muss man alles tun?

speichern ♦ kopieren ♦ einschalten ♦ löschen ♦ (aus)drucken ♦ ausschneiden ♦ weiterleiten ♦ einfügen ♦ senden ♦ ausschalten ♦ schreiben ♦ erhalten ♦ anschließen

a) Welche Verben passen? Ordnen Sie zu.

Computer: *einschalten* ....

Text: *speichern* ....

E-Mail: *speichern* ....

Drucker: *einschalten* ....

Daten: *speichern* ....

b) Bilden Sie viele Sätze.

Computer: *Man muss den Computer einschalten.* ....

Soll ich den Computer ausschalten? ....

Text: *Bitte speichern Sie den Text.* ....

....

....

....

Drucker: ....

....

....

....

....

E-Mail: ....

....

....

....

Daten: ....

....

....

....

A22 Phonetik: Der Wortakzent 2.07

a) Hören und wiederholen Sie.

trennbare Verben	Der Akzent ist links. aufstehen – einkaufen – fernsehen – anfangen – einfügen – absagen – einschalten – ausschalten – anrufen
nicht trennbare Verben	Der Akzent ist auf dem Grundwort. beginnen – übersetzen – bestellen – bezahlen – vereinbaren – beantworten
Verben auf *-ieren*	Der Akzent ist auf dem *ie*. telefonieren – reparieren – kopieren – studieren

b) Markieren Sie den Wortakzent der Verben.

einen Termin absagen • den Drucker reparieren • eine Rechnung bezahlen • mit der Arbeit beginnen • Frau Müller anrufen • um 8.00 Uhr aufstehen • drei Stunden fernsehen • an einer Universität studieren • einen Termin vereinbaren • einen Brief übersetzen • ein Glas Mineralwasser bestellen • eine E-Mail beantworten • einen Text einfügen • den Computer ausschalten

A23 Was heute noch schiefgegangen ist

Welches Verb passt?

gespeichert • weitergeleitet • angeschlossen • eingeschaltet • gelöscht • gesendet

- Der Text ist weg. Du hast ihn nicht *gespeichert*.

1. Die E-Mail ist nicht angekommen. Martin hat sie nicht ....
2. Der Computer geht nicht. Vera hat ihn nicht ....
3. Ich kann den Text nicht drucken. Du hast den Drucker nicht ....
4. Die Daten sind immer noch da. Frau Klein hat sie nicht ....
5. Paul hat die Information nicht bekommen. Ihr habt sie nicht ....

Einen Termin vereinbaren

A24 Hören Sie den Dialog. 2.08

Welche Antwort ist richtig? Kreuzen Sie an.

1. a) ❒ Herr Kühne hat fünf Drucker gekauft. Alle Drucker sind kaputt.
   b) ❒ Herr Kühne hat drei Drucker gekauft. Alle Drucker sind kaputt.
   c) ❒ Herr Kühne hat fünf Drucker gekauft. Drei Drucker sind kaputt.

2. a) ❒ Herr Kühne möchte eine schnelle Reparatur.
   b) ❒ Herr Kühne möchte eine Reparatur am Freitag.
   c) ❒ Herr Kühne möchte Geld für die Drucker.

3. a) ❒ Der Monteur kommt am Mittwoch um 17.30 Uhr.
   b) ❒ Der Monteur hat nur am Freitag Zeit.
   c) ❒ Der Reparaturtermin ist am Donnerstag.

A25 Ein Reparaturauftrag

a) Lesen Sie den Dialog mit verteilten Rollen.

Mitarbeiter: IPRO, guten Tag.

Martin Kühne: Ja, guten Tag. Martin Kühne hier, Firma Behringer. Kann ich bitte Frau Kümmel sprechen?

Mitarbeiter: Einen Moment, bitte. Ich verbinde Sie.

Frau Kümmel: Kümmel.

Martin Kühne: Ja, guten Tag, Frau Kümmel. Hier ist Martin Kühne, von der Firma Behringer. Wir haben ein Problem. Unsere Firma hat bei Ihrer Firma fünf Drucker gekauft. Drei Drucker funktionieren jetzt nicht mehr. Ich möchte gern einen Termin für die Reparatur vereinbaren. Wir brauchen die Drucker dringend.

Frau Kümmel: Drei Drucker sind kaputt? Das kann ich nicht glauben! Haben Sie die Drucker richtig installiert?

Martin Kühne: Natürlich! Wir möchten jetzt gerne eine schnelle Reparatur. Kann der Monteur morgen kommen?

Frau Kümmel: Morgen? Nein, das ist leider nicht möglich. … Am Freitag …, ja, am Freitag kann der Monteur kommen.

Martin Kühne: Am Freitag? Heute ist Montag. Geht es nicht am Mittwoch oder am Donnerstag?

Frau Kümmel: Am Donnerstag vielleicht. Moment mal. … Ja, es geht auch am Donnerstag, um 17.30 Uhr.

Martin Kühne: Und Mittwoch?

Frau Kümmel: Nein, am Mittwoch geht es leider nicht.

Martin Kühne: Gut, dann erwarten wir den Monteur am Donnerstag um 17.30 Uhr. Auf Wiederhören.

Frau Kümmel: Vielen Dank für Ihren Anruf. Auf Wiederhören, Herr Kühne.

b) Variation: Lesen Sie den Dialog und ergänzen Sie die Verben.

vereinbaren • erwarten • glauben • funktionieren • kommen • sein • gehen (2 x) • sprechen • verbinden • haben • arbeiten

Susanne Müller: Ja, guten Tag, Susanne Müller. Kann ich bitte Frau Klein ....?

Mitarbeiter: Einen Moment, bitte. Ich .... Sie.

Frau Klein: Klein.

Susanne Müller: Ja, guten Tag, Susanne Müller. Ich .... ein Problem. Ich habe am Donnerstag einen Fernseher gekauft und der Fernseher .... jetzt nicht mehr. Ich möchte gern einen Termin für die Reparatur ....

Frau Klein: Das .... ich nicht! Der neue Fernseher ist kaputt?

Susanne Müller: Ja, er .... nicht. Ich möchte jetzt gerne eine schnelle Reparatur. Kann der Monteur heute noch ....?

Frau Klein: Heute? Nein, das .... leider nicht möglich. Morgen vielleicht. Ja, morgen um 15.00 Uhr.

Susanne Müller: Um 15.00 Uhr muss ich noch .... es um 18.00 Uhr?

Frau Klein: Ja, 18.00 Uhr ist auch möglich.

Susanne Müller: Gut, dann .... ich den Monteur morgen um 18.00 Uhr. Auf Wiederhören.

Hören und wiederholen Sie.

Die Tage

1.	der erste ! (Mai)	17.	der siebzehnte
2.	der zweite	18.	der achtzehnte
3.	der dritte !	19.	der neunzehnte
4.	der vierte	20.	der zwanzigste
5.	der fünfte	21.	der einundzwanzigste
6.	der sechste	22.	der zweiundzwanzigste
7.	der siebte !	23.	der dreiundzwanzigste
8.	der achte	24.	der vierundzwanzigste
9.	der neunte	25.	der fünfundzwanzigste
10.	der zehnte	26.	der sechsundzwanzigste
11.	der elfte	27.	der siebenundzwanzigste
12.	der zwölfte	28.	der achtundzwanzigste
13.	der dreizehnte	29.	der neunundzwanzigste
14.	der vierzehnte	30.	der dreißigste
15.	der fünfzehnte	31.	der einunddreißigste
16.	der sechzehnte		

Die Monate

1. = der Januar	5. = der Mai	9. = der September
2. = der Februar	6. = der Juni	10. = der Oktober
3. = der März	7. = der Juli	11. = der November
4. = der April	8. = der August	12. = der Dezember

Das Datum ⇨ Teil C Seite 136

Schreibweise:	14.5.2009
Sprechweise:	Heute ist der vierzehnte Fünfte (Mai) zweitausendneun. Haben Sie am vierzehnte<u>n</u> Fünfte<u>n</u> (Mai) zweitausendneun Zeit?

A27 Welches Datum haben wir heute?

a) Antworten Sie.

Heute ist der …

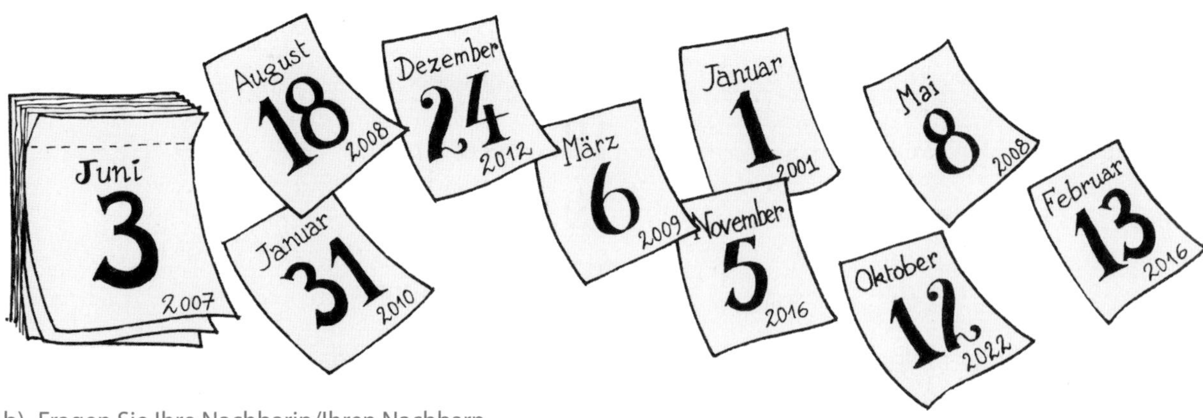

b) Fragen Sie Ihre Nachbarin/Ihren Nachbarn.

Sie	Ihre Nachbarin/Ihr Nachbar
Wann haben Sie Geburtstag?	Ich habe am .... Geburtstag.
Wann ist Ihre Mutter/Ihr Vater geboren?	Meine Mutter/Mein Vater ist am .... geboren.
Wann ist in Ihrem Heimatland ein nationaler Feiertag?	Unser nationaler Feiertag ist am ....
Wann war Ihr erster Schultag?	Mein erster Schultag war am ....
Wann war Ihr erster Arbeitstag?	Mein erster Arbeitstag war am ....
Wann hatten Sie einen sehr wichtigen Termin?	Ich hatte am .... einen sehr wichtigen Termin.

c) Wann können Sie meinen Drucker reparieren? Wann haben Sie Zeit? Hören Sie die Lösungen auf CD. 2.10

- ♦ am 9.4. um 12.15 Uhr — *Am neunten Vierten um zwölf Uhr fünfzehn.*
1. am 21.9. um 14.30 Uhr ....
2. am 27.6. um 9.00 Uhr ....
3. am 22. Mai um 18.00 Uhr ....
4. am 14.10. um 13.00 Uhr ....
5. am 28. April um 10.00 Uhr ....
6. am 7. März um 15.15 Uhr ....
7. am 3.8. um 11.00 Uhr ....
8. am 2. Februar um 17.00 Uhr ....
9. am 4.1. um 9.45 Uhr ....
10. am 17. Juli um 12.00 Uhr ....
11. am 13.11. um 16.15 Uhr ....

A28 Phonetik: st [ʃt]

Hören und wiederholen Sie.

st – Stunde [ʃt]

Stunde – stehen – studieren – ein Stück – frühstücken

aber: st [st]
der zwanzigste
der einundzwanzigste
der zweiundzwanzigste …

(A29) Am Telefon: Kundenservice

Spielen Sie Telefongespräche und vereinbaren Sie einen Termin.

Ihr Computer ist kaputt *(Typ AX 496, 8 Monate alt).*

Rufen Sie bei Compifix an. Ein Mitarbeiter von Compifix soll den Computer sofort reparieren.

Ihre Waschmaschine funktioniert nicht mehr *(Typ LMT 2000, Baujahr 2000).*

Rufen Sie bei HELP an und vereinbaren Sie einen Reparaturtermin.

Ihr Kühlschrank ist kaputt *(Typ AAZ, Alter: 2 Monate).*

Sie rufen bei Küche & Co. an. Sie möchten sofort eine Reparatur oder einen neuen Kühlschrank.

Ihr Fernseher geht nicht mehr *(Typ PHS 9864, 10 Jahre alt).*

Rufen Sie bei Telemobil an und vereinbaren Sie einen Termin mit dem Fernsehmonteur.

Compifix, guten Tag. Was kann ich für Sie tun?

Guten Tag, *(Name)* hier. Ich habe ein Problem: …
Ich möchte gern einen Termin für die Reparatur vereinbaren.

Was für eine Typnummer hat (der/die) ....?

Die Nummer ist ....

Und wie alt ist ....?

....

Der Monteur kann am .... um .... kommen.

Am .... um ....?
Das geht leider nicht. Da bin ich nicht da/in Paris/…
Geht es vielleicht auch am .... um ....?

Moment mal … Ja, das ist auch möglich.

Gut. Dann erwarte ich den Monteur am .... um ....
Auf Wiederhören.

Auf Wiederhören.

A30 Lesen Sie die Redemittel.

Telefonieren

- Guten Tag, *(Name)* hier. /Guten Tag. Hier ist *(Name)*.
- Ich habe Ihre Anzeige gelesen.
- Ich möchte gerne … /Ich suche …
  Ich habe ein Problem: …
- Ich möchte gern einen Termin vereinbaren.
  Ich möchte mal vorbeikommen.
- Wann haben Sie Zeit?
  Wann ist das möglich?
- Geht es am *(Dienstag/1. März)* um *(11.00)* Uhr?
- Nein, am *(Dienstag/1. März)* habe ich leider keine Zeit.
  Ja, am *(Dienstag)* um *(11.00 Uhr)* geht es/habe ich Zeit.
- Dann besuche ich Sie am … um … Uhr.
  Dann komme ich am … um … *(vorbei)*.
- Auf Wiederhören.

A31 Lesen Sie die Anzeigen.

1
Neue Fahrräder zu niedrigen Preisen
Markenfahrräder ab 299,- Euro!
Rennräder ab 899,- Euro!
Info unter (09 78) 8 76 45
2
bis zu 70% reduziert
Über 1000 Musikinstrumente, viele Einzelstücke: z. B. Klaviere, Keyboards, Trompeten, Gitarren aller Art und vieles mehr.
Info unter (09 78) 5 55 55
3
Medizinischer Notdienst am Wochenende:
Keine Hausbesuche!
Dr. Frank (0 89) 5 36 42 52
Dr. Schimmel (0 89) 5 36 42 67
Gemeinschaftspraxis Berliner Strasse 24
4
Zahnarztpraxis Frenzel zieht um:
Ab Montag, 01.08., zu erreichen unter
Hoffmannsgasse 34,
Tel.: (09 78) 65 53 83

5
Hausmusik! Wer spielt gerne zu Hause Musik?
Suche kleines Familienorchester.
Spiele Klavier und Gitarre. Bitte anrufen unter (09 78) 98 56

6
Neue Kurse!
Sprachenschule
Ludwig
Möchten Sie Englisch, Französisch oder Deutsch lernen?
Kleine Gruppen, muttersprachliche Lehrer, Info unter (09 78) 63 35 67

a) Finden Sie die passende Anzeige.

1. Sie haben schreckliche Zahnschmerzen.
2. Sie möchten Deutsch lernen.
3. Sie möchten ein Fahrrad kaufen.
4. Sie suchen eine Gitarre für Ihren Sohn.
5. Sie möchten mit anderen Leuten Musik machen.
6. Sie haben starke Bauchschmerzen.

b) Rufen Sie an. Spielen Sie Telefongespräche.

1. Vereinbaren Sie einen Termin beim Zahnarzt.
2. Fragen Sie nach Zeit und Preis für einen Deutschkurs.
3. Fragen Sie nach den Öffnungszeiten im Fahrradgeschäft.
4. Fragen Sie im Musikgeschäft nach den Öffnungszeiten und nach den Preisen für eine Gitarre.

A32 Lesen Sie die E-Mail an Frau Körner.

Termin

Datei Bearbeiten Ansicht Extras Nachricht ?

Antwort... Allen an... Weiterle... Drucken Löschen Zurück Weiter Adressen

Von: Sabine Sauer
Datum: Dienstag, 25. April 12:23
An: Antje Körner
Betreff: Termin

Liebe Frau Körner,

ich muss den Termin am 22. März um 15.00 Uhr leider absagen. Herr Krause ist noch in London. Er hat dort eine sehr wichtige Besprechung und kann erst am 23. März zurückkommen. Können wir einen neuen Termin vereinbaren? Haben Sie am 24. März oder am 27. März Zeit?

Mit besten Grüßen
Sabine Sauer

A33 Schreiben Sie selbst eine E-Mail an Frau Körner.

Termin 13. April absagen ♦ Herr Krause muss Gäste vom Flughafen abholen ♦ neuer Termin: 20. April

A34 Lesen Sie die Redemittel.

Einen Brief/Eine E-Mail schreiben

Anrede		Gruß	
formell:	Sehr geehrte Frau *(Sommer)*, … Sehr geehrter Herr *(Winter)*, … Sehr geehrte Damen und Herren, …	formell:	Mit freundlichen Grüßen
halbformell:	Liebe Frau *(Sommer)*, … Lieber Herr *(Winter)*, …	halbformell:	Mit besten Grüßen
informell:	Liebe *(Claudia)*, … Lieber *(Rudi)*, …	informell:	Mit herzlichen Grüßen Herzliche Grüße Mit lieben Grüßen/Liebe Grüße

A35 Berichten Sie über Ihren Arbeitstag.

Beantworten Sie die folgenden Fragen.

Was sind Ihre wichtigsten Tätigkeiten am Arbeitsplatz?

Was müssen Sie (fast) jeden Tag machen?

Welche Tätigkeit(en) mögen Sie? Was tun Sie nicht so gern?

Wo essen Sie zu Mittag? Machen Sie eine Kaffee- oder Teepause?

Was haben Sie gestern gemacht?

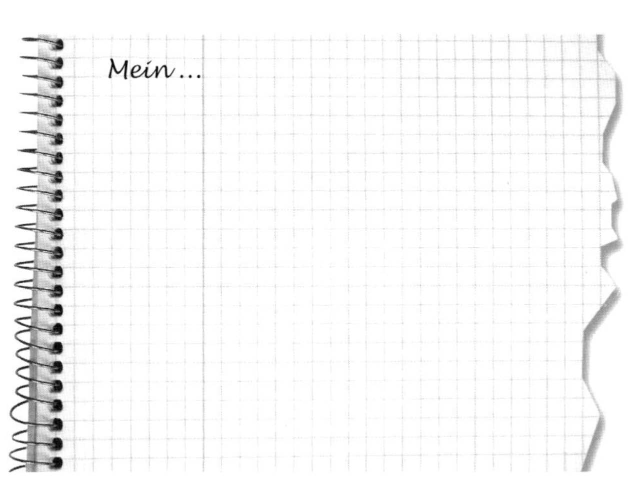

Wissenswertes *(fakultativ)*

B1 Nach der Arbeit: Die Welt sieht immer mehr fern.

a) Lesen Sie den Text.

Die Erdbevölkerung hat im letzten Jahr täglich 15 Minuten länger ferngesehen. Hier ein Vergleich:

Nordamerika

Dauer	Zuschauer
4,21 Std.	In vielen amerikanischen Familien läuft der Fernseher den ganzen Tag.
	Programme
	In den USA gibt es über 100 Sender. <u>Die meisten</u> Leute sehen Sportsendungen und Reality-TV.

viel → mehr → die/am meisten

Europa

Dauer	Zuschauer
3,33 Std.	In Europa sehen die Menschen in Griechenland <u>am meisten</u> fern.
	Programme
	Shows und Serien sind in Europa die beliebtesten Sendungen.

Asien

Dauer	Zuschauer
3,23 Std.	In Asien sind die Japaner die Spitzenreiter beim Fernsehen.
	Programme
	Die „Miss-World-Show" in China haben ca. zwei Milliarden Menschen gesehen.

b) Beantworten Sie die Fragen in ganzen Sätzen.

1. Wie viele Menschen haben die „Miss-World-Show" in China gesehen?
2. Welches europäische Land ist im Fernsehen Spitzenreiter?
3. Wie lange sehen die Menschen in Nordamerika täglich fern?
4. Welche Sendungen sind in Europa beliebt?
5. Wie viele Sender gibt es in den USA?

c) Schreiben Sie aus Teil a) eine Wortschatzliste zum Thema *Fernsehen*.

Zuschauer, ...

....

B2 Können Sie ohne Fernsehen leben?

Berichten Sie, wie lange und was Sie fernsehen.

Spielfilme • Nachrichten • Sportsendungen • Quizshows • Serien • Reality-TV • Dokumentarfilme • Talkshows

B3 Hören und lesen Sie den Text. 2.12

Können Sie ohne Fernseher leben?

Nur 16 % der Deutschen beantworten diese Frage mit „ja“, 26 % sagen „ja, vielleicht“ und für 58 % ist das Fernsehen eine wichtige Freizeitbeschäftigung. Viele Menschen können ohne Quizshows, Kochshows, Telenovelas oder Krimis nicht leben. Dreieinhalb Stunden täglich sehen die Deutschen fern. Aber auf fast allen Sendern läuft das Gleiche: Shows, Serien und Werbung. Viele Zuschauer finden das Fernsehangebot inzwischen langweilig und mögen keine Werbung. Fernsehen macht keinen Spaß mehr! Doch die Zuschauer schalten den Fernseher nicht aus. Sie essen, telefonieren, lesen, sitzen am Computer, führen Gespräche – und der Fernseher läuft weiter.

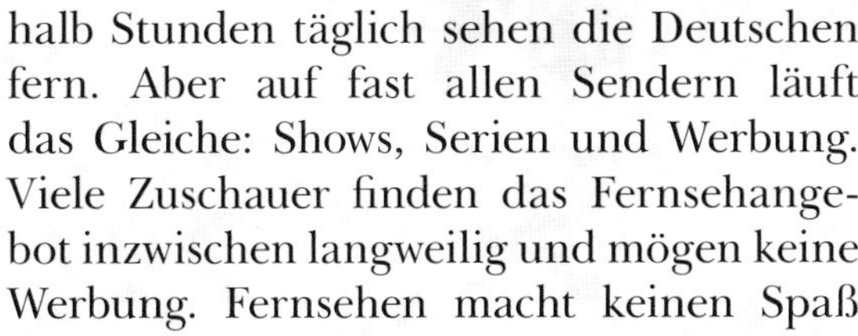

Natürlich ist im Fernsehen nicht alles schlecht oder langweilig. Besonders beliebt sind in Deutschland die Nachrichten. 48 % der Deutschen nutzen das Fernsehen für aktuelle Informationen. An der Spitze der Beliebtheitsskala stehen die Sportsendungen, vor allem bei Olympischen Spielen oder Fußballweltmeisterschaften.

B4 Was ist richtig, was ist falsch?

Kreuzen Sie an.

	richtig	falsch
1. 58 % der Deutschen können ohne Fernseher nicht leben.	☐	☐
2. Das Fernsehangebot ist sehr unterschiedlich.	☐	☐
3. Alle Sendungen im Fernsehen sind schlecht.	☐	☐
4. Werbung im Fernsehen ist sehr beliebt.	☐	☐
5. 48 % der Deutschen sehen Nachrichten.	☐	☐

B5 Ergänzen Sie die Verben.

fernsehen • führen • ~~leben~~ • laufen • ausschalten • mögen • finden • nutzen

Viele Menschen können ohne Fernseher nicht *leben*.
Dreieinhalb Stunden täglich .... die Deutschen ....
48 % der Deutschen .... das Fernsehen für aktuelle Informationen.
Aber immer mehr Zuschauer .... das Fernsehangebot langweilig
und .... keine Werbung. Doch sie .... den Fernseher
nicht .... Sie essen, telefonieren, lesen, sitzen am Computer, ...
Gespräche – und der Fernseher .... weiter.

Verben

Verben mit Präfix

nicht trennbare Verben		trennbare oder nicht trennbare Verben		trennbare Verben	
Verben mit den Präfixen: be-, emp-, ent-, er-, ge-, miss-, ver-, zer- sind nicht trennbar.		Verben mit den Präfixen: durch-, über-, um-, unter-, wider-, wieder- können trennbar oder nicht trennbar sein.		Verben mit allen anderen Präfixen sind trennbar.	
beginnen:	ich beginne	trennbar:		aufstehen:	ich stehe auf
bezahlen:	ich bezahle	wiederkommen:	ich komme wieder	einkaufen:	ich kaufe ein
erhalten:	ich erhalte			fernsehen:	ich sehe fern
erwarten:	ich erwarte	nicht trennbar:		anfangen:	ich fange an
vereinbaren:	ich vereinbare	wiederholen:	ich wiederhole	ausschalten:	ich schalte aus

Satzbau bei trennbaren Verben: Das Präfix steht am Satzende.

I.	II.	III.	Satzende
Peter	steht	jeden Morgen um 7.00 Uhr	auf.

C1 Wie heißt das Gegenteil?

Formulieren Sie Sätze.

abfahren ♦ ~~zumachen~~ ♦ aufhören ♦ aufwachen ♦ ausschalten ♦ ausmachen

♦	Maria macht die Tür auf.	Heinz *macht* die Tür *zu.*
1.	Maria macht das Licht an.	Heinz ....
2.	Maria schaltet den Fernseher ein.	Heinz ....
3.	Maria schläft um 5.00 Uhr morgens ein.	Heinz ....
4.	Die Arbeit von Maria fängt um 15.00 Uhr an.	Die Arbeit von Heinz ....
5.	Maria kommt spät zu Hause an.	Heinz .... früh von zu Hause ....

C2 Trennbar oder nicht trennbar?

Antworten Sie.

♦	Möchten Sie mitfahren?	*Ja, ich fahre mit./Nein, ich fahre nicht mit.*
1.	Möchten Sie anfangen?	....
2.	Möchten Sie bezahlen?	....
3.	Möchten Sie das Deutsche Museum besuchen?	....
4.	Möchten Sie jetzt einkaufen?	....
5.	Möchten Sie die Firma USU anrufen?	....
6.	Möchten Sie aussteigen?	....
7.	Möchten Sie beginnen?	....

Die Modalverben *müssen* und *sollen*

Konjugation

ich	muss	wir	müssen
du	musst	ihr	müsst
er/sie/es	muss	sie/Sie	müssen
ich	soll	wir	sollen
du	sollst	ihr	sollt
er/sie/es	soll	sie/Sie	sollen

Satzbau

Die Satzklammer: konjugiertes Verb + Infinitiv

I.	II.	III.	Satzende
Peter	muss	die E-Mail heute	beantworten.
Eva	soll	zwei Plätze im Restaurant	reservieren.

Gebrauch

Notwendigkeit:	Wir müssen heute den Flug buchen.
Auftrag:	Die Sekretärin soll den Termin absagen.
Was möchte die andere Person?	Soll ich im Restaurant Plätze reservieren?

C3 Ergänzen Sie die Tabelle.

	möchte(n)	müssen	können	mögen	sollen
ich	*möchte*	*muss*	....	....	....
du	....	....	....	*magst*	....
er/sie/es	....	....	....	....	....
wir	....	....	*können*	....	*sollen*
ihr	....	....	....	....	....
sie/Sie	....	....	....	....	....

C4 *Sollen, müssen, mögen, können* und *möchte(n)*

Ergänzen Sie die richtige Form.
Manchmal sind mehrere Verben richtig.

müssen

sollen

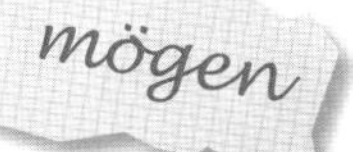

möchte(n)

- Ich *muss* das Dokument noch ausdrucken.
1. Vor der Prüfung .... er noch viel lernen.
2. In dem Restaurant .... ich nicht essen.
3. Ich .... keine Kartoffeln.
4. Peter .... das Computerproblem sofort lösen.
5. .... ich dich vom Flughafen abholen?
6. Jetzt .... ich gerne ein kaltes Bier trinken!
7. .... ich den Computer ausschalten?
8. Du .... nicht fernsehen. Der Fernseher ist kaputt.
9. Ihr Deutsch ist noch nicht so gut. Sie .... noch keine Briefe auf Deutsch schreiben.
10. Ich .... heute ins Theater gehen, ich .... aber erst meine Hausaufgaben machen.

Das Perfekt

	1 Hilfsverb	2 Partizip
Ich habe eine Tasse Kaffee getrunken.	habe	getrunken
Ich bin zur Arbeit gefahren.	bin	gefahren

Perfekt mit	sein	oder haben
Bildung:	ich bin gefahren ich bin aufgestanden Das Flugzeug ist gelandet. besondere Verben: sein: ich bin gewesen bleiben: ich bin geblieben	ich habe getrunken ich habe gearbeitet ich habe gefrühstückt ich habe geschrieben
Verwendung:	Wechsel von Ort oder Zustand	alle anderen Verben

Verben

C5 *Haben* oder *sein*?

Ergänzen und antworten Sie.

- Wann *sind* Sie gelandet? — *Ich bin um 15.00 Uhr gelandet.*

1. Was .... Sie zum Abendbrot gegessen? — *Ich habe zum Abendbrot* ....
2. Wie viele Gläser Wein .... er getrunken? — ....
3. Wie lange .... Sie in Italien geblieben? — ....
4. .... Peter das Problem schon gelöst? — ....
5. .... Herr Müller schon angerufen? — ....
6. .... ihr am Montag gearbeitet? — ....
7. Wann .... ihr angekommen? — ....
8. .... du die E-Mail schon gelesen? — ....
9. .... du gut geschlafen? — ....
10. Was .... Paul gekocht? — ....
11. Wann .... er abgefahren? — ....

Das Partizip II

	Verben ohne Präfix	Verben mit Präfix	
		trennbare Verben	nicht trennbare Verben
regelmäßige Verben	fragen → gefragt arbeiten → gearbeitet kaufen → gekauft	einkaufen → eingekauft	besuchen → besucht
unregelmäßige Verben	trinken → getrunken essen → gegessen sprechen → gesprochen	anrufen → angerufen	beginnen → begonnen
Verben auf *-ieren*	studieren → studiert kopieren → kopiert		

Regelmäßige Verben im Perfekt

	Verben ohne Präfix		Verben mit Präfix			
			trennbare Verben		nicht trennbare Verben	
ich	habe	gewohnt	habe	eingekauft	habe	bezahlt
du	hast	gewohnt	hast	eingekauft	hast	bezahlt
er/sie/es	hat	gewohnt	hat	eingekauft	hat	bezahlt
wir	haben	gewohnt	haben	eingekauft	haben	bezahlt
ihr	habt	gewohnt	habt	eingekauft	habt	bezahlt
sie	haben	gewohnt	haben	eingekauft	haben	bezahlt
Sie	haben	gewohnt	haben	eingekauft	haben	bezahlt

arbeiten → gearbeitet
landen → gelandet

C6 Was ist passiert?

Berichten Sie.

a) Verben ohne Präfix: Bilden Sie Sätze im Perfekt.

- wir – die Vokabeln – lernen .... *Wir haben die Vokabeln gelernt.*

1. ich – den ganzen Tag – hart arbeiten ....
2. ich – keine Hausaufgaben – machen ....
3. die Sekretärin – ein Hotelzimmer – buchen ....
4. Hans – das Computerproblem – lösen ....
5. wir – im Konzert – fantastische Musik – hören ....
6. ich – mein Auto – im Parkverbot – parken ....
7. Frau und Herr Schmalz – die ganze Nacht – Walzer – tanzen ....
8. Herr Klein – E-Mail – um 18.30 Uhr – senden ....
9. der Chef – für seine Frau – Blumen – kaufen ....
10. wir – mit Susanne – ein Gespräch – führen ....
11. sie *(Pl.)* – im Hotel – frühstücken ....
12. Anton – in Frankfurt – wohnen ....
13. ich – die E-Mail – gestern – löschen ....
14. Klara – drei Jahre – in Spanien – leben ....
15. Marianne – früher – 20 Zigaretten am Tag – rauchen ....
16. Martin – zum Abendessen – Spaghetti – kochen ....

b) Verben mit Präfix: Bilden Sie Sätze im Perfekt.

1. Herr Krause – seine Rechnung – nicht bezahlen ....
2. ich – einen Termin mit Frau Kümmel – vereinbaren ....
3. Peter – schon – ein Bier – bestellen ....
4. Martin – den Brief – schon – übersetzen ....
5. Herr Feuerstein – die Gäste – begrüßen ....
6. Oma – den Fernseher – einschalten ....
7. Kurt – Fleisch und Gemüse – einkaufen ....

Unregelmäßige Verben im Perfekt

	Verben ohne Präfix		Verben mit Präfix			
			trennbare Verben		nicht trennbare Verben	
ich	habe	geschlafen	habe	angerufen	habe	begonnen
du	hast	geschlafen	hast	angerufen	hast	begonnen
er/sie/es	hat	geschlafen	hat	angerufen	hat	begonnen
wir	haben	geschlafen	haben	angerufen	haben	begonnen
ihr	habt	geschlafen	habt	angerufen	habt	begonnen
sie	haben	geschlafen	haben	angerufen	haben	begonnen
Sie	haben	geschlafen	haben	angerufen	haben	begonnen

Verben

C7 Unregelmäßige Verben

Ergänzen Sie die Präsensform und das Hilfsverb im Perfekt.

	Präsens	Perfekt	
•	*wir kommen*	wir *sind*	gekommen
1.	....	er	gelesen
2.	....	ihr	geschrieben
3.	....	er	angefangen
4.	....	wir	gesungen
5.	....	sie	gesprochen
6.	....	er	gegessen
7.	....	er	aufgestanden
8.	....	du	getrunken
9.	....	du	geschlafen
10.	....	sie	gesehen
11.	....	ihr	angekommen
12.	....	er	gelaufen
13.	....	ich	ferngesehen
14.	....	du	gegangen
15.	....	wir	begonnen

C8 Ergänzen Sie das Hilfsverb und das richtige Partizip.

getrunken • gefunden • gegangen • gegessen • gefahren • geschrieben • geblieben • geschlafen • gesehen • gesungen • angekommen • gelesen • begonnen

- Wir *sind* mit dem Bus *gefahren.*

1. Er .... zum Frühstück nur Joghurt ....
2. Wir .... erst um 24.00 Uhr ins Bett ....
3. Herr Feuerstein .... abends fünf Bier ....
4. Wir .... im Hotel Monaco nur eine Nacht ....
5. Ich .... heute schon 30 E-Mails ....
6. .... du meinen Kugelschreiber ....?
7. Wann .... die Besprechung ....?
8. Der Chor .... schöne Lieder ....
9. Wie viele Stunden .... du diese Nacht ....?
10. Wann .... Paul Feuerstein auf dem Flughafen ....?
11. Das Buch .... ich schon ....
12. Oma .... den Film schon zehnmal ....

C9 Beantworten Sie die Fragen in ganzen Sätzen.

- Wie lange bist du gefahren? *(drei Stunden)* — *Ich bin drei Stunden gefahren.*
1. Wann seid ihr angekommen? *(14.55 Uhr)* ....
2. Wann hast du mich angerufen? *(gestern Abend)* ....
3. Wann haben Sie den Brief erhalten? *(am Mittwoch)* ....
4. Wie lange sind Sie spazieren gegangen? *(30 Minuten)* ....
5. Wann seid ihr heute aufgestanden? *(6.00 Uhr)* ....
6. Wann hat das Konzert angefangen? *(20.15 Uhr)* ....
7. Wie viel Geld hast du bekommen? *(1000 Euro)* ....
8. Wie viele Meter bist du gelaufen? *(2000 Meter)* ....

C10 Trennbare Verben: regelmäßig und unregelmäßig

Bilden Sie Sätze im Präsens (a), im Präsens mit Modalverb (b) und im Perfekt (c).

- Licht/ausschalten
  - a) Präsens: *Er schaltet das Licht aus.*
  - b) Präsens mit Modalverb: *Er muss das Licht ausschalten.*
  - c) Perfekt: *Er hat das Licht ausgeschaltet.*

1. Termin – absagen
   - a) Ich ....
   - b) Ich ....
   - c) Ich ....
2. Drucker – anschließen
   - a) Wir ....
   - b) Wir ....
   - c) Wir ....
3. Bildschirm – einschalten
   - a) Er ....
   - b) Er ....
   - c) Er ....
4. Text – einfügen
   - a) Du ....
   - b) Du ....
   - c) Du ....
5. E-Mail – weiterleiten
   - a) Sie ....
   - b) Sie ....
   - c) Sie ....
6. im Supermarkt – einkaufen
   - a) Ich ....
   - b) Ich ....
   - c) Ich ....
7. den Kundenservice – anrufen
   - a) Wir ....
   - b) Wir ....
   - c) Wir ....
8. mit der Arbeit – anfangen
   - a) Ich ....
   - b) Ich ....
   - c) Ich ....
9. den Fernseher – ausmachen
   - a) Du ....
   - b) Du ....
   - c) Du ....
10. um 6.00 Uhr – aufstehen
    - a) Herr Kolle ....
    - b) Herr Kolle ....
    - c) Herr Kolle ....
11. pünktlich – ankommen
    - a) Wir ....
    - b) Wir ....
    - c) Wir ....
12. die Tür – zumachen
    - a) Ich ....
    - b) Ich ....
    - c) Ich ....

C11 Hast du schon …?

Bilden Sie Fragen.

fotografieren • telefonieren • kopieren • installieren	den schönen Baum • das neue Programm • mit Heinz • die Übung

1. ....
2. ....
3. ....
4. ....

C12 Ein ganz normaler Arbeitstag

Schreiben Sie den Text im Perfekt.

Hanna steht um 8.00 Uhr auf, danach frühstückt sie.	*Hanna ist gestern um 8.00 Uhr aufge-*
Um 9.00 Uhr fährt sie mit dem Auto zur Arbeit.	*standen, danach hat* ....
Zuerst liest sie ihre E-Mails. Um 10.00 Uhr trinkt sie	....
mit Frau Müller einen Kaffee. Von 10.30 bis 12.00 Uhr	....
beantwortet sie die E-Mails und Briefe.	....
Sie vereinbart zwei Termine mit der Firma KOK.	....
Von 13.00 bis 13.30 Uhr macht sie Mittagspause.	....
Sie isst in der Kantine Fleisch mit Gemüse und Kartoffeln.	....
Am Nachmittag bucht sie für den Chef einen Flug	....
nach Rom. Sie kopiert viele Dokumente. Von 15.00	....
bis 15.30 Uhr führt sie ein Gespräch mit dem Computer-	....
spezialisten. Um 16.00 Uhr begrüßt sie die Gäste aus	....
Moskau. Von 16.30 bis 17.30 Uhr schreibt sie wieder E-Mails.	....
Um 17.30 Uhr hat Hanna Feierabend.	*Um 17.30 Uhr hatte Hanna Feierabend.*

Temporale Präpositionen

C13 Ergänzen Sie die Präpositionen.

1. Marcus steht .... 8.00 Uhr auf.
2. Der Unterricht ist .... 18.30 .... 21.00 Uhr.
3. Es ist 19.05, also fünf Minuten .... 19.00 Uhr.
4. Haben Sie .... Freitag Zeit?
5. Ich habe .... 13.00 Uhr einen Termin.
6. Das Flugzeug landet kurz .... 16.00 Uhr.
7. Die Besprechung geht .... 15.00 Uhr.
8. Wir besuchen .... Sonntag das Foto-Museum.
9. Er war schon um 8.55 Uhr, also fünf Minuten .... 9.00 Uhr im Büro.
10. Der Fernsehmonteur kommt .... 3. März .... 15.00 Uhr.

Temporale Präpositionen

Wann?

am	Mittwoch		
am	16.6.2008		
um	16.00 Uhr		
um	15.55 Uhr	→	kurz vor 16.00 Uhr
um	16.05 Uhr	→	kurz nach 16.00 Uhr

Wann? Wie lange?

von	16.00 Uhr	bis	17.00 Uhr

Rückblick

D1 Wichtige Redemittel 2.13

Hören Sie die Redemittel.
Sprechen Sie die Wendungen nach und übersetzen Sie sie in Ihre Muttersprache.

Deutsch	Ihre Muttersprache
Tagesablauf	
Ich stehe um *(8.00 Uhr)* auf.	....
Um *(8.30 Uhr)* frühstücke ich.	....
Um *(9.00 Uhr)* fahre ich zur Arbeit/zur Uni.	....
Um *(9.30 Uhr)* beginne ich mit der Arbeit.	....
Ich lese und beantworte E-Mails,	....
vereinbare Termine,	....
übersetze Briefe,	....
habe eine Besprechung,	....
rufe Kollegen an,	....
führe Gespräche,	....
schreibe ein Angebot,	....
löse Probleme und	....
sage Termine wieder ab.	....
Abends kaufe ich ein und sehe fern.	....
Um *(23.00 Uhr)* gehe ich ins Bett.	....
Computerbefehle	
Einen Computer/Drucker muss man	....
installieren,	....
einschalten und ausschalten.	....
Einen Text kann man	....
speichern, kopieren, löschen,	....
ausdrucken, ausschneiden,	....
weiterleiten oder einfügen.	....
Eine E-Mail kann man	....
erhalten/bekommen oder senden.	....
Telefongespräche	
Guten Tag, *(Paul Frisch)* hier, Firma ANA.	....
Guten Tag. Hier ist *(Paul Frisch).*	....
Kann ich bitte *(Frau Müller)* sprechen?	....
Ich möchte bitte *(Herrn Müller)* sprechen.	....
Einen Moment, bitte. Ich verbinde Sie.	....
Ich möchte gern einen Termin vereinbaren.	....
Wann haben Sie Zeit?	....

Haben Sie am *(achten April)* Zeit?	....
Geht es am *(Dienstag)* um *(11.00 Uhr)*?	....
Nein, am *(10. Juni)* habe ich leider keine Zeit.	....
Am *(dritten Fünften)* bin ich nicht im Büro.	....
Ja, am *(Dienstag)* um *(11.00 Uhr)* geht es.	....
Am *(Dienstag)* habe ich Zeit.	....
Dann besuche ich Sie am *(Mittwoch)* um *(13.30 Uhr)*.	....
Ich komme am *(Mittwoch)* um *(13.30 Uhr)*.	....
Wir erwarten *(den Monteur)* am *(Donnerstag)*.	....
Vielen Dank für Ihren Anruf.	....
Auf Wiederhören.	....

Briefe/E-Mails	
Sehr geehrte Frau *(Sommer)*, …	....
Sehr geehrter Herr *(Winter)*, …	....
Sehr geehrte Damen und Herren, …	....
Liebe Frau *(Sommer)*, …	....
Lieber Herr *(Winter)*, …	....
Mit freundlichen Grüßen	....
Mit besten Grüßen	....
Mit herzlichen Grüßen	....
Mit lieben Grüßen	....

D2 Kleines Wörterbuch der Verben

müssen	ich muss wir müssen	du musst ihr müsst	er muss sie müssen
sollen	ich soll wir sollen	du sollst ihr sollt	er soll sie sollen

absagen *(einen Termin absagen)*	ich sage ab wir sagen ab	du sagst ab ihr sagt ab	er sagt ab sie sagen ab
anfangen *(mit der Arbeit anfangen)*	ich fange an wir fangen an	du fängst an ihr fangt an	er fängt an sie fangen an
anrufen	ich rufe an wir rufen an	du rufst an ihr ruft an	er ruft an sie rufen an
anschließen *(den Drucker anschließen)*	ich schließe an wir schließen an	du schließt an ihr schließt an	er schließt an sie schließen an
aufstehen	ich stehe auf wir stehen auf	du stehst auf ihr steht auf	er steht auf sie stehen auf
ausschalten *(den Computer ausschalten)*	ich schalte aus wir schalten aus	du schaltest aus ihr schaltet aus	er schaltet aus sie schalten aus

ausschneiden *(ein Stück Text ausschneiden)*	ich schneide aus wir schneiden aus	du schneidest aus ihr schneidet aus	er schneidet aus sie schneiden aus
beantworten *(einen Brief beantworten)*	ich beantworte wir beantworten	du beantwortest ihr beantwortet	er beantwortet sie beantworten
beginnen *(mit der Arbeit beginnen)*	ich beginne wir beginnen	du beginnst ihr beginnt	er beginnt sie beginnen
bestellen	ich bestelle wir bestellen	du bestellst ihr bestellt	er bestellen sie bestellen
buchen *(ein Hotelzimmer buchen)*	ich buche wir buchen	du buchst ihr bucht	er bucht sie buchen
einschalten *(den Fernseher einschalten)*	ich schalte ein wir schalten ein	du schaltest ein ihr schaltet ein	er schaltet ein sie schalten ein
einfügen *(einen Text einfügen)*	ich füge ein wir fügen ein	du fügst ein ihr fügt ein	er fügt ein sie fügen ein
einkaufen	ich kaufe ein wir kaufen ein	du kaufst ein ihr kauft ein	er kauft ein sie kaufen ein
erhalten *(eine E-Mail erhalten)*	ich erhalte wir erhalten	du erhältst ihr erhaltet	er erhält sie erhalten
erwarten *(die Gäste erwarten)*	ich erwarte wir erwarten	du erwartest ihr erwartet	er erwartet sie erwarten
fernsehen	ich sehe fern wir sehen fern	du siehst fern ihr seht fern	er sieht fern sie sehen fern
frühstücken	ich frühstücke wir frühstücken	du frühstückst ihr frühstückt	er frühstückt sie frühstücken
führen *(ein Gespräch führen)*	ich führe wir führen	du führst ihr führt	er führt sie führen
installieren	ich installiere wir installieren	du installierst ihr installiert	er installiert sie installieren
kopieren	ich kopiere wir kopieren	du kopierst ihr kopiert	er kopiert sie kopieren
laufen	Der Fernseher läuft.		
löschen *(eine E-Mail löschen)*	ich lösche wir löschen	du löschst ihr löscht	er löscht sie löschen
lösen *(ein Problem lösen)*	ich löse wir lösen	du löst ihr löst	er löst sie lösen
nutzen *(das Fernsehen nutzen)*	ich nutze wir nutzen	du nutzt ihr nutzt	er nutzt sie nutzen
reparieren *(ein Gerät reparieren)*	ich repariere wir reparieren	du reparierst ihr repariert	er repariert sie reparieren
reservieren *(einen Platz reservieren)*	ich reserviere wir reservieren	du reservierst ihr reserviert	er reserviert sie reservieren
speichern *(einen Text speichern)*	ich speichere wir speichern	du speicherst ihr speichert	er speichert sie speichern

übersetzen *(einen Brief übersetzen)*	ich übersetze wir übersetzen	du übersetzt ihr übersetzt	er übersetzt sie übersetzen
vereinbaren *(einen Termin vereinbaren)*	ich vereinbare wir vereinbaren	du vereinbarst ihr vereinbart	er vereinbart sie vereinbaren
weiterleiten *(eine E-Mail weiterleiten)*	ich leite weiter wir leiten weiter	du leitest weiter ihr leitet weiter	er leitet weiter sie leiten weiter

D3 Evaluation

Überprüfen Sie sich selbst.

Ich kann	gut	nicht so gut
Ich kann einige Sätze über meinen Tagesablauf und meine Arbeit in der Gegenwart und Vergangenheit sagen.	❐	❐
Ich kann einfache Bürotätigkeiten nennen.	❐	❐
Ich kann die Uhrzeit und das Datum nennen.	❐	❐
Ich kann wichtige Computerteile nennen und Computerbefehle verstehen.	❐	❐
Ich kann Menschen am Telefon grüßen, mich verabschieden und nach Zeiten und Preisen fragen.	❐	❐
Ich kann einen Termin schriftlich und mündlich vereinbaren und absagen.	❐	❐
Ich kann über meine Fernsehgewohnheiten berichten und einen einfachen Text über das Fernsehen verstehen. *(fakultativ)*	❐	❐

Kapitel 6

Reisen

Kommunikation

- Das Wetter beschreiben
- Über Reiseziele sprechen
- Gründe angeben
- Sachen für den Urlaub benennen
- Kleidung einkaufen
- Sich nach Fahrkarten erkundigen
- Über Urlaubserlebnisse berichten

Wortschatz

- Wetter
- Jahreszeiten
- Monate
- Reiseziele
- Kleidung
- Farben
- Verkehrsmittel

Die Jahreszeiten und das Wetter

A1 Die vier Jahreszeiten 2.14

a) Hören und lesen Sie.

der Frühling

der Regen/es regnet
der Wind weht
die Wolken *(Pl.)*
die Wärme

der Sommer

die Sonne scheint
die Hitze
der blaue Himmel
das helle Licht
das Gewitter
die Sterne am Himmel
Temperatur: 35 Grad

der Herbst

der Sturm
der Nebel
die kalten Nächte

der Winter

der Schnee/es schneit
das Eis
die Kälte
der Frost/man friert
Temperatur:
minus 10 Grad

b) Wann machen Sie am liebsten Urlaub? Im Frühling, im Sommer, im Herbst oder im Winter?

Ich mache am liebsten im *(Winter)* Urlaub, denn ich mag *(den Schnee)* …
denn ich liebe *(den Schnee)* …

Ich mache nie im *(Winter)* Urlaub, denn ich hasse *(den Schnee)* …
Ich mache überhaupt nicht gern im … Urlaub, denn …

Satzverbindungen: *denn* ⇨ Teil C Seite 159

Satz 1	Konjunktion	Satz 2
Ich mache am liebsten im Januar Urlaub,	denn	ich liebe den Schnee.
Verb steht auf Position II.		Verb steht auf Position II.

A2 Welche Nomen passen?

- Es ist kalt. *die Kälte*
1. Es ist heiß. ....
2. Es ist warm. ....
3. Es ist stürmisch. ....
4. Es ist neblig. ....
5. Es ist bewölkt. ....
6. Es regnet. ....
7. Es schneit. ....
8. Es ist sonnig. ....

A3 Sommer in Europa. Wie ist das Wetter? 2.15

a) Hören und lesen Sie den Wetterbericht für Deutschland.

Am Morgen regnet es leicht, danach ist es bewölkt.
Die Temperatur liegt bei 17 Grad.
Mittags kommt die Sonne und am Nachmittag ist es teilweise sonnig, teilweise bewölkt.
Die Tageshöchsttemperatur beträgt 19 Grad.

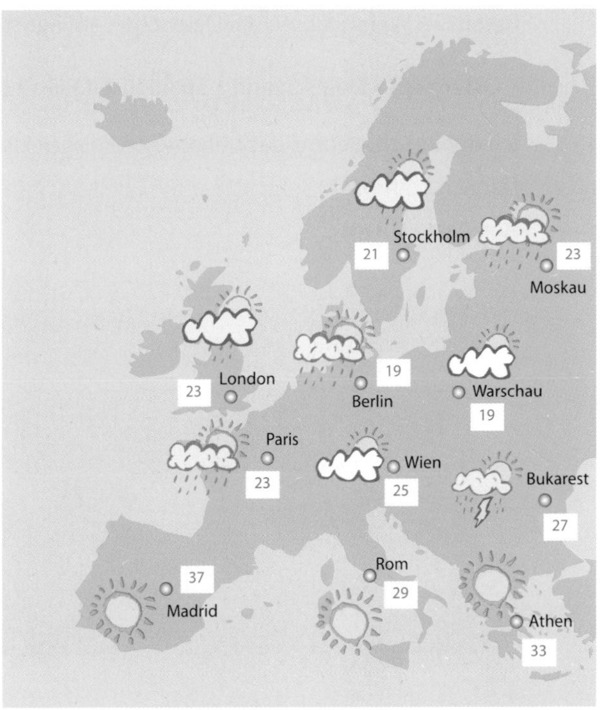

b) Beschreiben Sie das Wetter in anderen Ländern.

Es ist schönes/schlechtes Wetter. • Die Sonne scheint. • Es ist (teilweise) sonnig. • Es ist bewölkt. • Es regnet (leicht/stark). • Die Temperatur liegt bei/beträgt *(20 Grad)*.

A4 Berichten Sie über Ihr Heimatland.

a) Wann ist Frühling/Sommer/Herbst/Winter? Ordnen Sie den Jahreszeiten Monate zu.

der Januar • der Februar • der März • der April • der Mai • der Juni • der Juli • der August • der September • der Oktober • der November • der Dezember

Frühling haben wir *(in Deutschland)* im *April, Mai* …
Sommer ist im …
Herbst haben wir im …
Winter ist im …

b) Wie warm bzw. kalt ist es im Winter/Frühling/Sommer/Herbst?

wollen ⇨ Teil C Seite 160

Singular	ich du er/sie/es	will willst will
Plural	wir ihr sie	wollen wollt wollen
formell	Sie	wollen

A5 Was willst du/wollt ihr/wollen Sie machen?

Antworten Sie.

- Willst du im Winter nach Schweden fahren? *(zu kalt)* — *Nein, im Winter ist es dort zu kalt!*

1. Wollt ihr im Frühling nach Irland fahren? *(zu stürmisch)* ……
2. Wollen Sie im Herbst nach Schottland fahren? *(zu neblig)* ……
3. Wollt ihr im Sommer nach Tunesien fahren? *(zu heiß)* ……
4. Willst du im Herbst nach London fahren? *(es regnet zu viel)* ……
5. Wollen Sie im Winter nach Norwegen fahren? *(zu kalt)* ……
6. Willst du im Sommer nach Italien fahren? *(zu warm)* ……
7. Wollt ihr im Winter nach Österreich fahren? *(es schneit zu viel)* ……
8. Willst du im Frühling nach Deutschland fahren? *(zu bewölkt)* ……
9. Wollen Sie im Sommer nach Marokko fahren? *(zu heiß)* ……
10. Wollt ihr im Winter nach Russland fahren? *(es schneit zu viel)* ……
11. Wollen Sie im Herbst nach Italien fahren? *(es regnet zu viel)* ……
12. Willst du im Frühling nach Kanada fahren? *(zu stürmisch)* ……

Reiseziele

A6 Die beliebtesten Reiseziele

Raten Sie. Wohin fahren die Deutschen am liebsten?

Österreich ♦ Deutschland ♦ Spanien ♦ Italien ♦ die Türkei

Ich denke/Ich glaube, das beliebteste Reiseziel ist …

Danach kommt …

Auf Platz … liegt …

1. ....
2. ....
3. ....
4. ....
5. ....
6. Skandinavien
7. Griechenland
8. Frankreich
9. USA und Kanada
10. Kroatien und Slowenien
11. Ägypten

Wohin? ⇨ Teil C Seite 165

nach	Deutschland/Italien/Frankreich/Südafrika …
in	die Schweiz/die Türkei/die Vereinigten Staaten/die Niederlande …
an	die Nordsee/die Ostsee/den Strand …
auf	eine Insel/die Kanarischen Inseln/die Insel Sylt …
zu	Marta/Oma und Opa …

A7 Ergänzen Sie die Präpositionen.

♦ Familie Grüne fährt im Sommer *nach* Frankreich.

1. Susanne möchte .... die Insel Sylt fahren.
2. Meine Eltern reisen .... die Niederlande.
3. Ich fliege im Juni .... Südafrika.
4. Dorothee fährt im August .... Oma und Opa.
5. Paul will unbedingt .... eine Insel fliegen.
6. Dort geht er den ganzen Tag .... den Strand.
7. Unser Chef fährt jedes Jahr .... Schweden.
8. Frau Krüger will im Januar .... Japan fliegen.
9. Herr Schulz möchte .... die Ostsee fahren.

A8 Antworten Sie.

Wohin fahren Sie am liebsten? Wohin wollen Sie nächstes Jahr fahren?

A9 Lesen Sie die Anzeigen und wählen Sie eine Reise aus.

Sie haben Sommerurlaub und wollen eine Reise nach Deutschland machen. Begründen Sie Ihre Auswahl.

Urlaub in den Bergen
Wandern und Rad fahren
4 Übernachtungen inkl.
Frühstücksbüfett und 3-Gänge-Menü am Abend pro Person nur 169,–
www.hotel-eichenberg.de – Tel.: (0 53 22) 96210

*** Wellnesshotel Tegernsee ***

Das Wellnesshotel Tegernsee bietet alles für Sie und Ihre Kinder:

Zimmer mit TV, Bad, Sonnenterrasse, Internetanschluss, Fitnessraum, Schwimmbad, Kinderbad, einen Kinderspielplatz

4 Tage für 480,– Euro pro Person inkl. reichhaltigem Frühstücksbüfett
Tel. (0 80 22) 16 55

Ich möchte gern in die Berge/ins Wellnesshotel ans Meer/nach Berlin … fahren, denn das Hotel hat/verfügt über …

Dort gibt es …

Man kann dort …

Es kostet … Das ist preiswert/billig/nicht teuer.

Das Hotel … ist nicht so teuer/preiswert wie …

Reisevorbereitungen

A10 Hören Sie die Wörter und berichten Sie. 2.16

Was nehmen Sie alles in den Urlaub mit?
Was braucht ein Tourist in Ihrem Heimatland im Sommer und im Winter?

Gepäck:

der Koffer

der Rucksack

die Reisetasche

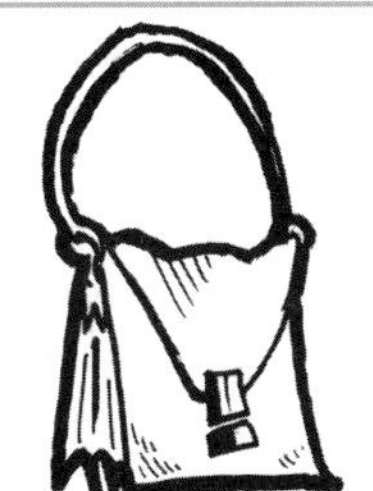
die Handtasche

Sachen/Kleidung:

Er: die Badehose • der Anzug • die Jeans • das Hemd • das T-Shirt • die Turnschuhe *(Pl.)* • die Regenjacke • die Socken *(Pl.)* • der Schlafanzug

Sie: der Bikini • der Rock • die Bluse • der Pullover • die Absatzschuhe *(Pl.)* • die Strumpfhose • das Nachthemd • das Kleid • die Hose • der Mantel

Weitere wichtige Dinge:

das Geld • der Pass • die Sonnencreme • die Kreditkarte • der Fotoapparat • das Handy • der Laptop • der Führerschein • das Aspirin • die Sonnenbrille • der Regenschirm …

A11 Fragen und antworten Sie.

- Laptop *(ich)* — *Soll ich den Laptop mitnehmen?*
  + Ja, nimm ihn mit.
  – Nein, lass ihn zu Hause/hier.
- Laptop *(wir)* — *Sollen wir den Laptop mitnehmen?*
  + Ja, nehmt ihn mit.
  – Nein, lasst ihn zu Hause/hier.

1. Turnschuhe *(ich)* ....
   + ...
2. Anzug *(ich)* ....
   – ....
3. Nachthemd *(ich)* ....
   + ...
4. Kleid *(ich)* ....
   + ...
5. Mantel *(ich)* ....
   – ....
6. Regenjacke *(ich)* ....
   – ....
7. Sonnencreme *(wir)* ....
   + ...
8. Fotoapparat *(wir)* ....
   – ....
9. Handy *(wir)* ....
   + ...
10. Führerschein *(ich)* ....
   – ....
11. Kreditkarte *(wir)* ....
   – ....
12. Aspirin *(wir)* ....
   + ...
13. Kalender *(ich)* ....
   – ....
14. Regenschirm *(ich)* ....
   – ....

Imperativ

⇨ Teil C Seite 160

formell:	Schließen Sie bitte die Tür!	Sie schließen	→ schließen Sie!
informell:	Lass die Kreditkarte hier!	du lässt	→ lass!
	Nimm die Kreditkarte mit!	du nimmst mit	→ nimm mit!
	Nehmt die Kreditkarte mit!	ihr nehmt mit	→ nehmt mit!

A12 Vor dem Urlaub 2.17

Hören Sie das Gespräch zwischen Frau und Herrn Berg.
Was ist richtig, was ist falsch? Kreuzen Sie an.

		richtig	falsch
♦	Frau Berg hat ihren Koffer schon gepackt.	☐	✗
1.	Frau Berg glaubt, sie hat zu wenig schöne Sachen.	☐	☐
2.	Sie hat zwei Paar Schuhe für den Urlaub gekauft.	☐	☐
3.	Sie findet die roten Schuhe nicht mehr schön.	☐	☐
4.	Das neue Kleid passt Frau Berg gut.	☐	☐
5.	Frau Berg möchte im Urlaub neue Kleidung kaufen.	☐	☐
6.	Herr Berg meint, seine Frau braucht keine neuen Sachen.	☐	☐
7.	Er will für Kleidung gar kein Geld ausgeben.	☐	☐

Kleidung/Schuhe

eine Hose
ein Kleid
eine Bluse
Schuhe

umtauschen – zurückgeben – anprobieren – kaufen

A13 Personalpronomen im Dativ

Lesen Sie die Sätze aus dem Dialog.

Die roten Schuhe gefallen mir nicht mehr.
Das Sommerkleid passt mir nicht.
Das Kleid passt dir nicht?

Personalpronomen: Dativ

		Nominativ	Akkusativ	Dativ
Singular	1. Person	ich	mich	mir
	2. Person	du	dich	dir
	3. Person	er sie es	ihn sie es	ihm ihr ihm
Plural	1. Person	wir	uns	uns
	2. Person	ihr	euch	euch
	3. Person	sie	sie	ihnen
formell		Sie	Sie	Ihnen

Verben mit Dativ ⇨ Teil C S. 162

Das Verb regiert im Satz.

Die Schuhe gefallen mir nicht.

gefallen → NOMINATIV, DATIV

Das Kleid passt mir nicht.

passen → NOMINATIV, DATIV

A14 Wie gefällt dir …?

Spielen Sie Dialoge.

♦ Wie gefällt dir *(meine neue Uhr)*?

◊ *(Deine neue Uhr)* gefällt mir sehr gut!
Mir gefällt *(die Uhr)* überhaupt nicht!

♦ Wie gefällt Ihnen *(meine neue Uhr)*?

◊ *(Ihre neue Uhr)* gefällt mir sehr gut!

A15 Was kann man kombinieren?

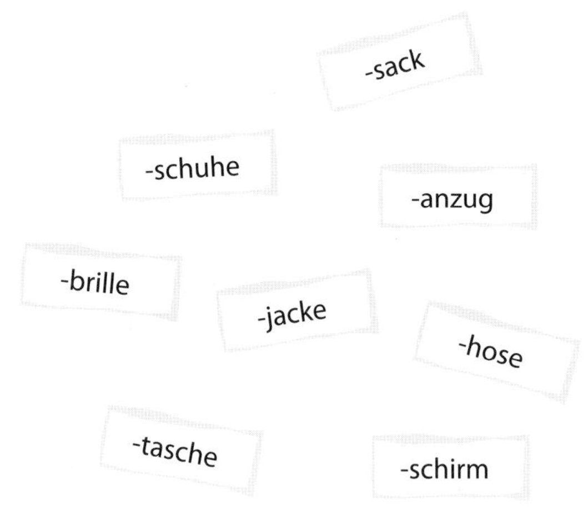

Wichtige Verben und Wendungen mit dem Dativ

- Wie geht es dir/Ihnen? Mir geht es gut.
- Das Essen schmeckt mir.
- Die Schuhe passen mir.
- Das Hotelzimmer gefällt mir.
- Das Auto gehört mir.
- Der Anzug steht mir.
- Kann ich Ihnen helfen?
- Ich danke Ihnen.

A16 Üben Sie den Dativ.

Antworten Sie.

- Wie geht es Ihnen? *Danke, mir geht es gut.*
1. Schmeckt dir die Tomatensuppe? ....
2. Gefällt euch das Hotel? ....
3. Wie geht es Klaus? ....
4. Passt dir der Bikini? ....
5. Wie geht es Ihrer Frau? ....
6. Gefällt dir meine Sonnenbrille? ....
7. Schmeckt dir das Schnitzel? ....
8. Gehört dir die Tasche? ....
9. Schmeckt euch der Kaffee? ....
10. Passen dir die Socken? ....
11. Steht mir die Bluse? ....
12. Schmeckt dir der Wein? ....

A17 Frau Berg kauft eine neue Bluse. 2.18

Hören Sie den Dialog und lesen Sie ihn mit verteilten Rollen.

Verkäuferin: Kann ich Ihnen helfen?
Frau Berg: Ich hätte gern die Bluse dort im Schaufenster.
Verkäuferin: Diese?
Frau Berg: Ja, genau diese. Welche Größe ist das?
Verkäuferin: Das ist Größe 40.
Wir haben die Bluse aber auch in anderen Größen und anderen Farben.
Frau Berg: Auch in Gelb?
Verkäuferin: Nein, in Gelb leider nicht. Aber in Rot, Grün und Schwarz.
Frau Berg: Kann ich die schwarze Bluse einmal anprobieren?
Verkäuferin: Ja, gerne.
Frau Berg: Was meinen Sie? Steht mir diese Bluse?
Verkäuferin: Sie steht Ihnen ausgezeichnet.
Frau Berg: Was kostet die Bluse?
Verkäuferin: 59 Euro.
Frau Berg: Gut, ich nehme sie. Ich zahle mit Kreditkarte.
Verkäuferin: Auf Wiedersehen und herzlichen Dank.

Die Farben

A18 Spielen Sie Dialoge.

Sie möchten gern ein Paar Schuhe, eine Regenjacke, eine Hose oder einen Pullover kaufen.

Kann ich Ihnen helfen?

Ich hätte gern *(einen Pullover)*.
Ich möchte *(einen Pullover)*.

Welche Größe haben Sie?

Ich habe Größe *(40)*.

In welcher Farbe?
Welche Farbe möchten Sie?

In *(Grün)*. *(Grün)* gefällt mir gut.
Kann ich *(den Pullover)* einmal anprobieren?

Ja, gerne.

Was meinen Sie? Steht mir *(der Pullover)*?

(Er) steht Ihnen ausgezeichnet.

Was kostet *(der Pullover)*?

…

Die Nomengruppe: Das Demonstrativpronomen

	Singular			Plural
	maskulin	feminin	neutral	
Nominativ	welcher Fernseher dieser Fernseher	welche Bluse diese Bluse	welches Auto dieses Auto	welche Schuhe diese Schuhe
Akkusativ	welchen Fernseher diesen Fernseher	welche Bluse diese Bluse	welches Auto dieses Auto	welche Schuhe diese Schuhe

Welchen Pullover möchten Sie? Den blauen. → Diesen.
Welche Bluse möchten Sie? Die blaue. → Diese.
Welches Kleid möchten Sie? Das blaue. → Dieses.

A19 Ergänzen Sie das Demonstrativpronomen (*dies-*).

- *Dieser* Wein schmeckt mir nicht.

1. Steht mir .... Kleid?
2. Willst du wirklich .... Schuhe kaufen?
3. Was kostet .... Fahrrad?
4. Hast du .... Haus schon fotografiert?
5. Kennst du .... Frau?
6. .... Handy funktioniert nicht.
7. Ich mag .... Film nicht.
8. Wie gefällt dir .... Brille?
9. Ist .... Anzug von Giorgio Armani?
10. .... Bluse ist sehr schön.
11. .... Suppe schmeckt ausgezeichnet.
12. .... Laptop gehört mir nicht.
13. Willst du wirklich .... Tabletten nehmen?
14. .... Zimmer ist zu dunkel.
15. .... Auto habe ich schon einmal gesehen.
16. Wir akzeptieren .... Kreditkarte nicht.
17. .... Regenschirm ist kaputt.

A20 Phonetik: ch [ç] und ch [x] 2.19

Hören und wiederholen Sie.

ch [ç:]

ich – ch [ç] — nach: *i, e, ö, ü, ä, eu, ei, n, l, r*

ich – mich – natürlich – sechzehn – sprechen – möchte – Bücher – nächste – euch – weich – manchmal – München – Milch – welche – durch

Mädchen – ch [ç] — in: *-chen*

Mädchen – Brötchen

Ich möchte sechzehn Bücher.
Wie gefällt euch München?
Ich spreche Deutsch.
Welche Brötchen möchtet ihr?
Manchmal trinke ich Milch.
Natürlich esse ich weiche Eier.

billig – ich [iç] — in: *-ig*

wichtig – billig – wenig – richtig – ledig – sechzig

Ich bin ledig.
Die Bücher sind billig.
Das ist richtig und wichtig.
Ich möchte gern Milch in den Tee, aber nur wenig.
Das Brötchen kostet sechzig Cent.

ch [x]

machen – ch [x] — nach: *a, o, u, au*

machen – nach – Woche – doch – Buch – Kuchen – auch – rauchen

Was machen wir nächste Woche?
Nächste Woche fahre ich nach München.
Isst du auch gern Kuchen?
Rauchen Sie?

Verkehrsmittel

A21 Hören Sie den Dialog. 2.20

Beantworten Sie die Fragen.

- Wohin will Herr Große fahren? ... *nach Hamburg* ...
1. An welchem Tag? ....
2. Welchen Zug nimmt er? ....
3. Wann ist er in Hamburg? ....
4. Muss er in Berlin umsteigen? ....
5. Fährt Herr Große erste oder zweite Klasse? ....
6. Was kostet die Fahrkarte? ....
7. Von welchem Gleis fährt der Zug? ....

A22 Ergänzen Sie die Verben.

kosten • brauchen • reservieren • umsteigen • nehmen • wollen • fahren (3 x)

Frau Kühn: Guten Tag. Eine Fahrkarte nach München bitte.
Herr Krause: Wann *wollen* Sie fahren?
Frau Kühn: Am Mittwoch. Das ist der dreizehnte.
Herr Krause: Vormittags oder nachmittags?
Frau Kühn: Vormittags.
Herr Krause: Es .... ein Zug um 11.20 Uhr. Es .... auch ein Zug um 9.20 Uhr, aber dann müssen Sie in Köln ....
Frau Kühn: Nein, das möchte ich nicht! Ich .... den Zug um 11.20 Uhr. Wann ist der Zug in München?
Herr Krause: Um 17.00 Uhr.
Frau Kühn: Was .... die Fahrkarte?
Herr Krause: .... Sie auch eine Rückfahrkarte?
Frau Kühn: Nein, ich fahre mit dem Auto zurück.
Herr Krause: Also eine einfache Fahrt. .... Sie erste oder zweite Klasse?
Frau Kühn: Zweite Klasse.
Herr Krause: Möchten Sie einen Sitzplatz ....?
Frau Kühn: Nein, danke.
Herr Krause: Dann kostet die Fahrkarte 50,35 Euro.
Frau Kühn: Danke. Auf Wiedersehen.

A23 Sie möchten eine Fahrkarte.

Spielen Sie Dialoge.

Wann fährt ein Zug nach …?

Um …

Von welchem Gleis fährt der Zug?

Von Gleis …

Wann kommt der Zug in … an?

Der Zug ist um … in …

Muss ich umsteigen?

Ja, Sie müssen in … umsteigen.
Nein, der Zug fährt durch.

Wie viel kostet die Fahrkarte?

Eine einfache Fahrt?
Hin- und Rückfahrt?
Fahren Sie erste oder zweite Klasse?
Möchten Sie einen Sitzplatz reservieren?
Die Fahrkarte kostet …

…

(A24) Wie fahren Sie in den Urlaub?

Welches Verkehrsmittel wählen Sie?

Ich nehme		Ich fahre/reise mit	
	den Zug/die Bahn		dem Zug/der Bahn
	das Auto		dem Auto
	das Motorrad		dem Motorrad
	den Bus		dem Bus
	das Schiff/die Fähre		dem Schiff/mit der Fähre
	das Flugzeug	Ich fliege/reise mit	dem Flugzeug
	Akkusativ		Dativ

Gute Reise! Gute Fahrt!

Die Nomengruppe: Der Dativ

⇨ Teil C Seite 164

	Singular						Plural	
	maskulin		feminin		neutral			
Nominativ	der	Zug	die	Fähre	das	Auto	die	Züge
Akkusativ	den	Zug	die	Fähre	das	Auto	die	Züge
Dativ	dem einem	Zug Zug	der einer	Fähre Fähre	dem einem	Auto Auto	den	Zügen

Ich fahre/reise/fliege mit + Dativ.

(A25) Fragen und antworten Sie.

- fahren – du – Fähre — fliegen – Flugzeug
  Fährst du mit der Fähre? — *Nein, ich fliege mit dem Flugzeug.*

1. fahren – ihr – Auto — reisen – Zug
   ....
2. fahren – Sie – Zug — fahren – Bus
   ....
3. fliegen – Sie – Flugzeug — fahren – Schiff
   ....
4. fahren – du – Zug — fahren – Motorrad
   ....
5. fahren – ihr – Bus — fahren – Auto
   ....
6. fahren – Sie – Bahn — fahren – Bus
   ....
7. fahren – du – Motorrad — fahren – Zug
   ....

A26 Ordnen Sie zu.

Welche Wörter passen zu welchem Verkehrsmittel/zu welchen Verkehrsmitteln?

der Parkplatz • der Hafen • der Bahnhof • der Flughafen • die Fahrkarte • das Flugticket • der Fahrplan • der Fahrkartenschalter • der Stau • die Verspätung • die Ampel • der Sitzplatz • die Abfahrt • der Abflug • die Landung • der Flugplan • die Ankunft • die Tankstelle • die Straße • die Autobahn • die Haltestelle • das Gleis • der Fahrgast • der Passagier • die Passkontrolle

der Zug	das Schiff	das Auto
....	....	*der Parkplatz,* ....
....	....	....
....	....	....
....	....	....
....	....	....
....	....	....
....	....	....
....	....	....

das Motorrad	das Flugzeug	der Bus
der Parkplatz, ...	....	*der Parkplatz,* ....
....	....	....
....	....	....
....	....	....
....	....	....
....	....	....
....	....	....
....	....	....

A27 Ergänzen Sie die Nomen.

Flugplan • Hafen • Stau • Flugtickets • Gleis • Verspätung • Passkontrolle • Haltestelle • Fahrkartenschalter • Tankstelle • Ampel • Fahrkarte

- An der *Haltestelle* kann man in den Bus einsteigen.

1. Am .... kann man eine Fahrkarte kaufen.
2. Auf der Autobahn steht man manchmal im ....
3. .... kaufen wir immer im Internet.
4. An vielen Grenzen in Europa gibt es keine .... mehr.
5. Das Schiff ist im ....
6. Heute hat der Zug aus Hamburg keine ....
7. Diese .... steht immer auf Rot!
8. Hast du schon eine .... gekauft?
9. Wir haben kein Benzin mehr. Hoffentlich ist hier irgendwo eine ....
10. Auch den .... vom Flughafen in München kann man im Internet finden.
11. Der Intercity-Express von Berlin nach München hat in wenigen Minuten Einfahrt am .... drei.

A28 Kreuzen Sie die richtige Information an. 2.21

Hören Sie die folgenden Durchsagen an einem Bahnhof und im Radio.

1. Sie wollen nach Berlin und stehen auf dem Bahnhof in Hannover.
   a) ❐ Ihr Zug fährt um 14.35 Uhr ab.
   b) ❐ Ihr Zug fährt nicht nach Berlin weiter.
   c) ❐ Ihr Zug kommt 30 Minuten später.
2. Sie sitzen im Intercity-Express. Sie möchten nach Magdeburg.
   a) ❐ Sie müssen in Berlin-Schönefeld umsteigen.
   b) ❐ Sie müssen in Leipzig umsteigen.
   c) ❐ Der Zug hält in Magdeburg.
3. Sie möchten Ihre Mutter am Bahnhof abholen und stehen am Gleis 15.
   a) ❐ Der Zug aus Köln kommt in wenigen Minuten an.
   b) ❐ Der Zug aus Köln hat wenige Minuten Verspätung.
   c) ❐ Der Zug aus Köln kommt auf einem anderen Bahnsteig/Gleis an.

4. Sie fahren mit dem Auto nach Innsbruck in Österreich. Sie fahren durch Bayern.
   a) ❐ Auf der Autobahn Richtung Innsbruck sind fünf Kilometer Stau.
   b) ❐ Auf der Autobahn Richtung Innsbruck sind zehn Kilometer Stau.
   c) ❐ Auf der Autobahn Richtung Innsbruck gibt es keinen Stau.
5. Sie fahren auf der A 75 von Augsburg nach München.
   a) ❐ Auf der Autobahn Richtung München gibt es zehn Kilometer Stau.
   b) ❐ Auf der Autobahn Richtung München gibt es drei Kilometer Stau.
   c) ❐ Auf der Autobahn Richtung München gibt es zwei Kilometer Stau.
6. Sie fahren auf der A 9 von München nach Nürnberg.
   a) ❐ Auf der Autobahn Richtung Nürnberg sind Personen auf der Fahrbahn. Die Autofahrer müssen in Ingolstadt abfahren.
   b) ❐ Auf der Autobahn Richtung Nürnberg sind bei Ingolstadt Personen auf der Fahrbahn. Die Autofahrer müssen langsam fahren.
   c) ❐ Auf der Autobahn Richtung Nürnberg sind Personen auf der Fahrbahn. Bei Ingolstadt gibt es einen Stau.

A29 Sie haben Post!

Lesen Sie den Brief von Karola.

Liebe Brigitte,
herzliche Grüße von der Ostsee. Wir sind gestern hier auf der Insel Hiddensee angekommen. Bei der Fahrt hatten wir schreckliches Wetter! Es hat den ganzen Tag geregnet. Die Insel Hiddensee ist eine Insel in der Ostsee. Es gibt keine Straße zur Insel, man muss mit der Fähre fahren. Leider hatte die Fähre viele Stunden Verspätung, denn es war ein heftiger Sturm. Wir waren erst um 23.00 Uhr im Hotel „Post". Das Hotel hat vier Sterne, große Zimmer und ein reichhaltiges Frühstücksbüfett.

Heute scheint die Sonne und wir sind schon am Strand spazieren gegangen. Die Insel ist klein und wunderschön. Es gibt fast keine Autos, alle fahren mit dem Fahrrad. Wir wollen heute Nachmittag einen Ausflug nach Neuendorf machen, das liegt im Süden. Wir fahren natürlich auch mit dem Fahrrad. In Neuendorf gibt es ein gutes Fischrestaurant. Dort möchte ich heute Abend gern essen, aber Matthias mag keinen Fisch. Vielleicht kann er in dem Restaurant auch ein Steak essen. Morgen besuchen wir eine Ausstellung im Heimatmuseum. Sie zeigt Bilder von der Insel und dem Meer.
Ich rufe Dich am Wochenende an.

Liebe Grüße Karola

A30 Brief aus dem Urlaub

Schreiben Sie einer Freundin/einem Freund.

Wo sind Sie?
Wie ist das Hotel?
Wie ist das Wetter?
Wie ist das Essen?
Was schmeckt besonders gut/was schmeckt Ihnen nicht?
Was machen Sie?

A31 Ihr letzter Urlaub

Berichten Sie über Ihren letzten Urlaub.

Wohin/Womit sind Sie gefahren?
Wo haben Sie übernachtet?
Wie lange sind Sie geblieben?
Was haben Sie gesehen/besucht?
Was haben Sie gegessen/getrunken?
Hat Ihnen der Urlaub gefallen?

A32 Planen Sie eine Reise.

Sie und Ihre Nachbarin/Ihr Nachbar haben 5000 Euro im Lotto gewonnen.

Wir fahren nach *(Italien)*! • Ich möchte nach *(Italien)* fahren. • Was meinst du?
Das ist eine gute Idee. • Ich finde das nicht so gut, denn … • Ich möchte lieber …

Wohin wollen Sie fahren?
Wann wollen Sie fahren? *(im Winter, im August …?)*
Wie lange möchten Sie bleiben?
Mit welchem Verkehrsmittel wollen Sie reisen?
Was möchten Sie dort machen?

Wissenswertes *(fakultativ)*

B1 Urlaubsreise: Leider nein!

a) Gibt es einen Grund, nicht in den Urlaub zu fahren? Antworten Sie.

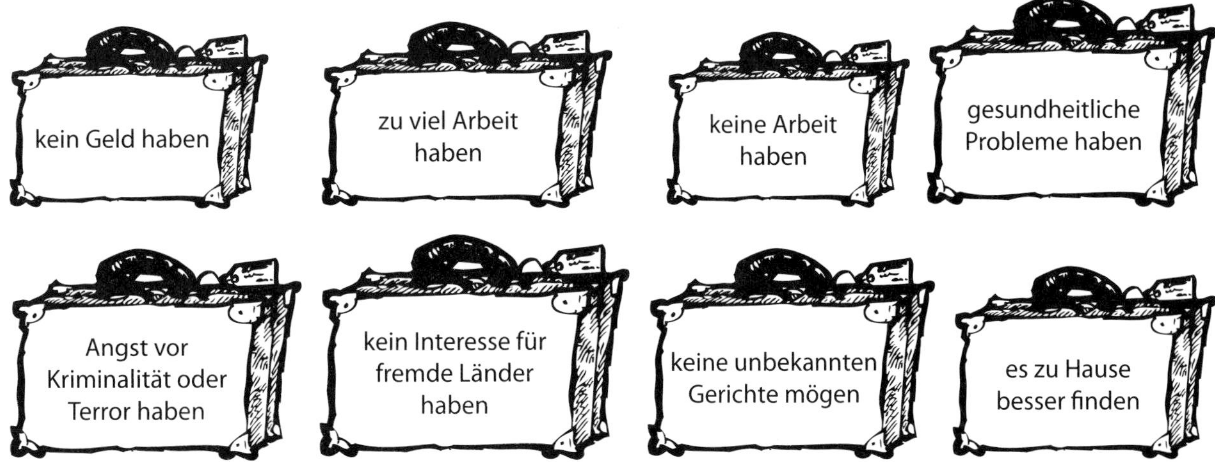

Ich fahre dieses Jahr nicht in den Urlaub, denn …

Ich bin letztes Jahr nicht in den Urlaub gefahren, denn …

Wenn man …, sollte/kann man nicht in den Urlaub fahren.

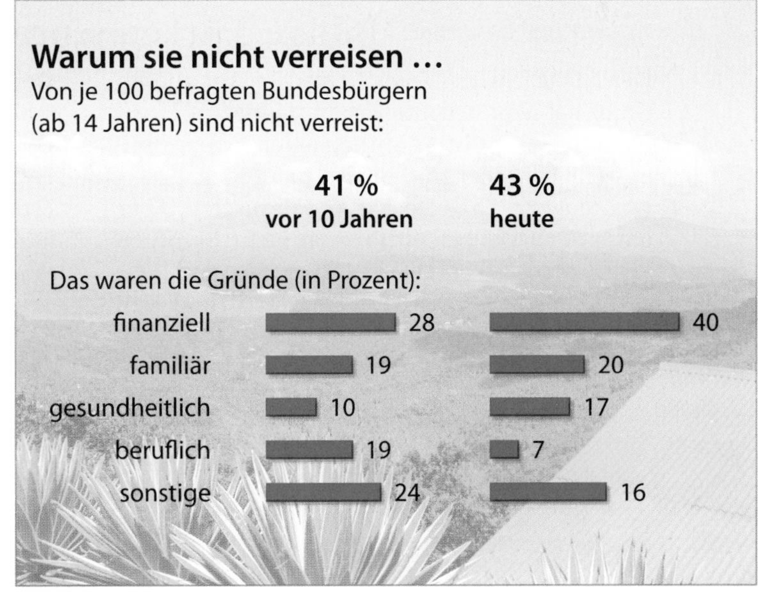

b) Welche Gründe haben die Deutschen, nicht in den Urlaub zu fahren?

B2 Hören und lesen Sie den Text. 2.22

Deutsche geben weniger Geld im Urlaub aus

Eine aktuelle Studie bestätigt: Die Deutschen können oder wollen im Urlaub nicht mehr so viel Geld ausgeben. Für 57 Prozent war 1999 das Geld im Urlaub sehr wichtig, 2005 waren es schon 68 Prozent. Gleichzeitig achten die Menschen weniger auf Qualität. Sauberkeit oder Ruhe am Urlaubsort spielen keine große Rolle mehr. Auch das Essen muss nicht mehr so gut sein. Es gibt einen kleinen Unterschied zwischen Ostdeutschen und Westdeutschen: 44 Prozent der ostdeutschen Urlauber bevorzugen eine preiswerte Unterkunft, bei den westdeutschen Urlaubern sind es nur 37 Prozent. Und es gibt noch einen Unterschied: Frauen wollen im Urlaub gerne einkaufen, Männer wollen das Geld lieber behalten.

B3 Finden Sie die passende Ergänzung.

(1) Die Deutschen können im Urlaub
(2) Für 57 Prozent war 1999 das Geld
(3) Die Menschen achten weniger
(4) Sauberkeit oder Ruhe am Urlaubsort
(5) Es gibt einen kleinen Unterschied
(6) Viele Ostdeutsche bevorzugen
(7) Frauen wollen im Urlaub
(8) Männer wollen das Geld

(a) eine preiswerte Unterkunft.
(b) auf Qualität.
(c) nicht mehr so viel Geld ausgeben.
(d) im Urlaub sehr wichtig.
(e) lieber behalten.
(f) gerne einkaufen.
(g) zwischen Ostdeutschen und Westdeutschen.
(h) spielen keine große Rolle mehr.

B4 Was ist im Urlaub für Sie wichtig?

Berichten Sie.

• Geld ausgeben/einkaufen • (weniger/sehr) auf Qualität achten • eine (billige/teure) Unterkunft bevorzugen
• eine/keine große Rolle spielt/spielen: Sauberkeit/Ruhe/gutes Essen/das Wetter/die Landschaft

B5 Hören und lesen Sie den Text. 2.23

Billige Türkei, teures Frankreich

Der ADAC (Allgemeiner Deutscher Automobil-Club) hat acht beliebte Urlaubsländer in Europa getestet: wo ist es <u>am teuersten</u>, wo <u>am billigsten</u>? Und hier sind die Resultate:
Das <u>teuerste</u> Urlaubsland ist Frankreich. Hier muss der Urlauber 40 Prozent mehr bezahlen als in der Türkei. Die Unterschiede sind sehr deutlich: Eine Tasse Kaffee am Strand von Alanya kostet 1,17 Euro, eine Tasse Kaffee in St. Tropez kostet 3,48 Euro.
Deutschland <u>schneidet</u> bei dem Test überraschend positiv <u>ab</u>. Zum Beispiel bezahlt man in Deutschland für ein Eis 58 Cent, in Frankreich 1,92 Euro. Italien und Spanien sind <u>billiger</u> als Frankreich, aber es sind keine preiswerten Urlaubsländer mehr. Auch das junge Urlaubsland Slowenien ist <u>teurer</u> als Deutschland.
Testsieger ist die Türkei. Dort bekommt der Urlauber mehr für sein Geld als in den anderen europäischen Test-Ländern.

bei einem Test gut abschneiden
→ gute Resultate bekommen

teuer → teurer → am teuersten (teurer sein als …)
billig → billiger → am billigsten
viel → mehr → am meisten

B6 Ergänzen Sie die passenden Nomen.

Geld • Urlauber • Test • Strand • Testsieger • Urlaubsländer • Unterschiede

In Frankreich muss der *Urlauber* 40 Prozent mehr bezahlen als in der Türkei.
Die .... sind sehr deutlich: Eine Tasse Kaffee
am .... von Alanya kostet 1,17 Euro, eine Tasse Kaffee
in St. Tropez kostet 3,48 Euro. Deutschland schneidet bei
dem .... überraschend positiv ab. Italien und
Spanien sind keine preiswerten .... mehr.
.... ist die Türkei. Dort bekommt man mehr für
sein .... als in den anderen Ländern.

Satzverbindungen: Konjunktionen

Konjunktionen

	Satzverbindung		
	Satz 1	**Konjunktion**	**Satz 2**
Grund	Ich mache am liebsten im Januar Urlaub,	denn	ich liebe den Schnee.
Gegensatz	Früher habe ich im Sommer Urlaub gemacht,	aber	heute fahre ich lieber im Winter weg.
	Ich fahre dieses Jahr nicht nach Italien,	sondern	ich fliege nach Japan.
Alternative	Vielleicht fahren wir in die Berge(,)	oder	wir fahren ans Meer.
Addition	Wir fahren im Januar nach Österreich(,)	und	im Sommer fahren wir nach Irland.
	Das Verb steht auf Position II.		Das Verb steht auf Position II.

C1 Finden Sie die passende Ergänzung.

(1) Ich besuche dich nicht am Freitag,
(2) Das Essen in diesem Restaurant ist sehr teuer,
(3) Ich fahre im Winter nicht nach Schweden,
(4) Wir wollen zuerst ins Museum gehen,
(5) Wir können für 150 Euro eine Nacht im Hotel „Merian" schlafen,
(6) Dieses Zimmer hat keinen Internetanschluss,
(7) Er studiert nicht in Hamburg,
(8) Ich kann die Rechnung nicht bezahlen,

(a) aber es schmeckt schrecklich.
(b) und danach essen wir etwas.
(c) sondern ich komme am Sonntag.
(d) aber es hat einen Fernseher und eine Minibar.
(e) sondern er studiert in Berlin.
(f) denn dort ist es so kalt.
(g) denn ich habe kein Geld.
(h) oder wir übernachten für 150 Euro drei Nächte im Hotel „Adria".

C2 Ergänzen Sie *denn, oder, aber, und, sondern.*

- Ich kann leider nicht in den Urlaub fahren, *denn* ich muss arbeiten.

1. Früher war es in Frankreich noch nicht so teuer, ... heute zahlt man für eine Tasse Kaffee in St. Tropez über drei Euro.
2. Wir fahren diesen Sommer nach Spanien, ... wir bleiben zu Hause.
3. Wir bleiben diesen Sommer zu Hause, ... wir haben kein Geld für eine Reise.
4. Unsere Nachbarn haben ein neues Auto gekauft, ... sie fliegen im Sommer nach Japan.
5. Ich fahre im Winter nicht in die Berge, ... ich kann nicht Ski fahren.
6. Wir wohnen dieses Jahr nicht im Hotel „Seeblick", ... wir übernachten im Hotel „Jäger".
7. Paul arbeitet viel und hart, ... er hat keinen Erfolg.
8. Wir gehen gerne ins Restaurant „Goldfisch", ... das Essen ist dort ausgezeichnet.

Verben

Das Modalverb *wollen*

Konjugation	ich	will	wir	wollen
	du	willst	ihr	wollt
	er/sie/es	will	sie/Sie	wollen

Satzbau	Beachten Sie die Satzklammer:				
	I.	II.	Temporalangabe	Lokalangabe	Satzende
	Wir	wollen	dieses Jahr	nach Spanien	fahren.

Gebrauch	Wunsch:	Ich will dieses Jahr im Oktober Urlaub machen.
aber:	eine Bitte äußern:	Ich will ein Einzelzimmer. → *unhöflich*
	besser:	Ich möchte ein Einzelzimmer. → *höflich*

Verben

C3 Bilden Sie Sätze.

Achten Sie auf den Satzbau.

- in die Berge – wollen – wir – fahren – im Winter *Wir wollen im Winter in die Berge fahren.*

1. nicht – ich – Ski fahren – können ....
2. du – müssen – noch – beantworten – die E-Mails ....
3. möchten – heute – ich – an den Strand – gehen ....
4. ihr – mitkommen – wollen? ....
5. Peter – seine Mutter – wollen – abholen – vom Bahnhof ....
6. den Fernsehmonteur – ich – heute – anrufen – müssen ....
7. Sie – die Gäste – können – begrüßen? ....
8. eine Tasse Kaffee – du – möchten – trinken – noch? ....
9. im Restaurant – sollen – einen Tisch – bestellen – ich? ....
10. Marina – einen Sprachkurs – an der Universität – wollen – besuchen ....
11. müssen – ich – noch – eine Fahrkarte – kaufen ....

Imperativ (formell und informell)

formell	Schließen Sie bitte die Tür!	Sie schließen → schließen Sie!
informell	**2. Person Singular**	
	Kauf noch eine Zitrone!	du kaufst → kauf!
	Nimm die Kreditkarte mit!	du nimmst → nimm!
	Arbeite nicht so viel!	du arbeitest → arbeite!
		→ Das Personalpronomen und *-st* fällt weg.
	Fahr nicht so schnell!	du fährst → fahr!
		→ Bei Verben mit Umlaut fällt auch der Umlaut weg.
	2. Person Plural	
	Nehmt die Kreditkarte mit!	ihr nehmt → nehmt!
		→ Das Personalpronomen fällt weg.

C4 Bilden Sie aus den Fragen Aufforderungen.

Ergänzen Sie das Verb im Imperativ.

- ♦ Besuchst du deine Mutter am Wochenende? — *Besuch* deine Mutter am Wochenende!
1. Fahrt ihr mit dem Auto? — .... mit dem Auto!
2. Machst du bitte das Radio leiser? — .... bitte das Radio leiser!
3. Isst du noch etwas Obst? — .... noch etwas Obst!
4. Erklärst du mir das noch einmal? — .... mir das noch einmal!
5. Trinkt ihr täglich zwei Liter Wasser? — .... täglich zwei Liter Wasser!
6. Nehmt ihr Sonnencreme mit? — .... Sonnencreme mit!
7. Stehst du morgen früh auf? — .... morgen früh auf!
8. Löschst du bitte die E-Mail? — .... bitte die E-Mail!
9. Kopiert ihr den Text bitte zehnmal? — .... den Text bitte zehnmal!
10. Schaltet ihr bitte die Computer aus? — .... bitte die Computer aus!

C5 Auffordern und Bitten

a) Fordern Sie einen Freund/eine Freundin auf, er/sie soll ...

- ♦ nicht so viel rauchen — *Rauch nicht so viel!*
1. nicht so laut sprechen ....
2. den Pass mitnehmen ....
3. den Fernseher ausmachen ....
4. mehr arbeiten ....
5. das Fenster öffnen ....
6. den Hund zu Hause lassen ....
7. nicht so schnell fahren ....
8. eine Flasche Wein mitbringen ....
9. nicht so spät kommen ....
10. mehr Gemüse und weniger Fleisch essen ....
11. mal diesen Zeitungsartikel lesen ....
12. nicht so viel Bier trinken ....
13. heute noch die Fahrkarten kaufen ....
14. nicht immer so lange schlafen ....

b) Bitten Sie einen Kollegen/eine Kollegin, er/sie soll ...

- ♦ Frau Müller morgen anrufen — *Bitte rufen Sie morgen Frau Müller an.*
1. die Gäste vom Bahnhof abholen ....
2. den Brief an die Firma Kalau schreiben ....
3. die E-Mail beantworten ....
4. einen Tisch im Restaurant bestellen ....
5. den Fehler im Programm suchen ....
6. den Computer neu starten ....
7. den Drucker einschalten ....
8. das Fenster schließen ....

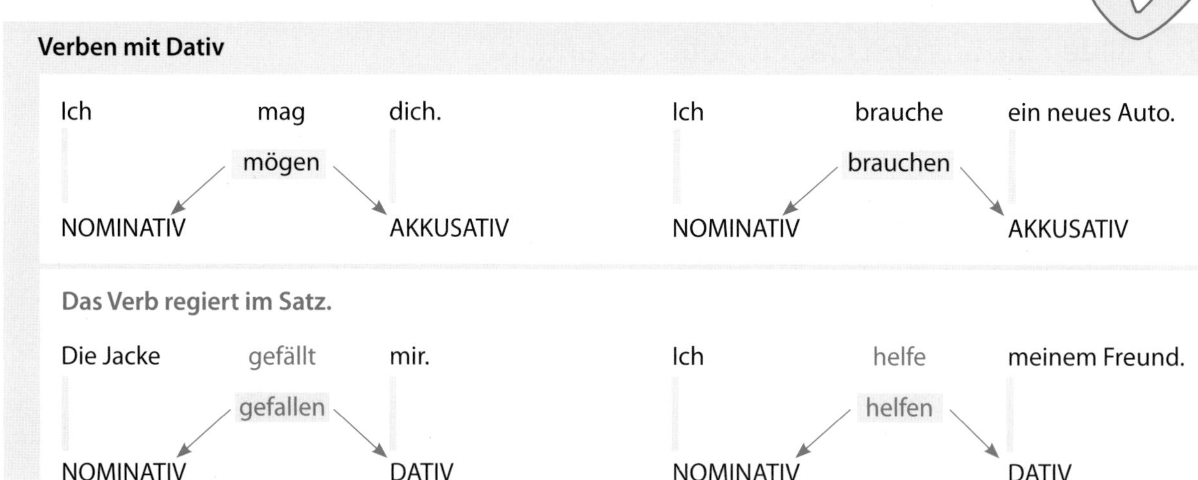

Verben mit Dativ
Ich mag dich.
mögen
NOMINATIV
AKKUSATIV
Ich brauche ein neues Auto.
brauchen
NOMINATIV
AKKUSATIV
Das Verb regiert im Satz.
Die Jacke gefällt mir.
gefallen
NOMINATIV
DATIV
Ich helfe meinem Freund.
helfen
NOMINATIV
DATIV

C6 Ergänzen Sie die Personalpronomen.

		Nominativ	Akkusativ	Dativ
Singular	1. Person	*ich*	....	*mir*
	2. Person	*du*	*dich*	....
	3. Person	*er* *sie* *es*	*ihn* .... *es*	.... *ihr* ....
Plural	1. Person	*wir*	*uns*	....
	2. Person	*ihr*	....	*euch*
	3. Person	*sie*	*sie*	*ihnen*
formell		*Sie*	*Sie*	....

C7 Haben die Verben eine Akkusativ- oder eine Dativergänzung?

Ordnen Sie zu.

besuchen • anrufen • helfen • danken • sehen • kennen • gefallen • abholen • passen

Akkusativ ....
....
....
....
....

Dativ ....
....
....
....

C8 *Mir* oder *mich*/*dir* oder *dich*?

Ergänzen Sie.

- Wie geht es *dir?*

1. Danke, ... geht es ausgezeichnet.
2. Rufst du .... morgen an?
3. Die Jacke ist zu groß, sie passt .... nicht.
4. Wann besuchst du .... endlich?
5. Holst du .... vom Bahnhof ab?
6. Ich finde, das neue Hemd steht .... sehr gut.
7. Hilfst du ....?
8. Sehe ich .... morgen?
9. Ich danke ....
10. Kennst du .... nicht mehr?
11. Gefällt .... mein neuer Mantel?

C9 Ergänzen Sie die Verben im Präsens.

essen • spielen • haben (2 x) • scheinen • geben • gehen • schmecken • besuchen

Liebe Brigitte,

herzliche Grüße von der Nordsee. Wir .... wunderbares Wetter. Die Sonne .... den ganzen Tag. Unser Hotel .... vier Sterne, aber das Essen .... schrecklich. Heute Abend .... wir in einem Restaurant. Heute Nachmittag .... wir Tennis und .... eine Kunstausstellung. Morgen .... es hier ein Rockkonzert! Da .... wir natürlich hin.

Liebe Grüße und arbeite nicht so viel!!!

Kerstin

C10 Ergänzen Sie das Partizip Perfekt.

Benutzen Sie die Verbliste in Anhang 4.

Wir sind früher immer oft mit dem Auto nach Italien *gefahren* *(fahren)*. Das hat sieben Stunden .... *(dauern)* und an der Grenze haben wir immer lange .... *(warten)*. Ich war den ganzen Tag am Strand und habe Krimis .... *(lesen)*. Manchmal hat es .... *(regnen)*. Dann habe ich die Modegeschäfte .... *(besuchen)* und viel Geld .... *(ausgeben)*, viel zu viel Geld! Mein Bruder hat den ganzen Tag am Strand Fußball .... *(spielen)* – wie langweilig!

Nachmittags haben wir natürlich italienisches Eis .... *(essen)* und einen Espresso .... *(trinken)*.

Noch heute träume ich von Eis und Espresso in Italien.

C11 Was haben Sie im Urlaub gemacht?

Bilden Sie Sätze im Perfekt.

- im Vier-Sterne-Hotel wohnen — *Wir haben im Vier-Sterne-Hotel gewohnt.*
1. in den Bergen wandern ....
2. im Meer schwimmen ....
3. ein Museum besuchen ....
4. spazieren gehen ....
5. die Landschaft fotografieren ....
6. Postkarten schreiben ....
7. deutsche Wörter lernen ....
8. Musik hören ....
9. schöne alte Häuser bewundern ....
10. abends fernsehen ....

Die Nomengruppe

Die Nomengruppe im Nominativ, Akkusativ und Dativ

	Singular						Plural	
	maskulin		feminin		neutral			
Nominativ	der ein dieser	Zug Zug Zug	die eine diese	Fähre Fähre Fähre	das ein dieses	Auto Auto Auto	die diese	Züge Züge
Akkusativ	den einen diesen	Zug Zug Zug						
Dativ	dem einem diesem	Zug Zug Zug	der einer dieser	Fähre Fähre Fähre	dem einem diesem	Auto Auto Auto	den diesen	Zügen Zügen

C12 Ich reise mit …

Ergänzen Sie den Artikel.

- Kommt ihr mit *dem* Zug?
1. Nein, wir kommen mit .... Auto.
2. Ist Marie mit .... Motorrad gefahren?
3. Fahrt ihr nach Irland wieder mit .... Fähre?
4. Ich fliege mit .... Boeing 747. (*die* Boeing)
5. Wollen Sie in den Urlaub fahren?
   Dann reisen Sie mit .... Bahn!
6. Heute kommt Oma. Sie kommt mit .... Bus.

C13 Ergänzen Sie die Artikel.

Welches Wort hat einen anderen Artikel?

- *der* Frühling – Sommer – Herbst – Winter – ~~Jahreszeit~~ *die Jahreszeit*
1. .... Wind – Schnee – Sturm – Gewitter – Regen ....
2. .... Sonne – Eis – Wärme – Hitze – Kälte ....
3. .... Wetter – Licht – Eis – Temperatur ....
4. .... Ostsee – Nordsee – Meer – Insel ....
5. .... Hotel – Frühstücksbüfett – Zimmer – Übernachtung ....
6. .... Kreditkarte – Sonnencreme – Koffer – Reisetasche ....
7. .... Regenschirm – Führerschein – Fotoapparat – Handy ....
8. .... Hemd – T-Shirt – Pullover – Kleid ....

C14 Ergänzen Sie den Artikel und das passende Verb.

scheinen • fahren • fotografieren • wehen • fliegen • ~~betragen~~ • kosten • passen • bezahlen • telefonieren

- *die* Temperatur *beträgt*
1. .... Hotelzimmer ....
2. mit .... Auto ....
3. .... Kleid ....
4. mit .... Handy ....
5. .... Sonne ....
6. mit .... Flugzeug ....
7. .... Wind ....
8. mit .... Kreditkarte ....
9. mit .... Fotoapparat ....

C15 Lesen Sie den Dialog und ergänzen Sie die passenden Nomen.

Fahrkarte • Zug • Sitzplatz • Klasse • Rückfahrkarte • Gleis

Wann fährt der nächste .... nach Berlin?

Um 12.45 Uhr

Von welchem ....?

Acht.

Wie viel kostet die ....?

Möchten Sie eine ....?

Nein, eine einzelne Fahrt bitte.

Fahren Sie erste oder zweite ....?

Zweite.

Möchten Sie einen .... reservieren?

Ja bitte.

Dann bekomme ich 26,30 Euro.

C16 Komposita

Bilden Sie zusammengesetzte Nomen.

-bahn • -hof • -stelle • -platz • -hafen • -schein • -schalter • -kontrolle • -gast • -plan

- die Tank*stelle*
1. der Flug..........................
2. der Bahn..........................
3. der Führer..........................
4. die Pass..........................
5. der Fahr..........................
6. der Fahrkarten..........................
7. die Auto..........................
8. der Flug..........................
9. der Sitz..........................

Richtungsangaben

Länder ohne Artikel	nach	Deutschland/Italien/Frankreich/Südafrika …
Städte und Kontinente	nach	München/Europa …
Länder mit Artikel	in	die Schweiz/die Türkei/die Vereinigten Staaten/die Niederlande …
Wasser	an	die Nordsee/die Ostsee/an den Strand
Inseln	auf	eine Insel/die Kanarischen Inseln/die Insel Sylt …
Menschen	zu	Marta/Oma und Opa

C17 Ergänzen Sie die Präpositionen.

Wohin reist Familie Breuer?

Familie Breuer fährt

- *nach* Spanien
1. .... Köln
2. .... die Schweiz
3. .... Portugal
4. .... Paris
5. .... Sabine und Klaus

Familie Breuer fliegt

6. .... die Vereinigten Staaten
7. .... eine schöne Insel
8. .... Japan
9. .... Brasilien
10. .... Italien
11. .... die Türkei

D1 Wichtige Redemittel 2.24

Hören Sie die Redemittel.
Sprechen Sie die Wendungen nach und übersetzen Sie sie in Ihre Muttersprache.

Deutsch	Ihre Muttersprache
Das Wetter	
Es schneit.	....
Es regnet.	....
Es ist kalt.	....
Es ist warm. Es ist heiß.	....
Es ist neblig.	....
Es ist *(teilweise)* bewölkt.	....
Es ist sonnig.	....
Die Sonne scheint.	....
Die Temperatur liegt bei 33 Grad.	....
Die Tageshöchsttemperatur beträgt 19 Grad.	....
Kleidung kaufen	
Kann ich Ihnen helfen?	....
Ich hätte gern *(einen Pullover).*	....
Welche Größe haben Sie?	....
Ich habe/trage Größe *(40).*	....
Welche Farbe möchten Sie?	....
(Grün)./(Grün) gefällt mir gut.	....
Kann ich *(den Pullover)* einmal anprobieren?	....
Was meinen Sie? Steht mir *(der Anzug)*?	....
(Er) steht Ihnen *(ausgezeichnet).*	....
Die Schuhe passen mir *(nicht).*	....
Was kostet *(das Kleid)*?	....
Auf dem Bahnhof	
Wann fährt ein Zug nach *(Frankfurt)*?	....
Wann kommt der Zug in *(Frankfurt)* an?	....
Von welchem Gleis fährt der Zug?	....
Muss ich umsteigen?	....
Fährt der Zug durch?	....
Wie viel kostet die Fahrkarte	....
für eine einfache Fahrt nach *(Dresden)*?	....
Was kostet eine Rückfahrkarte?	....
Ich fahre zweite Klasse.	....
Ich möchte einen Sitzplatz reservieren.	....

Verkehrsmittel	
Ich fahre mit	....
dem Auto/dem Zug/der Bahn/dem Schiff	....
der Fähre/dem Motorrad/dem Bus.	....
Ich fliege mit dem Flugzeug.	....

D2 Kleines Wörterbuch der Verben

wollen	ich will wir wollen	du willst ihr wollt	er will sie wollen

abholen *(die Gäste abholen)*	ich hole ab wir holen ab	du holst ab ihr holt ab	er holt ab sie holen ab
achten *(auf Qualität achten)*	ich achte wir achten	du achtest ihr achtet	er achtet sie achten
abfahren	ich fahre ab wir fahren ab	du fährst ab ihr fahrt ab	er fährt ab sie fahren ab
ankommen	ich komme an wir kommen an	du kommst an ihr kommt an	er kommt an sie kommen an
anprobieren *(einen Pullover anprobieren)*	ich probiere an wir probieren an	du probierst an ihr probiert an	er probiert an sie probieren an
ausgeben *(Geld ausgeben)*	ich gebe aus wir geben aus	du gibst aus ihr gebt aus	er gibt aus sie geben aus
betragen	Die Temperatur beträgt …		
bestätigen	Eine Studie bestätigt …		
danken	ich danke wir danken	du dankst ihr dankt	er dankt sie danken
fliegen	ich fliege wir fliegen	du fliegst ihr fliegt	er fliegt sie fliegen
frieren	ich friere wir frieren	du frierst ihr friert	er friert sie frieren
gefallen	Die Jacke gefällt mir. Die Schuhe gefallen mir.		
gehören	Die Jacke gehört mir. Die Schuhe gehören mir.		
hassen *(den Winter hassen)*	ich hasse wir hassen	du hasst ihr hasst	er hasst sie hassen
helfen	ich helfe wir helfen	du hilfst ihr helft	er hilft sie helfen
lassen *(den Regenschirm zu Hause lassen)*	ich lasse wir lassen	du lässt ihr lasst	er lässt sie lassen
lieben *(den Sommer lieben)*	ich liebe wir lieben	du liebst ihr liebt	er liebt sie lieben

mitnehmen *(den Fotoapparat mitnehmen)*	ich nehme mit wir nehmen mit	du nimmst mit ihr nehmt mit	er nimmt mit sie nehmen mit
passen	Die Jacke passt mir. Die Schuhe passen mir.		
packen *(den Koffer packen)*	ich packe wir packen	du packst ihr packt	er packt sie packen
regnen	Es regnet.		
scheinen	Die Sonne scheint.		
schneien	Es schneit.		
testen *(Hotels testen)*	ich teste wir testen	du testest ihr testet	er testet sie testen
umsteigen	ich steige um wir steigen um	du steigst um ihr steigt um	er steigt um sie steigen um
umtauschen *(die neuen Schuhe umtauschen)*	ich tausche um wir tauschen um	du tauschst um ihr tauscht um	er tauscht um sie tauschen um
zurückgeben *(die neuen Schuhe zurückgeben)*	ich gebe zurück wir geben zurück	du gibst zurück ihr gebt zurück	er gibt zurück sie geben zurück

D3 Evaluation

Überprüfen Sie sich selbst.

Ich kann	gut	nicht so gut
Ich kann einfache Informationen über das Wetter verstehen und geben.	❐	❐
Ich kann die Monate und die Jahreszeiten nennen.	❐	❐
Ich kann Reiseziele angeben.	❐	❐
Ich kann wichtige Kleidungsstücke und Sachen für den Urlaub nennen.	❐	❐
Ich kann Kleidung einkaufen.	❐	❐
Ich kann wichtige Verkehrsmittel nennen.	❐	❐
Ich kann mich am Bahnhof informieren und Fahrkarten kaufen.	❐	❐
Ich kann Durchsagen am Bahnhof und Staumeldungen im Radio verstehen.	❐	❐
Ich kann über Urlaubserlebnisse mündlich und schriftlich berichten.	❐	❐
Ich kann einen einfachen Text über Preise im Urlaub verstehen. *(fakultativ)*	❐	❐

Kapitel

7

Wohnen

Kommunikation

- Eine Wohnung und die Lage beschreiben
- Wohnungsanzeigen lesen
- Gespräche mit einem Makler führen
- Über Möbel und die Wohnungseinrichtung sprechen
- Den Weg beschreiben
- Die Hausordnung lesen

Wortschatz

- Wohnung
- Wohnlage
- Umgebung der Wohnung
- Möbel
- Hausordnung

Eine Wohnung in der Stadt

(A1) Hören und lesen Sie den Text. 2.25

Hier wohnt Herr Röder. Herr Röder arbeitet bei einer Bank und hat eine Wohnung in einem Mehrfamilienhaus in einer Großstadt gemietet.

Die Wohnung ist direkt unter dem Dach. Für die Wohnung zahlt Herr Röder 950,– Euro Miete. Die Wohnung hat viele Zimmer.

Das ist das Wohnzimmer.
Hier sitzt Herr Röder abends auf dem Sofa oder im Sessel und hört Musik.

Das ist das Esszimmer.
In der Mitte steht der Esstisch mit sechs Stühlen für Gäste.

Das ist das Schlafzimmer.
Das Zimmer ist sehr ruhig. In seinem Bett kann Herr Röder gut schlafen.

Das ist der Flur mit vielen Türen zu den Zimmern …

Das ist die Küche.
Herr Röder ist ein Hobbykoch. Er kocht sehr gern, am liebsten bereitet er an seinem Herd ein Überraschungsmenü für Freunde zu.

Das ist das Bad. Es ist sehr groß und hat ein Fenster.

Das ist das Arbeitszimmer mit einem großen Schreibtisch und dem Bücherregal.

A2 Berichten Sie.

a) Wie wohnen Sie?

Wohnzimmer • Esszimmer • Arbeitszimmer • Kinderzimmer • Schlafzimmer • Gästezimmer • Bad • Flur • Küche • Balkon • Terrasse

Wie viele Zimmer hat Ihre Wohnung?
Welche Zimmer sind das?
Welches Zimmer ist Ihr Lieblingszimmer?
Was hat Ihre Wohnung noch?

b) Wie sind die Zimmer?

groß • klein • hell • dunkel • laut • ruhig • warm • kalt • hoch • niedrig

c) Welche Tätigkeiten passen zu welchen Zimmern?

Musik hören • duschen • fernsehen • mit Freunden essen • den Mantel aufhängen • ein Buch lesen • arbeiten • Wäsche waschen • im Internet surfen • kochen • ein Glas Wein trinken • diskutieren • schlafen • Zeitung lesen • feiern • (Gäste) übernachten

Im *(Wohnzimmer)* kann ich/können wir/kann man *(Musik hören)*.
In meinem Heimatland *(hört man oft im Wohnzimmer Musik)*.

A3 Wo kann man wohnen?

a) Lesen Sie.

in einem Hochhaus • in einem Mehrfamilienhaus • in einer Stadtvilla • in einem Bauernhaus • in einem Reihenhaus • am Stadtrand • in der Stadt • auf dem Land

b) Welche Begriffe passen zu Stadt bzw. Land?
Bewerten Sie die Angaben positiv oder negativ?

Hektik • Ruhe • Lärm • hohe Mieten • niedrige Mieten • viel Verkehr • wenig Verkehr • viele Parkplätze • keine Parkplätze • öffentliche Verkehrsmittel • viel Platz zum Wohnen • wenig Platz zum Wohnen • lange Wege zur Arbeit • kurze Wege zur Arbeit • Tiere • Garten • tolle Aussicht • Restaurants • gute Einkaufsmöglichkeiten • schlechte Einkaufsmöglichkeiten

Wohnen in der Stadt	Wohnen auf dem Land
Hektik, ...	*Ruhe,* ....
....	....
....	....
....	....
....	....
....	....
....	....

- Ich mag …
- Ich brauche …
- Ich kann ohne … nicht leben.
- Ich finde … sehr wichtig.
- … stört mich nicht.

- Ich finde … nicht wichtig.
- … brauche ich nicht.
- … stört mich sehr.

A4 Sie suchen für Verwandte und Freunde eine Mietwohnung.

1. Für Lisa: Sie will ab September Biologie studieren.
2. Für Max und seine Frau: Max hat eine neue Stelle als Finanzberater bei einer Bank bekommen.
3. Für Ihre Schwester: Sie hat zwei Kinder und arbeitet als Lehrerin.

a) Lesen Sie die Angebote und finden Sie für jeden eine Wohnung.

Ihre neue Wohnung ...?

1 **Eisenbahnstraße, Helle 3-Zimmer-Wohnung,** 78 m², Bad, WC, Balkon, kinderfreundliche Umgebung, Innenhof mit Spielplatz, 407,– € Kaltmiete, Nebenkosten 68,– €

2 **Berliner Straße, Zimmer,** 20 m², in Wohngemeinschaft an Studentin zu vermieten, gemeinsame Küchen- und Badbenutzung, Nähe Universität, Miete 235,– Euro + Nebenkosten

3 **Waldstraße, renovierte Jugendstilvilla,** 5 Zimmer, 175 m², 2 Bäder, Garten 1000 m², Stadtrand, ruhige Lage, Monatsmiete 1461,– € inklusive Nebenkosten

4 **Rosenallee, Ihre Traumwohnung! Penthouse-Wohnung,** 4 Zimmer, 145 m², Gästebad, großer Balkon mit Blick über die Stadt, exklusives Wohnzimmer (55 m²), Tiefgarage, 912,– € + Nebenkosten

5 **Schillerstraße, 2-Zimmer-Wohnung,** Innenstadt, 49 m², WC mit Dusche, lebhafte Umgebung, 356,– € inklusive Nebenkosten

6 **Gartenstraße, schönes Reihenhaus,** nur 45 Minuten vom Stadtzentrum entfernt, 4 Zimmer, 95 m², Bad, Garten 200 m², Garage, 580,– € + Nebenkosten

Friedrich-Ebert-Str. 63 – 04109 Leipzig
Tel. (03 41) 4 26 75 10 – Fax (03 41) 4 26 75 20 – E-Mail: info@wglim.de

Nebenkosten = Kosten für Wasser, Heizung und Hausmüll

b) Beschreiben Sie die Wohnungen für Lisa, Max und Ihre Schwester.

Wie viele Zimmer hat die Wohnung?	Die Wohnung hat …
Was hat die Wohnung noch?	…
Wie viele Quadratmeter hat die Wohnung?	…
Was sind die Kosten pro Monat?	Die Gesamtkosten betragen … Die Miete beträgt … inklusive/exklusive Nebenkosten. Die Wohnung kostet im Monat …
Wie ist die Lage?	Die Wohnung liegt … in der Innenstadt/im Zentrum in der Nähe der Universität am Stadtrand … von … entfernt
Gibt es Besonderheiten?	…

A5 Ihre Wohnung

a) Schreiben Sie eine Anzeige über Ihre eigene oder eine fiktive Wohnung.

b) Berichten Sie über die Wohnung.

Lokalangaben: wo?

⇨ Teil C Seite 187

Die Wohnung liegt

an dem Stadtrand → am Stadtrand
in dem Stadtzentrum → im Stadtzentrum
in dem Norden → im Norden
in dem Süden → im Süden
in dem Westen → im Westen
in dem Osten → im Osten
in der Stadtmitte/Innenstadt
auf dem Land

an/in/auf + Dativ:

	Singular		
	maskulin	feminin	neutral
Dativ	an dem (am) Stadtrand	in der Innenstadt	auf dem Land

A6 Andrea sucht eine Wohnung.

Bei einer Immobilienmaklerin hat sie folgendes Formular ausgefüllt.
Lesen Sie das Formular.

Immobilienmaklerbüro KNAUP

Fragen zur Person

Name	Holzbein	Vorname	Andrea
Geburtsdatum	8. Mai 1978	Geschlecht (männlich/weiblich)	weiblich
Geburtsort	Zwenkau	Nationalität	deutsch
Arbeitgeber	BMW	Monatliches Einkommen	2900,– Euro

Fragen zur Wohnung

Anzahl Zimmer	2 bis 3	Größe in m^2	50 bis 90
Maximale Miete	900,– Euro inkl. NK	Etage	nicht Erdgeschoss
Lage (Stadtmitte/Osten/Norden/Süden/Westen/Stadtrand)	Stadtmitte/Osten	Ausstattung (Bad/WC extra/Balkon/Fußbodenheizung)	Bad, Balkon

A7 Berichten Sie über Andrea.

Wo arbeitet Andrea?	Andrea …
Wie viel verdient Andrea?	Sie verdient … im Monat. Ihr Einkommen beträgt … im Monat.
Was für eine Wohnung möchte Andrea?	Sie möchte eine … Die Wohnung soll … groß sein und … liegen. Sie möchte nicht … wohnen. Andrea kann nur maximal … Miete bezahlen. Die Wohnung muss … haben.

A8 Was gehört zu diesem Haus?

Ordnen Sie zu und zeichnen Sie Pfeile zu den Gegenständen.

das Fenster • die Wand • der Keller • das Dach • die Treppe • die Wohnungstür • das Erdgeschoss • der Fahrstuhl • die erste/zweite … Etage • der Schornstein • der Balkon • der Spielplatz • das Dachfenster • die Klingel • die Haustür • der Fußweg • die Straße • der Parkplatz • der/die Bewohner(in) • die Grünanlage • die Bushaltestelle • die Blumenkästen

A9 Welches Nomen aus Übung A8 passt?

Ordnen Sie zu.

- Dort kann man sein Auto parken. *der Parkplatz*
1. Damit kann man in die dritte Etage fahren. ....
2. Dort kann man in der Sonne sitzen oder andere Menschen beobachten. ....
3. Das kann man aufmachen. Dann kommt frische Luft ins Zimmer. ....
4. Dort können die Kinder spielen. ....
5. Das muss man öffnen. Dann kann man in die Wohnung gehen. ....
6. Dort wartet man auf den Bus. ....
7. Dort fahren Autos. ....
8. Dort kann man sehr gut Weinflaschen lagern. ....

A10 Die Immobilienmaklerin hat drei Angebote für Andrea. 2.26

Hören Sie den Dialog am Telefon. Ergänzen Sie die Informationen.

Wohnung in der:	**Beethovenstraße**		**Goldschmiedstraße**		**Sternstraße**	
Anzahl der Zimmer	2					
Die Wohnung hat:	ja	nein	ja	nein	ja	nein
ein Bad	❒	❒	❒	❒	❒	❒
einen Balkon	❒	❒	❒	❒	❒	❒
einen Garten	❒	❒	❒	❒	❒	❒
Lage	*im Osten*		*im*		*am Stadtrand*	
Etage	*Erdgeschoss*		.... *Etage*		.... *Etage*	
Miete (ohne Nebenkosten)			*900 Euro*			
Miete (mit Nebenkosten)	....		....		....	
Besonderheiten	*helles Wohnzimmer*		.... *Wohnzimmer*		*großer*	

A11 Ergänzen Sie die Verben.

haben (2 x) • sein (3 x) • warten • möchte(n) • betragen • besichtigen • gefallen • kosten • liegen • anrufen

- In der Goldschmiedstraße *ist* eine Wohnung frei.
1. Sie .... ein großes Bad und ein sehr schönes helles Wohnzimmer.
2. Die Wohnung .... wirklich traumhaft!
3. Sie können die Wohnung morgen ....
4. Wie hoch .... die Miete?
5. Die Wohnung .... 600 Euro ohne Nebenkosten.
6. Die Gesamtmiete .... 750 Euro.
7. Die Wohnung hat drei Zimmer und .... im Zentrum.
8. Ich .... keine Kinder und ich .... nicht am Stadtrand wohnen.
9. Mir .... die Wohnung nicht.
10. Ich .... lieber auf ein anderes Angebot.
11. Ich .... Sie wieder ....

A12 Hören und lesen Sie den Dialog. 

Frau Holzbein:	Hier Holzbein.
Frau Knaup:	Guten Tag, Frau Holzbein. Sabine Knaup hier. Ich habe jetzt die richtige Wohnung für Sie. Eine Drei-Zimmer-Wohnung in der Marienstraße 56, zweite Etage, für 800 Euro inklusive Nebenkosten. Sie hat einen schönen Balkon, ein großes Wohnzimmer und ein Bad.
Frau Holzbein:	Wo ist die Marienstraße?
Frau Knaup:	Im Osten. 15 Minuten vom Bahnhof entfernt.
Frau Holzbein:	15 Minuten zu Fuß?
Frau Knaup:	Nein, mit der Straßenbahn.
Frau Holzbein:	Gibt es in der Nähe gute Einkaufsmöglichkeiten?
Frau Knaup:	Ja, die Einkaufsmöglichkeiten sind sehr gut. Die Wohnung ist billiger als die Wohnung in der Goldschmiedstraße und größer als die Wohnung in der Beethovenstraße. Es ist die richtige Wohnung für Sie … Möchten Sie die Wohnung besichtigen?
Frau Holzbein:	Ja, gerne.
Frau Knaup:	Wann haben Sie Zeit?
Frau Holzbein:	Morgen Nachmittag, passt es Ihnen um 15.00 Uhr?
Frau Knaup:	Oh, das tut mir leid, 15.00 Uhr habe ich schon einen Termin. Geht es auch 16.00 Uhr?
Frau Holzbein:	Ja, 16.00 Uhr passt mir auch.
Frau Knaup:	Gut, dann erwarte ich Sie morgen um 16.00 Uhr in der Marienstraße …

Einen Termin vereinbaren

Wann haben Sie Zeit?
Geht es am … um …?
Passt es Ihnen am … um …?

A13 Variation

a) Frau Knaup hat noch eine Wohnung für Andrea. Übernehmen Sie die Rolle von Frau Holzbein.

Frau Holzbein:	....
Frau Knaup:	Guten Tag, Frau Holzbein. Sabine Knaup hier, Immobilienagentur *Schöner Wohnen*. Ich habe eine Wohnung für Sie. Sie ist in der ersten Etage, hat zwei Zimmer, einen Balkon und ein Bad.
Frau Holzbein:	....
Frau Knaup:	Im Stadtzentrum, in der Sonnenstraße.
Frau Holzbein:	....
Frau Knaup:	Sie kostet 550 Euro im Monat.
Frau Holzbein:	....
Frau Knaup:	Nein, die Miete ist ohne Nebenkosten. Die Nebenkosten betragen 150 Euro.
Frau Holzbein:	....
Frau Knaup:	Das Wohnzimmer ist sehr groß. Es hat ungefähr 50 m^2.
Frau Holzbein:	....
Frau Knaup:	Es gibt in der Nähe einen Supermarkt.
Frau Holzbein:	....
Frau Knaup:	Natürlich. Haben Sie morgen Zeit?
Frau Holzbein:	....
Frau Knaup:	Gut, dann erwarte ich Sie morgen um 14.00 Uhr in der Sonnenstraße …

b) Spielen Sie nach Beispiel a) kleine Dialoge zwischen einem Wohnungssuchenden und einem Makler.

Komparation der Adjektive ⇨ Teil C Seite 192

	Komparativ
Die Wohnung ist billig.	Diese Wohnung ist billiger als die Wohnung in der Goldschmiedstraße.
Die Wohnung ist groß.	Diese Wohnung ist größer als die Wohnung in der Beethovenstraße.
Sonderform: gut → besser	Diese Wohnung gefällt mir besser.

A14 Vergleichen Sie die Wohnungen.

Bilden Sie den Komparativ.

	Augustusstraße	Wintergartenstraße
♦ Bad – klein	*Das Bad in der A.-Str. ist klein.*	*Das Bad in der W.-Str. ist noch kleiner.*
1. Wohnzimmer – groß	....	....
2. Küchenmöbel – modern	....	....
3. Gästezimmer – hell	....	....
4. Schlafzimmer – ruhig	....	....
5. Arbeitszimmer – schön	....	....
6. Aussicht – gut	....	....

A15 Phonetik: h [h] 2.28

a) Hören und wiederholen Sie.

Haus – Diesen Laut hört man.

Haus – haben – Hobby – helfen – hoch – hallo – Hauptbahnhof – Hotel – heiß – hell – Heimatland – Honig – Hochhaus – zuhören – Mehrfamilienhaus – abholen

Haben Sie ein Hobby?
Hast du eine helle Wohnung?
Hallo!
Das Hotel ist neben dem Hauptbahnhof.
Ist das Haus hoch?
Natürlich, es ist ein Hochhaus.
Können Sie mir helfen?
Es gibt heißen Tee mit Honig.

Wohnung – Dehnungslaut: Diesen Laut hört man nicht.

wohnen – Frühstück – Wohnung – Mehrfamilienhaus – Stühle – Zahl – Hauptbahnhof – Schuh – früh

b) Markieren Sie. Welches *h* hört man?

Wie viele Stühle hast du in deiner Wohnung?
Wohnst du in diesem Mehrfamilienhaus?
Trinkst du zum Frühstück immer Tee mit Honig?
Kannst du die Stühle in dem Geschäft abholen?
Wie komme ich zum Hauptbahnhof?

Die Wohnungseinrichtung

A16 Welche Gegenstände haben Sie in Ihrer Wohnung?

das Sofa/die Couch • das Schlafsofa • der Sessel • die Blumenvase • das Bett • die Stehlampe • der Hocker • der Couchtisch • der Teppich • die Gardine • der Kleiderschrank • das Bücherregal • der Stuhl • der Tisch • die Kommode • die Garderobe

Ich habe in meiner Wohnung ein Sofa …

A17 Wo ist was?

Beschreiben Sie die Bilder.

in
Die Flasche steht *im Kühlschrank.*
auf
Die Bücher liegen ....
an
Das Bild hängt ....
über
Die Lampe hängt ....
neben
Die Maus sitzt ....
unter
Die Katze liegt ....
zwischen
Die Maus sitzt ....
hinter
Das Mädchen steht ....
vor
Die Maus sitzt ....

Kapitel 7

Lokalangaben: wo?

⇨ Teil C Seite 187

Wo? in – auf – an – über – neben – unter – zwischen – hinter – vor + Dativ

Singular: Die Bücher liegen auf dem Tisch.
Das Bild hängt an der Wand.
Die Katze liegt unter dem Sofa.

Plural: Die Maus sitzt zwischen den Flaschen.
Der kleine Tisch steht zwischen den Stühlen.

A18 Beschreiben Sie das Zimmer.

a) Ordnen Sie die Bezeichnungen den Gegenständen zu.

die Bücher ♦ der Tisch ♦ die Blumenvase ♦ die Klarinette ♦ der Stuhl ♦ die Handtasche ♦ die Kaffeemaschine ♦ der Karton ♦ die Maus ♦ die Tastatur ♦ das Bild ♦ die Mikrowelle ♦ der Fernseher ♦ der CD-Spieler ♦ die Schuhe ♦ die Tennisschläger ♦ die Gitarre ♦ das Kleid ♦ der Pullover ♦ der Vogelkäfig ♦ das Telefon ♦ die Lampe ♦ die Ski ♦ der Fotoapparat ♦ die Kommode ♦ der Spiegel ♦ die Pfannen ♦ die Socken ♦ die Schublade ♦ der Ball

b) Ergänzen Sie die Sätze.

- Die Bücher liegen *auf dem Tisch.*

1. Die Maus, die Tastatur und das Bild liegen .... *Karton.*
2. Die Tennisschläger und die Schuhe sind auch .... *Karton.*
3. Das Kleid und der Pullover hängen .... *Karton.*
4. Der Karton mit den Pfannen steht .... *Kommode.*
5. Die Kaffeemaschine steht …
6. Der Ball liegt …
7. Die Blumenvase steht …
8. Die Klarinette liegt …
9. Die Handtasche hängt …
10. Der Fernseher steht …
11. Der CD-Spieler steht …
12. Der Spiegel hängt …
13. Der Vogel sitzt …
14. Der Vogelkäfig steht …
15. Das Telefon steht …
16. Der Fotoapparat liegt …
17. Die Socken sind …
18. Die Tischlampe steht …
19. Die Ski stehen …

A19 Wo stehen diese Gegenstände?

Beschreiben Sie Ihre Wohnung.

das Bett ♦ das Sofa ♦ der Sessel ♦ der Teppich ♦ das Bild ♦ der Kleiderschrank ♦ das Regal ♦ der Schreibtisch ♦ das Telefon ♦ der Fernseher ♦ die Stereoanlage ♦ der Esstisch ♦ der Kühlschrank ♦ die Kaffeemaschine …

Mein Bett steht im Schlafzimmer an der Wand …

A20 Marie ist unzufrieden. Sie will ihre Wohnung umräumen.

Wo stehen/hängen/liegen die Gegenstände?

wo? + Dativ

→ Verben: stehen/hängen/liegen

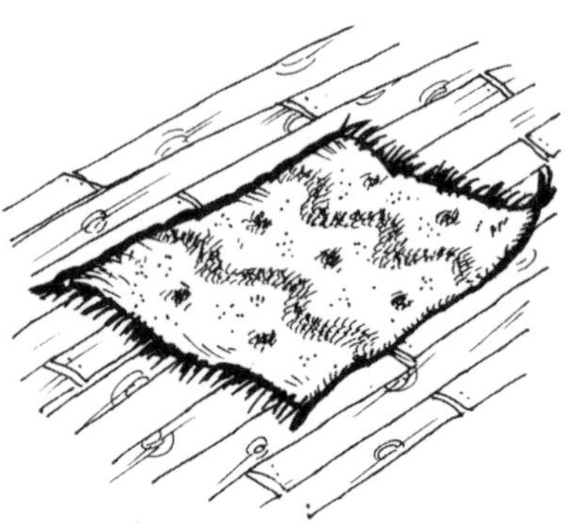

- Der Teppich liegt *(auf, Fußboden)*.
  Der Teppich liegt *auf dem Fußboden.*

1. Die Stehlampe steht *(neben, Bett)*.
   ……………………………………………
2. Die Zeitung liegt *(auf, Küchentisch)*.
   ……………………………………………
3. Der Spiegel hängt *(in, Bad)*.
   ……………………………………………
4. Das Telefon steht *(in, Wohnzimmer)*.
   ……………………………………………
5. Der Sessel steht *(neben, Fenster)*.
   ……………………………………………
6. Das neue Kleid liegt *(auf, Bett)*.
   ……………………………………………
7. Das Bild hängt *(über, Sofa)*.
   ……………………………………………
8. Der Blumentopf steht *(neben, Tür)*.
   ……………………………………………
9. Der Hocker steht *(neben, Sofa)*.
   ……………………………………………
10. Der Kühlschrank steht *(in, Küche)*.
    ……………………………………………
11. Der Computer steht *(auf, Schreibtisch)*.
    ……………………………………………

Wohin stellt/hängt/legt Marie die Gegenstände?

wohin? + Akkusativ

→ Verben: stellen/hängen/legen

Marie hängt *(an/Wand)*.
Marie hängt *ihn an die Wand.*

Marie stellt *(neben, Sofa)*.
……………………………………………

Marie legt *(auf, Fußboden)*.
……………………………………………

Marie hängt *(in, Flur)*.
……………………………………………

Marie stellt *(neben, Bett)*.
……………………………………………

Marie stellt *(vor, Fernseher)*.
……………………………………………

Marie hängt *(in, Schrank)*.
……………………………………………

Marie hängt *(über, Schreibtisch)*.
……………………………………………

Marie stellt *(vor, Fenster)*.
……………………………………………

Marie stellt *(vor, Sessel)*.
……………………………………………

Marie stellt *(in, Wohnzimmer)*.
……………………………………………

Marie stellt *(auf, Kommode)*.
……………………………………………

Lokalangaben: wohin? ⇨ Teil C Seite 188

Wohin? in – auf – an – über – neben – unter – zwischen – hinter – vor + Akkusativ

Ich stelle die Flasche in den Kühlschrank.

Ich lege den Brief auf den Tisch.

Ich hänge das Bild an die Wand.

A21 Wohin?

Ergänzen Sie den bestimmten Artikel im Akkusativ.

- Ich hänge das Kleid in *den* Schrank.

1. Bitte setzt euch doch auf .... Sofa.
2. Ich stelle die Blumen gleich in .... Vase.
3. Legst du die Bücher bitte auf .... Schreibtisch?
4. Warum hast du das schöne Bild in .... Küche gehängt?
5. Stellt ihr das Geschirr bitte in .... Geschirrspüler?
6. Hast du das Auto in .... Garage gefahren?
7. Ich lege meinen Stift immer neben .... Computer.
8. Stell den kleinen Tisch bitte zwischen .... Stühle.
9. Bitte setz dich auf .... blauen Stuhl.
10. Kommst du mit in .... Garten?
11. Nein, ich gehe in .... Keller.
12. Du musst die Milch in .... Kühlschrank stellen.
13. Kannst du die Lampe bitte neben .... Bett stellen?
14. Ich lege die Konzertkarten auf .... Kommode.

A22 Hören und lesen Sie den Dialog. 2.29

Frau Holzbein: Ja, Andrea Holzbein hier. Guten Tag, Frau Knaup.
Wir haben heute 14.00 Uhr einen Termin in der Sonnenstraße.
Wie komme ich dorthin?

Frau Knaup: Wo sind Sie jetzt, Frau Holzbein?

Frau Holzbein: Am Hauptbahnhof.

Frau Knaup: Ah, am Hauptbahnhof. Das ist nicht weit.
Sind Sie mit dem Auto?

Frau Holzbein: Nein, ich bin zu Fuß. Ich stehe vor dem Haupteingang.

Frau Knaup: Gut. Gehen Sie ca. 100 Meter nach links.
Dann kommt eine große Kreuzung. An der Kreuzung gehen Sie nach rechts bis zur zweiten Querstraße. An der zweiten Querstraße gehen Sie wieder nach links.
Das ist die Sonnenstraße.

Frau Holzbein: Das ist wirklich nicht weit.

Frau Knaup: Nein, in fünf Minuten sind Sie da.

Frau Holzbein: Danke schön.

A23 Kennen Sie unseren Stadtplan noch?

- der Bahnhof
- die Touristeninformation
- das Museum
- das Theater
- die Oper
- das Kino
- das Hotel
- das Rathaus
- das Restaurant
- die Post
- der Parkplatz
- die Bank
- die Universität
- das Café
- die Apotheke
- der Supermarkt

Erklären Sie verschiedene Wege.

Gibt es hier *(eine Apotheke)*? Wie komme ich dorthin?

Gehen Sie .../Fahren Sie ... geradeaus.
nach links/nach rechts.
bis zur ... Straße.
bis zur Hauptstraße.
bis zur ersten/zweiten Querstraße.

Dort müssen Sie rechts/links abbiegen. Dann kommt eine Kreuzung/eine Ampel/ein Kreisverkehr.
An der Kreuzung/an der Ampel/im Kreisverkehr gehen/fahren Sie *(links/rechts/geradeaus)*.

(Die Apotheke) ist neben/hinter/vor *(dem Museum)*.

A24 Sie haben Post!

Lesen Sie den Brief von Karl.

Liebe Franziska,

heute schreibe ich Dir den ersten Brief in meiner neuen Wohnung. Ja, Du hast richtig gelesen, ich habe eine neue Wohnung! Sie liegt im Stadtzentrum, in der Nähe der Universität. Ich bin sehr glücklich!
Die Wohnung ist in einem alten Haus aus dem Jahr 1896. Ich wohne in der vierten Etage und habe einen schönen Ausblick über die Stadt. Im Erdgeschoss ist ein Café. Das finde ich natürlich toll, denn dort kann ich nachmittags Kuchen essen und Kaffee trinken. Ich habe ein großes Wohnzimmer mit einer offenen Küche und ein kleines Schlafzimmer.
In meiner Wohnung stehen noch nicht so viele Möbel, nur ein Bett, ein Sofa, ein Schreibtisch und ein kleiner Esstisch mit einem Stuhl. Aber mehr brauche ich im Moment nicht. Mein Nachbar heißt Martin und studiert Musik. Ich habe ihn gestern im Treppenhaus gesehen. Er übt jeden Tag Klavier, aber das stört mich nicht. Ich mag Musik.
Was kann ich Dir noch berichten? Es gibt hier in der Gegend sehr gute Einkaufsmöglichkeiten und ein Kino. Ich hoffe, Du besuchst mich bald. Dann können wir zusammen ins Kino gehen, denn alleine gehe ich nicht gern aus. Da bleibe ich lieber zu Hause und lerne oder ich lese ein spannendes Buch.

Für heute grüße ich Dich ganz lieb.
Dein Karl

A25 Was ist richtig, was ist falsch?

Kreuzen Sie an.

	richtig	falsch
1. Karl wohnt in einer neuen Wohnung.	❐	❐
2. Seine Wohnung liegt im Erdgeschoss neben dem Café.	❐	❐
3. Er braucht keine neuen Möbel.	❐	❐
4. Sein Nachbar spielt sehr laut Klavier. Man hört es im Treppenhaus.	❐	❐
5. Karl will mit seinem Nachbarn ins Kino gehen.	❐	❐

A26 Situationen

a) Antworten Sie auf den Brief von Karl.

Sie möchten ihn gerne besuchen.
Sie haben auch eine neue Wohnung. Berichten Sie darüber.

Anrede: *Lieber Karl, …*
Schluss: *Liebe Grüße …*

b) Im September beginnt Ihr Studium in Berlin.
Schreiben Sie eine E-Mail an das Wohnungsbüro für Studenten.
Hilfe finden Sie auf Seite 190.

Fragen Sie nach Wohnungsmöglichkeiten/Preisen/Lage.

Anrede: *Sehr geehrte Damen und Herren, …*
Schluss: *Mit freundlichen Grüßen …*

Die Hausordnung

A27 In Deutschland gibt es in vielen Häusern eine Hausordnung.

Lesen Sie ein Beispiel. (Nicht alle Hausordnungen sind gleich.)
Was steht bei den Regeln im Mittelpunkt? Ordnen Sie zu.

	Nachbarn	Sicherheit	Sauberkeit
1. Alle Mieter müssen die Mittagsruhe (von 13 bis 15 Uhr) und die Nachtruhe (von 22 bis 6 Uhr) respektieren.	✗	❐	❐
2. Auch tagsüber darf man in der Wohnung und im Haus keinen Lärm machen.	❐	❐	❐
3. Radios, Fernseher und CD-Spieler darf man nicht laut hören.	❐	❐	❐
4. Kinder dürfen auf dem Spielplatz im Hof spielen.	❐	❐	❐
5. Ihre Eltern müssen den Spielplatz sauber halten.	❐	❐	❐
6. Im Keller oder in der Tiefgarage dürfen die Kinder nicht spielen.	❐	❐	❐
7. Haustüren und Hoftüren muss man von 22 bis 6 Uhr abschließen.	❐	❐	❐
8. Auf dem Balkon darf man nicht grillen.	❐	❐	❐
9. Die Mieter müssen die Treppen und Fenster im Haus reinigen.	❐	❐	❐
10. Autos und Motorräder darf man im Hof nicht waschen oder reparieren.	❐	❐	❐
11. Die Mieter dürfen keine Haustiere halten.	❐	❐	❐

A28 Berichten Sie.

Was dürfen die Mieter in diesem Haus machen?
Die Mieter dürfen …/Man darf …

Was dürfen die Mieter in diesem Haus nicht machen?

Was müssen die Mieter machen?

dürfen ⇨ Teil C Seite 191

Singular	ich du er/sie/es	darf darfst darf
Plural	wir ihr sie	dürfen dürft dürfen
formell	Sie	dürfen

A29 Gibt es solche Regeln auch in Ihrem Haus?

Was darf man dort? Was darf man nicht?

A30 Sie sind in einem Krankenhaus.

Was darf man hier nicht? Spielen Sie kleine Dialoge.

Eis essen

Hund mitbringen

Zigarette rauchen

Handy benutzen

- Entschuldigung! Hier dürfen Sie nicht/kein …
  - Es tut mir leid. Ich habe das Schild nicht gesehen.

A31 Bilden Sie Sätze mit *dürfen*.

Achten Sie auf den Satzbau.

- man – rauchen – hier – dürfen? *Darf man hier rauchen?*

1. die Kinder – im Hof – Fußball spielen – dürfen? ……………………
2. Martin – keinen Alkohol – trinken – dürfen ……………………
3. ich – das Fenster – öffnen – dürfen? ……………………
4. wir – unseren Hund – mitbringen – dürfen? ……………………
5. Susanne – noch nicht – Auto fahren – dürfen ……………………
6. die Mieter – keine laute Musik – hören – dürfen ……………………

A32 Spielen Sie Telefongespräche.

Sie möchten eine Wohnung oder ein Haus mieten.
Benutzen Sie die Wohnungsangebote von Übung A4 oder erfinden Sie etwas.
Rufen Sie den Makler an und fragen Sie nach folgenden Informationen:

- Größe, Lage, Miete, Nebenkosten, Garage
- Umgebung: Einkaufsmöglichkeiten, Spielplatz, Restaurants in der Nähe, Verkehrsmittel
- Hausordnung (Haustiere usw.)
- Termin für die Wohnungsbesichtigung, weitere Details

Wissenswertes *(fakultativ)*

B1 Hören und lesen Sie den Text. 2.30

Wie wohnen die Deutschen?

Die Wohnsituation in Zahlen

Allein oder zusammen?

In Deutschland gibt es etwa 36 Millionen Haushalte. Ungefähr 37 % dieser Haushalte sind Einpersonenhaushalte, das heißt, in der Wohnung lebt nur eine Person. In den Großstädten liegt der Anteil der allein lebenden Menschen bei 50 %. Im Durchschnitt sind die Wohnungen von allein lebenden Menschen in Westdeutschland 70 Quadratmeter und in Ostdeutschland 60 Quadratmeter groß. Im Gegensatz zu den Einpersonenhaushalten gibt es wenig Haushalte mit Kindern: in Westdeutschland sind es 25 %, in Ostdeutschland nur 13,5 %.

Stadt oder Land?

Ungefähr die Hälfte der Deutschen, also 50 %, wohnt in großen Städten, 35 % wohnen in kleineren Städten und 15 % wohnen auf dem Land.

Eigentum oder Miete?

57,4 % der Wohnungen in Deutschland und 65 % der Wohnungen in der Schweiz sind Mietwohnungen. „Mieten“ hat in Deutschland, vor allem in den Großstädten, eine lange Tradition. Die Mieter wohnen im Durchschnitt 12 Jahre in einer Wohnung. Das ist in Europa etwas Besonderes, denn in fast allen anderen europäischen Staaten beträgt der Anteil von Mietwohnungen unter 50 %. Das heißt, über die Hälfte der Menschen sind Eigentümer. In Großbritannien zum Beispiel haben 70 % der Bewohner ihre Wohnungen oder Häuser gekauft, in Italien, Griechenland und Spanien sind es über 80 %. Doch in Deutschland kostet Wohnungseigentum nicht mehr als in anderen Ländern. Für ein Einfamilienhaus bezahlt man im Durchschnitt beispielsweise in Großbritannien 269.000,– Euro, in den Niederlanden 260.000,– Euro, in Westdeutschland 224.000,– Euro und in Ostdeutschland nur 182.000,– Euro.

B2 Was ist richtig, was ist falsch?

Kreuzen Sie an.

		richtig	falsch
1.	In deutschen Großstädten wohnen 50 % der Menschen allein.	❒	❒
2.	In Ostdeutschland gibt es weniger Familien mit Kindern als in Westdeutschland.	❒	❒
3.	35 % der Deutschen wohnen in einer ländlichen Umgebung.	❒	❒
4.	Die meisten Menschen in Deutschland und in der Schweiz wohnen in Mietwohnungen.	❒	❒
5.	In anderen europäischen Ländern wohnen mehr Menschen in Mietwohnungen als in Deutschland.	❒	❒

B3 Welche Wörter/Wendungen haben synonyme Bedeutung?

Ordnen Sie zu.

beispielsweise • Singles • das bedeutet • im Durchschnitt • Besitzer • ungefähr

- etwa ungefähr
1. in der Regel ....
2. allein lebende Menschen ....
3. zum Beispiel ....
4. das heißt ....
5. Eigentümer ....

B4 Welches Wort passt?

Ordnen Sie zu. Verwenden Sie die Wörter aus Übung B3.

- In Deutschland gibt es *etwa/ungefähr* 36 Millionen Haushalte.
1. Ungefähr 37 % dieser Haushalte sind Einpersonenhaushalte, ..., in der Wohnung lebt nur eine Person.
2. 50 % der Bewohner in deutschen Großstädten sind ....
3. In anderen europäischen Staaten sind mehr als die Hälfte der Bewohner von Häusern und Wohnungen ....
4. Mieter in Deutschland wohnen .... zwölf Jahre in einer Wohnung.
5. Für ein Einfamilienhaus bezahlt man .... in Großbritannien im Durchschnitt 269.000,– Euro.

B5 Berichten Sie über Ihr Heimatland.

1. Wo wohnen die Menschen?

in Großstädten • in Kleinstädten • auf dem Land • in Einfamilienhäusern • in Mehrfamilienhäusern • in Hochhäusern …

2. Wer wohnt in der Regel in einer Wohnung?

kleine Familien • große Familien: Großeltern/Eltern/Kinder … • nur eine Person

3. Kauft man oder mietet man eine Wohnung?
Wie viel bezahlt man ungefähr für eine Wohnung oder ein Haus?

Lokalangaben

Lokalangaben: wo? + Dativ

Die Wohnung liegt im Stadtzentrum.
Ich sitze im Wohnzimmer.
} → wo? + Dativ

Die Nomengruppe im Dativ

	Singular									Plural		
	maskulin			feminin			neutral					
Nominativ	der		Tisch	die		Wand	das		Sofa	die		Stühle
Akkusativ	den		Tisch	die		Wand	das		Sofa	die		Stühle
Dativ	dem		Tisch	der		Wand	dem		Sofa	den		Stühlen
	einem		Tisch	einer		Wand	einem		Sofa			
	dem	großen	Tisch	der	weißen	Wand	dem	neuen	Sofa	den	großen	Stühlen

Adjektive enden im Dativ immer auf *-en*.

C1 Beantworten Sie die Fragen.

das Arbeitszimmer ♦ das Bad ♦ die Garage ♦ das Gästezimmer ♦ die Küche ♦ der Garten

Kurzform: in dem = im

- ♦ Wo arbeitet man? *Im Arbeitszimmer.*
1. Wo kocht man? ....
2. Wo kann man im Sommer ein Buch lesen und in der Sonne liegen? ....
3. Wo steht das Auto oder das Fahrrad? ....
4. Wo badet oder duscht man? ....
5. Wo schlafen die Gäste? ....

C2 Wo ist die Maus?

Ergänzen Sie die Präpositionen *in, auf, unter, zwischen, vor, hinter* oder *neben* und den Artikel.

Die Maus ist

♦ *im* Kleiderschrank.

Möglich ist auch:
unter dem, vor dem, hinter dem, neben dem, auf dem Kleiderschrank

1. .... Teppich
2. .... Büchern
3. .... Sessel
4. .... Hocker
5. .... Keller
6. .... Garten
7. .... Küche
8. .... Kühlschrank
9. .... Karton
10. .... Handtasche
11. .... Kommode
12. .... Mikrowelle
13. .... Fernseher
14. .... Computermaus
15. .... Vogelkäfig
16. .... Gardinen
17. .... Bett
18. .... Regal

C3 Bilden Sie Sätze.

Wo kann man wohnen? *(in – im – am)*

•	Frau Hermann wohnt *(eine Wohnung)*.	Frau Hermann wohnt *in einer Wohnung.*
1.	Meine Eltern wohnen *(ein Einfamilienhaus)*.	....
2.	Maximilian wohnt *(Stadtzentrum)*.	....
3.	Familie Klein wohnt *(Stadtrand)*.	....
4.	Kerstin wohnt *(Nähe vom Bahnhof)*.	....
5.	Petra wohnt *(Osten von Frankfurt)*.	....
6.	Angela wohnt *(Villa/2. Etage)*.	....

Lokalangaben: Wechselpräpositionen

in – auf – an – über – neben – unter – zwischen – hinter – vor

wo? → Dativ	**wohin? → Akkusativ**
Die Flasche steht im (in dem) Kühlschrank.	Ich stelle die Flasche in den Kühlschrank.
Der Brief liegt auf dem Tisch. *(horizontal)*	Ich lege den Brief auf den Tisch.
Das Bild hängt an der Wand. *(vertikal)*	Ich hänge das Bild an die Wand.
Kurzformen: in dem = im an dem = am	**Kurzformen:** in das = ins an das = ans

C4 Wo oder wohin?

		Wo stehen die Gegenstände?	Wohin stellt sie Johann?
•	in	der Stuhl – das Wohnzimmer *Der Stuhl steht im Wohnzimmer.*	das Schlafzimmer *Johann stellt ihn ins Schlafzimmer.*
1.	auf	die Vase – der Tisch Die Vase steht *auf*	der Schrank Johann stellt sie *auf* ....
2.	in	das Bett – das Schlafzimmer Das Bett steht	das Gästezimmer Johann stellt ....
3.	in	der Bücherschrank – das Arbeitszimmer Der Bücherschrank	der Flur Johann ....
4.	in	der Tisch – das Esszimmer	die Küche ....
5.	auf	die Pflanze – der Fußboden	der Schreibtisch ....
6.	an	der Sessel – das Fenster	die Wand ....
7.	auf	der Computer – der Schreibtisch	der Sofatisch ....
8.	in	die Weinflasche – der Keller	das Wohnzimmer ....
9.	an	der Vogelkäfig – die Tür	das Fenster ....

C5 Beantworten Sie die Fragen.

Achten Sie auf das Fragewort.

- ♦ Wo hängt die Lampe? *(an, Wand)* — *Die Lampe hängt an der Wand.*
- Wohin geht Martin? *(in, Kino)* — *Martin geht in das/ins Kino.*

1. Wo wohnt Gisela? *(in, Stadtzentrum)* ....
2. Wo steht das Bier? *(in, Kühlschrank)* ....
3. Wohin stellen wir das Bücherregal? *(in, Arbeitszimmer)* ....
4. Wo wart ihr gestern Abend? *(in, Restaurant)* ....
5. Wohin hängen wir das Bild? *(über, Sofa)* ....
6. Wo liegt der Brief? *(auf, Schreibtisch)* ....
7. Wo sind die Dokumente? *(in, Schrank)* ....
8. Wohin gehst du? *(in, Büro)* ....
9. Wohin legen wir das hässliche Geschenk? *(unter, Bett)* ....
10. Wo sind die Tennisschläger? *(noch, in, Auto)* ....

Verben

C6 Ergänzen Sie die Verben.

- ♦ Im Schlafzimmer *schläft* man. *(schlafen)*

1. Im Esszimmer .... man. *(essen)*
2. Im Wohnzimmer .... man oder man .... dort .... *(lesen, fernsehen)*
3. Im Kinderzimmer .... und .... die Kinder. *(schlafen, spielen)*
4. Auf dem Balkon .... manche Leute eine Zigarette. *(rauchen)*
5. Im Keller .... man oft Wein, alte Möbel oder altes Spielzeug. *(haben)*

C7 Ergänzen Sie die Verben.

betragen ♦ bezahlen ♦ einrichten ♦ haben (2 x) ♦ geben (2 x) ♦ kosten ♦ liegen ♦ sein ♦ wohnen ♦ spielen

- ♦ Sie *ist* 137 Quadratmeter groß.

1. Diese Wohnung .... in der Augustusstraße.
2. Sie .... 1001 Euro Kaltmiete,
   die Gesamtkosten .... 1247 Euro.
3. Man muss die Miete am Monatsanfang ....
4. In der Wohnung .... es eine große Küche.
5. Man muss die Zimmer mit eigenen Möbeln ....
6. Sie .... einen kleinen Garten.
7. In diesem Haus .... sieben Familien.
8. Das Haus .... einen Fahrstuhl.
9. Vor dem Haus .... es eine Bushaltestelle.
10. Die Kinder .... gern im Garten.

C8 Was passt?

in einem schönen Haus	machen
die Miete	kaufen
die Hausarbeit	suchen
neue Möbel	wohnen
eine neue Wohnung	bezahlen

C9 Grüße aus Berlin

Ergänzen Sie die Verben in der richtigen Form.

wohnen ♦ liegen ♦ besuchen ♦ dauern ♦ geben ♦ gehen ♦ schreiben ♦ essen ♦ finden

Lieber Hugo,

heute schreibe ich Dir einen Brief aus Berlin. Ich besuche hier einen Deutschkurs. Der Kurs .... acht Wochen und ich habe schon viel gelernt. Zum Beispiel kann ich schon einen kurzen Brief auf Deutsch ....! Ich .... in einem großen Zimmer bei einer deutschen Familie. Die Wohnung .... im Stadtzentrum. Im Erdgeschoss ist ein italienisches Restaurant. Das .... ich natürlich toll, denn dort kann ich abends Pizza .... Es .... hier im Zentrum sehr gute Einkaufsmöglichkeiten. Ich habe schon ein Buch über Berlin gekauft. Morgen Abend .... ich mit einem Freund ins Kino.

Liebe Grüße

Vera

C10 Schreiben Sie einen Brief an das Wohnungsbüro für Studenten.

- ♦ an der Ludwig-Maximilians-Universität – im September – ich – mit einem Studium – beginne
1. in München – ich – suche – ein Zimmer – für meine Studienzeit
2. können – vielleicht – Sie – meine Fragen – beantworten
3. brauche – ich – folgende Informationen
4. Zimmer – für Studenten – gibt es – in der Nähe der Universität?
5. ein Zimmer – kostet – im Monat – wie viel?
6. wo – ein Zimmer – mieten – kann – ich?
7. für Ihre Hilfe – danke

Sehr geehrte Damen und Herren,

im September beginne ich mit einem Studium an der Ludwig-Maximilians-Universität.

....

....

....

....

Verben

C11 Finden Sie das passende Verb.

- ♦ eine Ausstellung – einen Freund – das Deutsche Museum – Familie ... *besuchen*
1. mit dem Fahrrad – mit dem Auto – mit dem Bus – mit der Straßenbahn ....
2. eine Kartoffelsuppe – einen Kaffee – einen Tee – Spaghetti ....
3. in Brasilien – in der Bachstraße – in einer Dreizimmerwohnung ....
4. als Arzt – in der Schweiz – bei Siemens – in einem Kindergarten ....

Das Modalverb *dürfen*

Konjugation	ich	darf	wir	dürfen	
	du	darfst	ihr	dürft	
	er/sie/es	darf	sie/Sie	dürfen	

Satzbau Beachten Sie die Satzklammer:

I.	II.	Ergänzung		Satzende
Sie	dürfen	hier	nicht	parken.

Gebrauch

Im Krankenhaus darf man nicht rauchen. → *Verbot*
Die Kinder dürfen hier spielen. → *Erlaubnis*
Darf ich hier mal telefonieren? → *höfliche Frage*

C12 Beantworten Sie die Fragen.

- ♦ Darf ich das Fenster öffnen? *Ja, natürlich dürfen Sie das Fenster öffnen.*
1. Dürfen Ihre Kinder bis 22 Uhr fernsehen? Nein, ...
2. Dürfen Sie in Ihrem Büro rauchen? Nein, ...
3. Mama, dürfen wir in der Tiefgarage spielen? Nein, ...
4. Darf ich hier mal telefonieren? Ja, natürlich ....
5. Darf man in diesem Kino Popcorn essen? Ja, ...
6. Darf man hier links abbiegen? Nein, ...
7. Dürfen wir hier parken? Ja, ...

C13 *Müssen, können oder dürfen?*

Manchmal sind mehrere Lösungen möglich.

- ♦ Hier *darf* man keinen Alkohol trinken.
1. Sie .... dort an der Kasse bezahlen.
2. .... ich Ihnen helfen?
3. Ich .... heute noch nach Dortmund fahren.
4. In dem Museum .... man nicht laut sprechen.
5. Mein Sohn ist erst zwei Jahre alt: er .... noch nicht lesen.
6. Hallo! Hier .... Sie nicht Rad fahren!
7. Morgen Nachmittag .... ich dich leider nicht besuchen, denn ich .... bis 19 Uhr arbeiten.

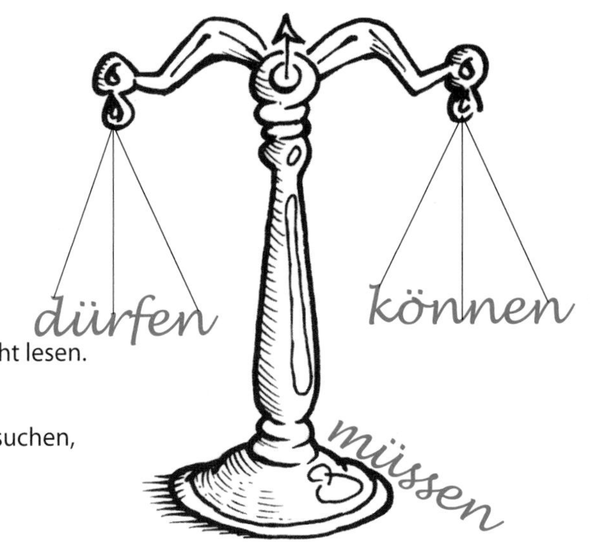

Adjektive

Komparation der Adjektive

		Positiv	Komparativ
Normalform		billig	billiger
a → ä	warm – lang – kalt – hart – nah – alt	warm	wärmer
o → ö	groß	groß	größer
u → ü	kurz – jung	jung	jünger
-er		teuer	teurer
-el		dunkel	dunkler
Sonderformen		gut	besser
		viel	mehr
		gern	lieber

C14 Ergänzen Sie den Komparativ.

- Frau Klein findet den Frühling schön. Herr Groß findet den Sommer *schöner*.

1. In Italien ist es warm. In Ägypten ist es noch ....
2. Dieses Regal ist billig. Das dort ist aber noch viel ....
3. Die Wohnung in der Wiegandstraße ist groß.
   Die Wohnung in der Schellingstraße ist noch ....
4. Ich finde den neuen Krimi von Franka Böse langweilig.
   Ach, der letzte Krimi von Franka Böse war noch viel ....
5. Herr Zimmermann hat ein modernes Telefon,
   doch das Telefon von seiner Sekretärin ist noch ....
6. Das Bild „Die Kartoffelesser" von Vincent van Gogh ist sehr berühmt.
   Aber „Die Sonnenblumen" sind noch viel ....
7. Früher habe ich meine frischen Brötchen im Supermarkt gekauft.
   Heute kaufe ich die Brötchen beim Bäcker, dort sind sie viel ....
8. Sind die Stühle neu? Die sind aber hässlich.
   Ich finde deine Stühle noch viel ....
9. Als Abteilungsleiter hat Herr Krause viel Geld verdient.
   Jetzt ist er Direktor und verdient noch ....
10. Ich fahre gern ans Meer, aber noch .... fahre ich in die Berge.
11. Das Haus auf der linken Seite ist sehr alt. Es ist aus dem Jahr 1894.
    Das Haus auf der rechten Seite ist aus dem Jahre 1794. Es ist 100 Jahre ....
12. Letztes Jahr war das Benzin teuer: es kostete 1,30 Euro.
    Jetzt kostet es 1,50 Euro, es ist 20 Cent .... als im letzten Jahr.
13. Die Einkaufsmöglichkeiten waren im Stadtzentrum schon früher gut.
    Heute sind sie noch ....
14. Ich habe den Wein aus dem Keller geholt. Er ist kalt.
    Dieser Wein hier ist aus dem Kühlschrank. Er ist noch ....
15. Der Flur in deiner Wohnung ist sechs Meter lang.
    Der Flur in unserer Wohnung ist viel ....
16. Mein Sommerurlaub dauert dieses Jahr nur zwei Wochen. Das finde ich zu kurz.
    Der Chef hat nur eine Woche Sommerurlaub gemacht. Das ist noch viel ....

C15 Wie heißt das Gegenteil?

•	Sind diese Teller sauber?	Nein, sie sind *schmutzig*.
1.	Ist eure Straße laut?	Nein, sie ist sehr ....
2.	War dieser Sessel teuer?	Nein, er war ganz ....
3.	Ist die Wohnung von Karl schön?	Nein, sie ist ....
4.	Haben Sie ein helles Wohnzimmer?	Nein, das Wohnzimmer ist leider ....

Nomen

C16 Wie heißen die Nomen?

Ergänzen Sie die Nomen auf *-e*.

•	groß	*die Größe*	4.	frisch	....	8.	ruhig	....
1.	nah	....	5.	tief	....	9.	lang	....
2.	warm	....	6.	weit	....	10.	kalt	....
3.	kurz	....	7.	leer	....	11.	hoch	....

C17 Welches Wort passt zu jedem Wort in der Gruppe?

Nennen Sie auch den Plural.

1. der Küchen-
2. der Kleider-
3. der Bücher-
4. der Geschirr-

....

1. der Markt-
2. der Spiel-
3. der Arbeits-
4. der Park-

....

1. das Wohn-
2. das Dreibett-
3. das Schlaf-
4. das Arbeits-

....

1. die Bus-
2. die Straßenbahn-
3. die S-Bahn-
4. die U-Bahn-

....

C18 Wie heißt der Artikel?

Welches Nomen hat einen anderen Artikel?

•	*die*	Spülmaschine – Lampe – Ende – Kaltmiete – Einbauküche	*das Ende*
1.	....	Balkon – Garten – Arbeitszimmer – Keller – Flur	....
2.	....	Videorekorder – CD-Spieler – Fernseher – Fenster – Computer	....
3.	....	Großstadt – Zweizimmerwohnung – Villa – Mehrfamilienhaus	....
4.	....	Dame – Frau – Mädchen – Tochter – Ingenieurin	....
5.	....	Geschäft – Kino – Restaurant – Schwimmbad – Universität	....
6.	....	Ruhe – Größe – Etage – Fahrstuhl – Lage	....
7.	....	Tisch – Vase – Stuhl – Karton – Spiegel	....
8.	....	Schublade – Kommode – Gitarre – Vogelkäfig	....
9.	....	Maus – Tastatur – Fotoapparat – Kaffeemaschine	....

Rückblick

D1 Wichtige Redemittel 2.31

Hören Sie die Redemittel.
Sprechen Sie die Wendungen nach und übersetzen Sie sie in Ihre Muttersprache.

Deutsch	**Ihre Muttersprache**
Wohnen	
Man kann in der Stadt/am Stadtrand/	....
auf dem Land wohnen.	....
Ich suche eine Wohnung/ein Haus.	....
Wie viele Zimmer hat die Wohnung?	....
Die Wohnung hat ein Wohnzimmer,	....
ein Schlafzimmer, ein Arbeitszimmer,	....
ein Kinderzimmer, eine Küche und ein Bad.	....
Die Wohnung hat *(89)* Quadratmeter.	....
Was kostet die Wohnung?	....
Die monatliche Miete beträgt	....
(800) Euro *(ohne/mit)* Nebenkosten.	....
Die Gesamtkosten betragen 1000 Euro.	....
Wie ist die Lage?	....
Die Wohnung liegt	....
(am Stadtrand/im Zentrum/im Westen).	....
Sie liegt *(15 Minuten)* vom Bahnhof entfernt.	....
Es gibt in der Nähe gute Einkaufsmöglichkeiten.	....
Die Wohnung ist in einer	....
(kinderfreundlichen Umgebung).	....
Möchten Sie die Wohnung besichtigen?	....
Gibt es Besonderheiten?	....
Die Wohnung hat einen Garten und einen Balkon.	....
Hausordnung	
Alle Mieter müssen die Nachtruhe respektieren.	....
Man darf in der Wohnung und im Haus	....
keinen Lärm machen.	....
Kinder dürfen auf dem Spielplatz im Hof spielen.	....
Im Keller oder in der Tiefgarage ist Spielen verboten.	....
Haustüren und Hoftüren muss man von	....
(22.00) bis *(6.00)* Uhr abschließen.	....

Wie komme ich zu …?	
Gehen Sie geradeaus bis zur Hauptstraße.	....
Dann nach links bis zur zweiten Querstraße.	....
Fahren Sie bis zur Ampel.	....
An der Ampel müssen Sie links abbiegen.	....
(Das Hotel) ist neben *(dem Museum)*.	....

D2 Kleines Wörterbuch der Verben

dürfen	ich darf wir dürfen	du darfst ihr dürft	er darf sie dürfen

abschließen *(die Haustür abschließen)*	ich schließe ab wir schließen ab	du schließt ab ihr schließt ab	er schließt ab sie schließen ab
ausgehen	ich gehe aus wir gehen aus	du gehst aus ihr geht aus	er geht aus sie gehen aus
baden	ich bade wir baden	du badest ihr badet	er badet sie baden
besichtigen *(eine Wohnung besichtigen)*	ich besichtige wir besichtigen	du besichtigst ihr besichtigt	er besichtigt sie besichtigen
diskutieren	ich diskutiere wir diskutieren	du diskutierst ihr diskutiert	er diskutiert sie diskutieren
einrichten *(eine Wohnung einrichten)*	ich richte ein wir richten ein	du richtest ein ihr richtet ein	er richtet ein sie richten ein
feiern	ich feiere wir feiern	du feierst ihr feiert	er feiert sie feiern
grillen	ich grille wir grillen	du grillst ihr grillt	er grillt sie grillen
hängen *(etwas an die Wand hängen)*	ich hänge wir hängen	du hängst ihr hängt	er hängt sie hängen
legen *(etwas auf den Tisch legen)*	ich lege wir legen	du legst ihr legt	er legt sie legen
reinigen *(das Treppenhaus reinigen)*	ich reinige wir reinigen	du reinigst ihr reinigt	er reinigt sie reinigen
respektieren *(die Mittagsruhe respektieren)*	ich respektiere wir respektieren	du respektierst ihr respektiert	er respektiert sie respektieren
stellen *(etwas auf den Tisch stellen)*	ich stelle wir stellen	du stellst ihr stellt	er stellt sie stellen
stören	etwas stört mich		
üben *(Klavier üben)*	ich übe wir üben	du übst ihr übt	er übt sie üben
warten *(auf ein Angebot warten)*	ich warte wir warten	du wartest ihr wartet	er wartet sie warten
zubereiten *(ein Menü zubereiten)*	ich bereite zu wir bereiten zu	du bereitest zu ihr bereitet zu	er bereitet zu sie bereiten zu

D3 Evaluation

Überprüfen Sie sich selbst.

Ich kann	gut	nicht so gut
Ich kann eine Wohnung und die Wohnungseinrichtung beschreiben.	❒	❒
Ich kann eine Wohnungsanzeige verstehen und schreiben.	❒	❒
Ich kann kurz über meine Wohnung (Lage, Größe, Zimmer) mündlich und schriftlich berichten.	❒	❒
Ich kann nach wichtigen Informationen über eine Mietwohnung fragen und ein einfaches Gespräch mit einem Makler führen.	❒	❒
Ich kann einfache Wegbeschreibungen verstehen und geben.	❒	❒
Ich kann eine einfache Hausordnung verstehen.	❒	❒
Ich kann die Himmelsrichtungen nennen.	❒	❒
Ich kann einen einfachen Text über die Wohnsituation in Deutschland verstehen. *(fakultativ)*	❒	❒

Begegnungen

Kapitel 8

Begegnungen und Ereignisse

Kommunikation

- Gute Wünsche formulieren
- Eine Einladung annehmen/absagen
- Die wichtigsten Körperteile nennen
- Einen Termin beim Arzt vereinbaren
- Ratschläge zum Thema Gesundheit geben
- Einfache Nachrichten verstehen

- Wünsche
- Einladung
- Körperteile
- Einfache Nachrichtensprache

Gute Wünsche und schöne Geschenke

A1 Sie haben viele Einladungen erhalten.

Nächste Woche ist Ihr Terminkalender voll. Fünf Partys und Besuche stehen auf Ihrem Programm. Sie brauchen natürlich für jeden eine Karte. Wählen Sie aus. Welche Karte ist für welchen Anlass?

Oma wird 80.	....
Paul hat endlich seine Führerscheinprüfung bestanden.	....
Christine ist krank. Sie liegt im Krankenhaus.	....
Annerose und Joachim heiraten.	....
Karl hat eine neue Wohnung und macht eine Einweihungsfeier.	....
Wilhelm bekommt eine neue Stelle. Er zieht in eine andere Abteilung um.	....

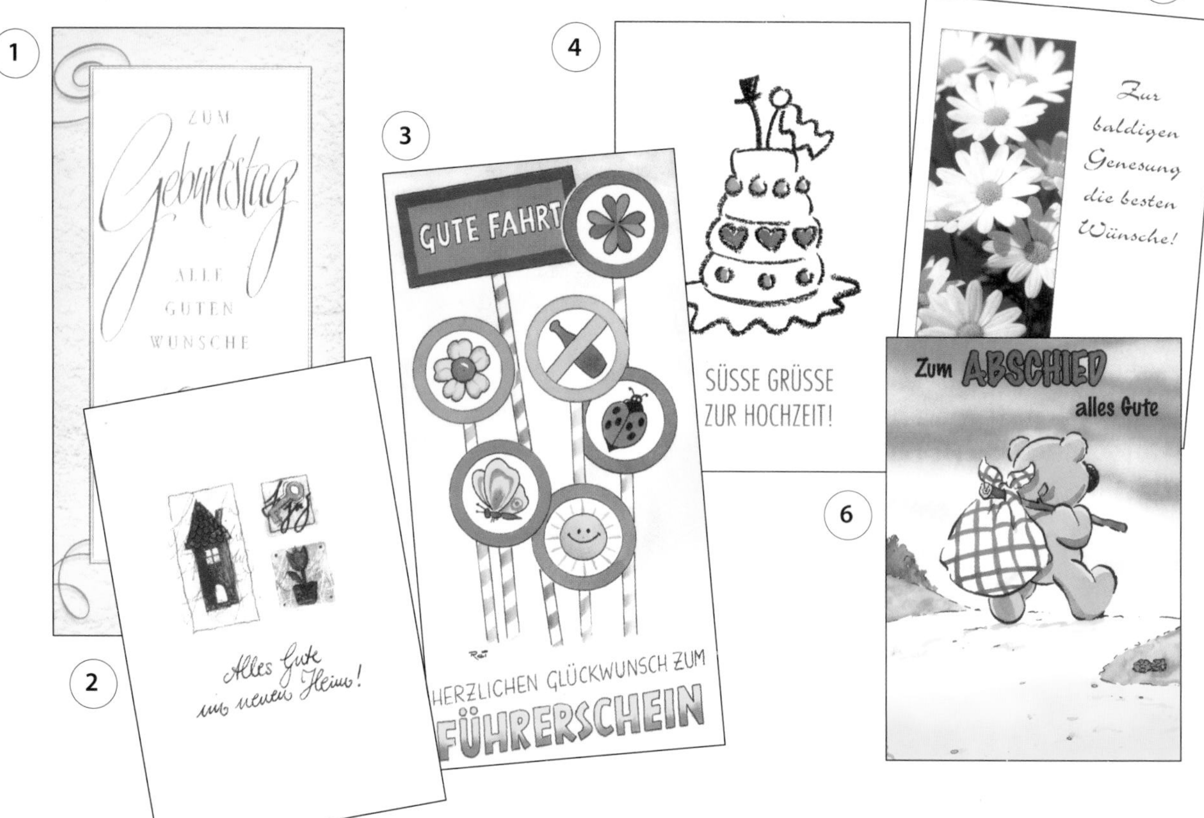

A2 Ergänzen Sie *werden* in der richtigen Form.

- Martina *wird* nächste Woche 18.

1. Wann .... du Direktor?
2. Frau Kümmel .... Abteilungsleiterin.
3. Andrea und Andreas .... am Montag 30.
4. Karl studiert Physik. Er .... Physiker.
5. Ich arbeite so fleißig, aber ich .... nie Universitätsprofessor!
6. Wann .... du endlich Informatiker?
   Dann kannst du meinen Computer reparieren.

werden ⇨ Teil C Seite 213

Singular	ich du er/sie/es	werde wirst ! wird !
Plural	wir ihr sie	werden werdet werden
formell	Sie	werden

Oma wird 80.
Wilhelm wird Abteilungsleiter.

A3 Formulieren Sie gute Wünsche.

- der Führerschein — *Herzlichen Glückwunsch zum Führerschein! Ich gratuliere dir zum Führerschein!*

1. der Geburtstag ……………………
2. die Hochzeit ……………………
3. die bestandene Deutsch-Prüfung ……………………
4. die Beförderung ……………………
5. der 25. Hochzeitstag ……………………
6. der Lottogewinn ……………………
7. die neue Wohnung ……………………

Herzlichen Glückwunsch
Alles Gute
Alle guten Wünsche
Ich gratuliere dir } *zu + Dativ (zum/zur)*

A4 Was wünschen Sie und was schenken Sie?

viel Glück • Gesundheit • ein langes Leben • gute Besserung • gute Fahrt • nette Nachbarn • ein neues Auto • ewige Liebe • gute Nerven • viel Erfolg • nette Kollegen …

einen Blumenstrauß • einen Korb mit frischem Obst • ein Matchboxauto • ein Buch • einen Autoatlas • eine Tafel Schokolade • eine Flasche Champagner • eine Vase …

Oma *(Geburtstag)*: *Ich wünsche Oma ein langes Leben und schenke ihr einen Blumenstrauß.*

Paul *(Führerschein)*: ……………………

Christine *(krank)*: ……………………

Annerose und Joachim *(Hochzeit)*: ……………………

Karl *(neue Wohnung)*: ……………………

Wilhelm *(Beförderung)*: ……………………

Verben mit Dativ und Akkusativ ⇨ Teil C Seite 213

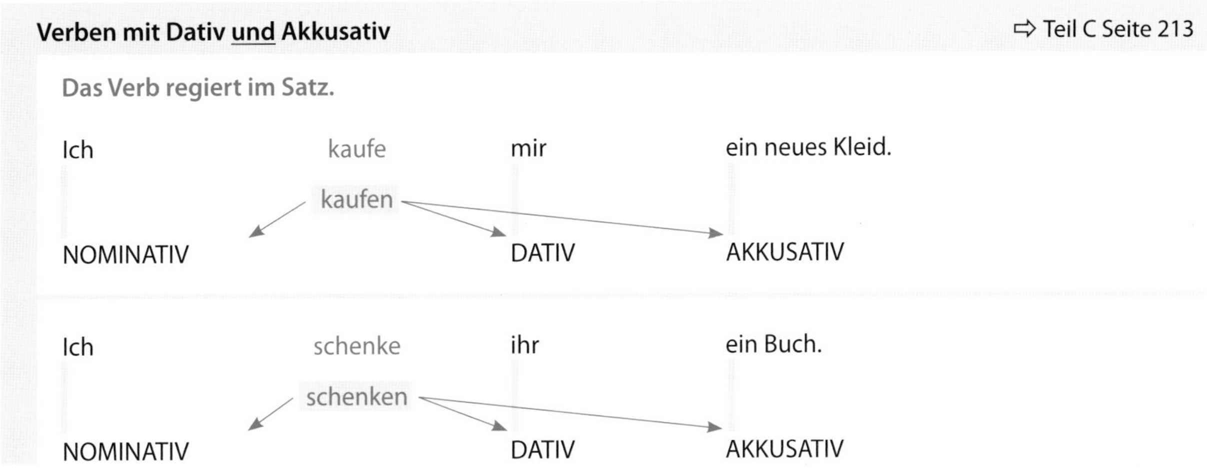
Das Verb regiert im Satz.
Ich kaufe mir ein neues Kleid.
kaufen
NOMINATIV
DATIV
AKKUSATIV
Ich schenke ihr ein Buch.
schenken
NOMINATIV
DATIV
AKKUSATIV

A5 Antworten Sie wie im Beispiel.

- Was schenkst du Oma zum Geburtstag? *(Gartenzwerg)*
  Ich schenke ihr einen Gartenzwerg.

1. Was kaufst du Paul zum Geburtstag? *(Flasche Schnaps)*
   ....
2. Was schenkst du deinem Bruder zur Beförderung? *(Terminkalender)*
   ....
3. Was schenkst du Nina und Johann zum 10. Hochzeitstag? *(zwei Konzertkarten)*
   ....
4. Was kaufst du Michael zum Geburtstag? *(gar nichts)*
   ....
5. Was schenkst du deinen Eltern zum 50. Hochzeitstag? *(50 rote Rosen)*
   ....
6. Was schenkst du deiner Schwester zum Geburtstag? *(CD-Spieler)*
   ....
7. Was schenkst du deinem Bruder zum Führerschein? *(Buch mit Verkehrsregeln)*
   ....
8. Was kaufst du dir zum Geburtstag? *(Koffer)*
   ....

A6 Berichten Sie über ein Geschenk.

Haben Sie schon einmal ein sehr schönes oder ein sehr hässliches Geschenk bekommen?
Was war das für ein Geschenk? Von wem? In welchem Jahr? Was war der Anlass?
War das Geschenk gekauft oder selbst gemacht?

Das Geschenk war von *(meiner Mutter)* …

Es war im Jahr …

Ich habe es zur/zum … bekommen.

A7 Spielen Sie kleine Dialoge.

- Martin – das Kochbuch

◊ Was soll ich Martin *(zum Geburtstag)* schenken?
♦ Schenk ihm doch ein Kochbuch!
◊ Er hat aber schon ein Kochbuch.

1. Manfred – das Fahrrad
2. Birgit – der Regenschirm
3. Hermann – der Fotoapparat
4. Reiner und Angela – der Fernseher
5. Werner – das Handy
6. Martina – die Sonnenbrille
7. Claudia – der Bikini
8. Maria – die Handtasche
9. Martin und Martina – ein Kaffeeservice

A8 Auf der Party von Wilhelm waren alle da. 2.32

Hören Sie die Partygespräche von Kathrin, Martina, Stefano und Carlo.
Notieren Sie die fehlenden Informationen.

Dialog 1

- Kathrin arbeitet bei *Siemens*.

1. Kathrin arbeitet gern. Die Arbeit macht ihr noch immer ....
2. Martina war früher ....
3. Sie ist jetzt zu Hause und hat einen kleinen ....
4. Kathrin wohnt nicht mehr mit Torsten zusammen. Sie hat eine Wohnung in der Augustusstraße und eine tolle .... über die Stadt.
5. Die Wohnung ist im ....
6. Martina wohnt am Stadtrand in einer kinderfreundlichen ....
7. Sie möchte Kathrin gern einmal besuchen. Ihren Sohn kann sie ....

Dialog 2

1. Stefano ist ein .... von Susanne.
2. Er kommt aus ....
3. Stefano spricht sehr gut Deutsch. Er hat in München Informatik .... und ist danach in Deutschland ....
4. Kathrin kennt Susanne schon lange. Kathrin und Susanne sind in die .... Schule gegangen.
5. Abends besucht Susanne noch einen Informatikkurs und einen ....
6. Sie möchte nicht die nächsten 100 Jahre Sekretärin ....
7. Stefano findet Italienisch .... als Deutsch.

Die Gesundheit

A9 Noch ein Gespräch auf der Party von Wilhelm 2.33

Hören und lesen Sie.

Kathrin:	Hallo Carlo, wie geht es dir?
Carlo:	Hallo Kathrin. Ach, mir geht es überhaupt nicht gut. Sieht man das nicht?
Kathrin:	Nein, ich sehe nichts. Was ist los? Bist du krank?
Carlo:	Ich habe mal wieder schreckliche Kopfschmerzen.
Kathrin:	Du hast Kopfschmerzen? Möchtest du eine Aspirin-Tablette?
Carlo:	Nein, ich habe schon eine genommen.
Kathrin:	Dann musst du nach Hause gehen und schlafen. Und du darfst keinen Alkohol trinken!
Carlo:	Ich trinke ja keinen Alkohol. Das hier ist Apfelsaft.
Kathrin:	Warst du schon beim Arzt?
Carlo:	Nein, ich gehe nicht gern zum Arzt. Ich kaufe mir die Tabletten immer in der Apotheke. Kopfschmerzen sind ja auch keine richtige Krankheit.
Kathrin:	Das glaube ich nicht. Ich habe auch manchmal Kopfschmerzen und ich finde, Kopfschmerzen können sehr wehtun! ...

A10 Fragen zum Dialog

a) Was erfahren wir über Carlo? Ergänzen Sie.

- Carlo geht es überhaupt *nicht gut*.

1. Er hat schreckliche ....
2. Er hat schon eine Aspirin- ....
3. Er geht nicht gern ....
4. Er kauft seine Tabletten immer ....
5. Er denkt, Kopfschmerzen sind keine richtige ....

b) Was meint Kathrin? Ergänzen Sie.

1. Carlo muss nach .... und ....
2. Carlo darf ....
3. Kopfschmerzen können sehr ....

A11 Was tut Ihnen weh?

Spielen Sie kleine Dialoge.

- Mir tut der Kopf weh. Tut dir auch etwas weh?
  - ◇ Ja, mir tut mein Bein weh.
  - ◇ Nein, mir tut gar nichts weh. Ich bin gesund.

wehtun + Dativ = Mir tut etwas weh.

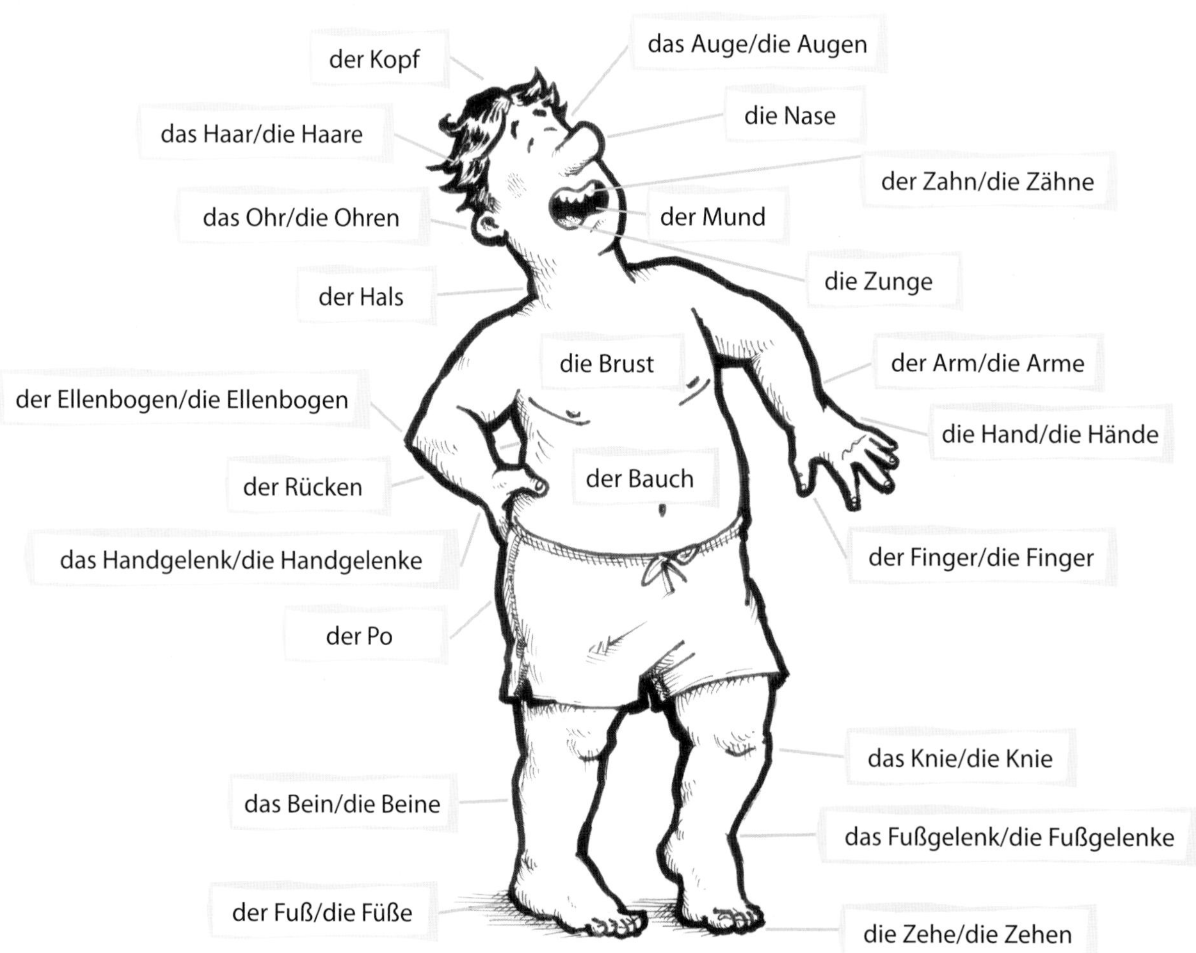

A12 Sind Sie manchmal krank?

a) Was man alles haben kann. Lesen Sie.

Kopfschmerzen • Halsschmerzen • Ohrenschmerzen • Zahnschmerzen • Bauchschmerzen • Husten • Rückenschmerzen • Schnupfen • Fieber • Grippe • einen Kater

b) Was muss man tun, was darf man nicht tun? Geben Sie Ratschläge.

viel spazieren gehen • viel Wasser trinken • heißen Tee mit Honig trinken • warme Sachen anziehen • gerade sitzen • sofort zum Arzt gehen • keinen Alkohol trinken • nicht ausgehen • nicht rauchen • eine Schmerztablette einnehmen • viel schlafen • keine Schokolade essen • nicht mit dem Auto fahren • immer eine Mütze aufsetzen • sauren Fisch essen …

Bei Kopfschmerzen müssen Sie (musst du/muss man) viel Wasser trinken.
Bei Kopfschmerzen dürfen Sie (darfst du/darf man) keinen Alkohol trinken.

Bei Halsschmerzen ....

Bei Ohrenschmerzen ....

Bei Zahnschmerzen ....

Bei Bauchschmerzen ....

Bei Rückenschmerzen ....

Bei Husten und Schnupfen ....

Bei Fieber ....

Bei Grippe ....

Bei einem Kater ....

c) Sie sind krank. Sie haben Ratschläge (von Ihrer Nachbarin/Ihrem Nachbarn/von Ihren Freunden) bekommen. Wiederholen Sie: Was meinen die anderen? Was sollen Sie tun?

Ich habe Kopfschmerzen. Ich soll viel Wasser trinken.
Ich soll keinen Alkohol trinken.

A13 Phonetik: Zusammengesetzte Nomen (Komposita) 2.34

Hören und wiederholen Sie.

Kopf/schmerzen – Schmerz/tablette – Hals/schmerzen – Rat/schläge – Ohren/schmerzen – Haus/arzt – Rücken/schmerzen – Zahn/schmerzen

Haupt/bahnhof – Zwei/bett/zimmer – Mehr/familien/haus – Mineral/wasser – Wein/flasche – Termin/kalender

→ Der Wortakzent bei Komposita ist links.

Ich habe Halsschmerzen.

Der Arzt gibt Ratschläge.

Gehst du zum Hausarzt?

Sind die Kopfschmerzen stark?

Ich nehme Schmerztabletten.

Hast du Zahnschmerzen?

Meine Rückenschmerzen sind weg.

A14 Einen Termin beim Arzt vereinbaren 2.35

a) Hören und lesen Sie den Dialog am Telefon.

Arztpraxis:	Praxis Dr. Krause, guten Tag.
Patient:	Guten Tag, Armin Völler hier. Ich möchte gerne einen Termin beim Arzt vereinbaren.
Arztpraxis:	Was haben Sie für Beschwerden?
Patient:	Ich habe Husten, Schnupfen und Halsschmerzen.
Arztpraxis:	Haben Sie auch Fieber?
Patient:	Ja, ich glaube.
Arztpraxis:	Dann können Sie heute Nachmittag kommen, um 15.00 Uhr. Waren Sie schon einmal bei uns?
Patient:	Nein. Ich wohne noch nicht so lange in Berlin.
Arztpraxis:	Sagen Sie mir bitte noch mal Ihren Namen?
Patient:	Völler, V-ö-l-l-e-r.
Arztpraxis:	Wann sind Sie geboren?
Patient:	Am 21.3.1980.
Arztpraxis:	Wie sind Sie versichert?
Patient:	Bei der BKK. Das ist eine gesetzliche Kasse.
Arztpraxis:	Danke, dann bis heute Nachmittag.
Patient:	Danke auch. Auf Wiederhören.

b) Spielen Sie Dialoge.

Praxis Dr. …	
	Guten Tag. Ich möchte gerne einen Termin beim Arzt *(vereinbaren)*.
Was haben Sie für Beschwerden?	
	…
Sie können … kommen. Waren Sie schon mal bei uns?	
	…
Buchstabieren Sie bitte Ihren Namen. Wann sind Sie geboren?	…

A15 Lesen Sie die Anweisungen.

Sie waren beim Arzt und haben Tabletten gegen Ihre Kopfschmerzen bekommen.

- **Zusammensetzung**
  Eine Tablette enthält 400 mg Ibuprofen.
- **Anwendung**
  Bei Kopfschmerzen und leichten Migräneanfällen.
- **Einnahme**
  Nehmen Sie die Tabletten mit viel Flüssigkeit nach den Mahlzeiten ein, ohne ärztlichen Rat nicht länger als 3 Tage. Nehmen Sie die Tabletten nicht mit Milch ein.
- **Dosierung**

Kinder (13 bis 14 Jahre)	max. 1 Tablette pro Tag
Jugendliche (bis 17 Jahre)	1 bis max. 2 Tabletten pro Tag
Erwachsene	1 bis max. 3 Tabletten pro Tag

- **Nebenwirkungen**
  häufig: Übelkeit
  selten: Bauchschmerzen

Bei starken Schmerzen müssen Sie zum Arzt gehen.

A16 Beantworten Sie die Fragen zum Text mit *ja* oder *nein*.

		ja	nein
1.	Ihre zehn Jahre alte Tochter hat Kopfschmerzen. Darf sie eine Tablette einnehmen?	❐	❐
2.	Sie haben Halsschmerzen. Ist *Ibuprofen X* das richtige Medikament?	❐	❐
3.	Jemand nimmt die Tablette nach dem Essen. Ist das ein guter Zeitpunkt?	❐	❐
4.	Dürfen Jugendliche nur zwei Tabletten am Tag einnehmen?	❐	❐
5.	Ein Patient bekommt starke Bauchschmerzen nach der Einnahme von *Ibuprofen X*. Ist das normal?	❐	❐

Entschuldigungen

A17 Zu viele Termine …

Sie waren auch auf der Party von Wilhelm.
Aber diese Woche sind noch vier andere Feiern und ein Besuch im Krankenhaus.
Natürlich ist das zu viel für Sie! Sie müssen zwei Termine absagen.

Das steht auf dem Plan:
der 80. Geburtstag von Oma
die Hochzeitsfeier von Annerose und Joachim
die Einweihungsfeier bei Karl
die Party bei Paul
der Krankenbesuch.

a) Diskutieren Sie mit Ihrer Nachbarin/Ihrem Nachbarn über die Wichtigkeit der Einladungen.

Der Geburtstag von Oma ist wichtiger als …

Das finde ich nicht so wichtig wie …

Du hast recht./Ja, das stimmt./Das ist wahr.

b) Sagen Sie mündlich ab.
Sprechen Sie Ihre Nachricht auf den Anrufbeantworter.

c) Sagen Sie schriftlich ab.
Schreiben Sie zwei Entschuldigungen.

Entschuldigung
Liebe(r) …………………,
ich danke Dir/Euch für die Einladung.
Leider kann ich zu Deiner/Eurer ……………………
nicht kommen. Ich muss ……………………
Ich hoffe, Du verzeihst/Ihr verzeiht mir.
Ich wünsche Dir/Euch ……………………
Liebe Grüße ……………………

A18 Gestern war die Feier in der neuen Wohnung von Karl.

Aber niemand war da! Jeder hat eine andere Entschuldigung. Nennen Sie Gründe.

- Paul: arbeiten
  Paul konnte gestern Abend nicht kommen, er musste arbeiten.

1. Iris: ihre Eltern vom Bahnhof abholen
   Iris konnte gestern Abend nicht kommen, sie …
2. Martin: seine Wohnung sauber machen
   ....
3. Kerstin: ihren Bruder im Krankenhaus besuchen
   ....
4. Marianne: mit Kollegen essen gehen
   ....
5. Paul: noch fünf E-Mails schreiben
   ....
6. Peter: seinen Computer reparieren
   ....
7. Petra: einen Chinesisch-Kurs besuchen
   ....
8. Heiner: Deutsch-Hausaufgaben machen
   ....
9. Claudia: an ihrem Vortrag arbeiten
   ....
10. Birgit: ihr Auto in die Werkstatt bringen
    ....
11. Max: zu einer Geschäftsbesprechung nach Rom fliegen
    ....
12. Franz: eine Präsentation vorbereiten
    ....

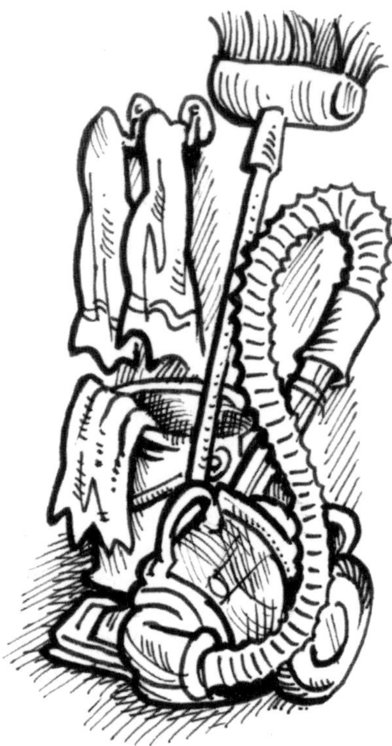

Präteritum der Modalverben

⇨ Teil C Seite 215

Präsens	heute/jetzt/im Moment/dieses Jahr …	Paul	kann	nicht kommen.
		Er	muss	arbeiten.
		Otto	will	nicht kommen.
		Marlis	darf	nicht kommen.
Präteritum	früher/letztes Jahr/gestern …	Paul	konnte	nicht kommen.
		Er	musste	arbeiten.
		Otto	wollte	nicht kommen.
		Marlis	durfte	nicht kommen.

Wie bei *sein* und *haben* benutzt man bei den Modalverben in der Vergangenheit oft das Präteritum.

A19 Auf der Party von Paul war auch niemand.

a) Wer wollte nicht kommen, wer konnte nicht kommen, wer durfte nicht kommen?

♦	Hans hat gearbeitet.	Er *konnte* nicht kommen.
1.	Sandra hat ferngesehen.	Sie .... nicht kommen.
2.	Jochen war im Kino.	....
3.	Sascha war auf einer anderen Party.	....
4.	Der Arzt von Anna hat gesagt, sie soll im Bett bleiben.	....
5.	Frau Kümmel hatte eine Besprechung.	....
6.	Heidrun war im Fitnessstudio.	....
7.	Herr Meier musste für seine Frau Essen kochen.	....
8.	Christine hat mal wieder einen Krimi gelesen.	....
9.	Der Chef von Paul war noch in Paris.	....
10.	Michael hatte Fieber.	....

b) Sammeln Sie weitere Entschuldigungen und Ausreden.

Ich konnte nicht kommen, denn …

Was ist noch alles passiert?

A20 Hören und lesen Sie die folgenden Kurznachrichten. 2.36

Eröffnung der Internationalen Automobilausstellung
Der Bundespräsident eröffnete heute die Internationale Automobilausstellung in Frankfurt. Auf der weltgrößten Messe zeigen rund 1041 Hersteller aus 45 Ländern ihre neuen Produkte. Das Interesse ist sehr groß. Besonders beliebt sind die neuen Sportwagenmodelle von Mercedes und Toyota. Die Automobilhersteller erwarten in den nächsten Tagen ca. eine Million Besucher und hoffen auf viele potenzielle Käufer.

Außenminister in Paris
Der deutsche Außenminister flog gestern zu Gesprächen nach Paris. Dort traf er seinen französischen Amtskollegen. Gesprächsthemen waren die deutsch-französischen Beziehungen und die Zukunft der Europäischen Union. Nach dem Gespräch lobten die Minister die gute Zusammenarbeit zwischen Deutschland und Frankreich.

Fußball
Im UEFA-Pokal spielten gestern zwei deutsche Fußballklubs. Der FC Schalke 04 gewann gegen Galatasaray Istanbul mit 2:0 und ist damit im Halbfinale. Der FC Werder Bremen verlor gegen Juventus Turin mit 0:3 und schied aus dem Wettkampf aus.

Film-Premiere
Heute hat der neue amerikanische Film „Flightplan" in Berlin Premiere. Zur Premiere kommen auch Hauptdarstellerin Jodie Foster und der deutsche Regisseur Robert Schwentke. Der Film spielt in einem Flugzeug. Dort sucht die Hauptfigur nach ihrer Tochter. Einige Szenen in diesem Film drehte der Regisseur auf dem Flughafen in Leipzig.

Ärzte-Protest in Sachsen
Rund 250 Ärzte von Universitäts-Krankenhäusern protestierten gestern in Leipzig. Die Mediziner forderten bessere Arbeitsbedingungen und mehr Gehalt. Zur Zeit müssen die Ärzte ca. 60 Stunden pro Woche arbeiten. Sie bekommen aber nur für 40 Stunden Gehalt. 20 Arbeitsstunden pro Woche sind unbezahlt. Die Krankenhausleitung signalisierte Gesprächsbereitschaft und will eine Lösung für das Problem finden.

Mäuse singen Liebeslieder
Der Mensch kann singen, der Vogel auch. Aber Mäuse? Ja, sagen amerikanische Forscher. Sie berichteten in einer Fachzeitschrift über die singenden Mäuse. Leider können Menschen den Gesang der Mäuse nicht hören, denn sie singen auf Ultraschallfrequenz. Bei einem Experiment an der Universität in Washington sangen 46 Mäusemännchen. Die Forscher nahmen die Ultraschall-Töne auf. Danach verarbeiteten sie die Töne und machten die Melodien hörbar.

Wetter
Teilweise sonnig, teilweise bewölkt, leichter Südwestwind, am Abend etwas Regen. Die Temperaturen liegen bei 13 bis 16 Grad.

A21 Was ist richtig, was ist falsch?

Kreuzen Sie an.

	richtig	falsch
1. Auf der Automobilausstellung besuchte der Bundespräsident die Firmen Mercedes und Toyota.	❒	❒
2. Die Automobilhersteller möchten viele Autos verkaufen.	❒	❒
3. Die Ärzte in Sachsen wollen mehr Geld für ihre Arbeit.	❒	❒
4. Die Krankenhausleitung will die Forderung nicht akzeptieren.	❒	❒
5. Der französische Außenminister besuchte den deutschen Außenminister.	❒	❒
6. Mäuse können singen, aber die Menschen hören es nicht.	❒	❒
7. Der neue amerikanische Film spielt in Leipzig.	❒	❒
8. Der FC Werder Bremen darf nicht mehr im Pokal spielen.	❒	❒
9. Die Sonne scheint den ganzen Tag.	❒	❒

A22 Kombinieren Sie.

eine Ausstellung →	bekommen
neue Produkte	erwarten
viele Besucher	eröffnen
bessere Arbeitsbedingungen	fordern
wenig Gehalt	finden
eine Lösung	zeigen

A23 Unterstreichen Sie das Verb und nennen Sie den Infinitiv.

- Rund 250 Ärzte von Universitäts-Krankenhäusern <u>protestierten</u> gestern in Leipzig. *protestieren*

1. Der Bundespräsident eröffnete heute die Automobilausstellung. ....
2. Die Mediziner forderten bessere Arbeitsverhältnisse. ....
3. Der deutsche Außenminister flog gestern zu Gesprächen nach Paris. ....
4. Dort traf er seinen französischen Amtskollegen. ....
5. Thema der Gespräche waren die deutsch-französischen Beziehungen. ....
6. Nach dem Gespräch lobten die Minister die gute Zusammenarbeit. ....
7. Wissenschaftler berichteten in einer Fachzeitschrift über die singenden Mäuse. ....
8. Bei einem Experiment sangen 46 Mäusemännchen. ....
9. Die Forscher nahmen die Töne auf. ....
10. Sie verarbeiteten die Töne. ....
11. Sie machten die Töne hörbar. ....
12. Einige Szenen in diesem Film drehte der Regisseur auf dem Flughafen in Leipzig. ....
13. Im UEFA-Pokal spielten gestern zwei deutsche Fußballklubs. ....
14. Der FC Schalke 04 gewann gegen Galatasaray Istanbul mit 2:0. ....
15. Der FC Werder Bremen verlor gegen Juventus Turin mit 0:3 und schied aus. ....

A24 Kombinieren Sie.

gegen eine Fußballmannschaft →	drehen
Töne	gewinnen
eine Filmszene	loben
die gute Zusammenarbeit	aufnehmen

A25 Ordnen Sie die Verben.

Suchen Sie die Verben im Präteritum aus Übung A23. Welche Verben sind regelmäßig, welche unregelmäßig?

Präteritum

regelmäßige Verben	**unregelmäßige Verben**
die Ärzte protestierten	*der Außenminister flog*
....	....
....	....
....	....
....	....
....	....
....	....
....	
....	

Perfekt (Wiederholung)

haben oder *sein* + Partizip auf *-t:* die Ärzte haben protestiert	*haben* oder *sein* + Partizip auf *-en:* der Außenminister ist geflogen (oft Vokalwechsel)

A26 Was ist passiert?

Berichten Sie Ihrem Freund/Ihrer Freundin über die Ereignisse. Benutzen Sie das Perfekt.

a) regelmäßige Verben

- Der Bundespräsident eröffnete heute die Automobilausstellung.
  Der Bundespräsident hat heute die Automobilausstellung eröffnet.

1. Rund 250 Ärzte protestierten gestern in Leipzig.
   ....
2. Die Mediziner forderten bessere Arbeitsverhältnisse.
   ....
3. Die Minister lobten die gute Zusammenarbeit.
   ....
4. Wissenschaftler berichteten in einer Fachzeitschrift über singende Mäuse.
   ....
5. Die Forscher machten die Töne hörbar.
   ....
6. Der Regisseur drehte einige Szenen auf dem Flughafen in Leipzig.
   ....
7. Im UEFA-Pokal spielten gestern zwei deutsche Fußballklubs.
   ....

b) unregelmäßige Verben

1. Der deutsche Außenminister flog gestern nach Paris.
   ....
2. Bei einem Experiment sangen 46 Mäusemännchen.
   ....
3. Der FC Schalke 04 gewann gegen Galatasaray Istanbul mit 2:0.
   ....
4. Der FC Werder Bremen verlor gegen Juventus Turin mit 0:3.
   ....

Wissenswertes *(fakultativ)*

B1 Feiertage – freie Tage

a) Antworten Sie.

Wie viele Feiertage gibt es in Ihrem Land?
Was sind für Sie die wichtigsten Feiertage?
Was machen Sie an diesen Feiertagen?

b) Beschreiben Sie die Grafik.

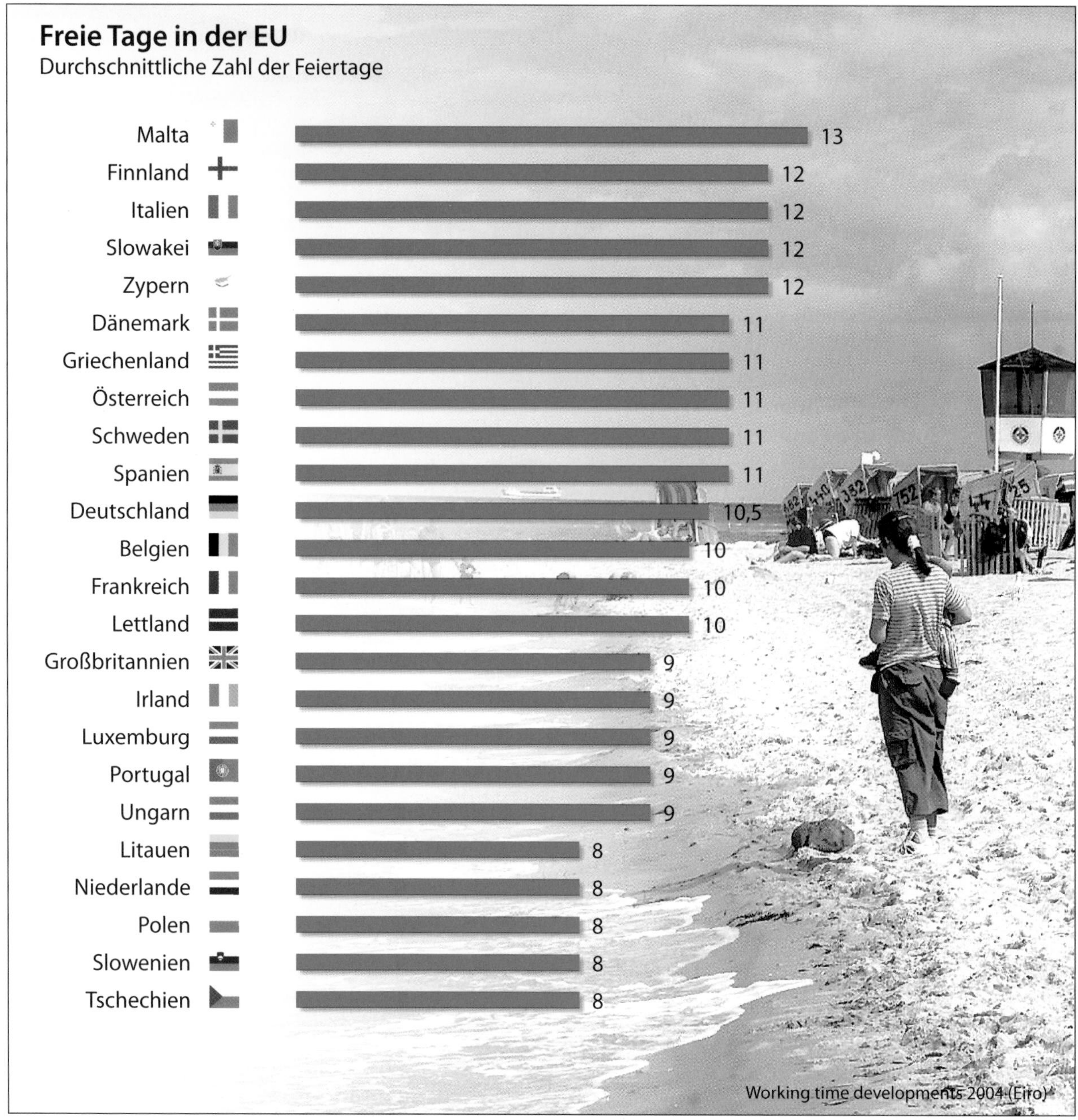

In *(Malta)* gibt es .... Feiertage.

(Malta) hat .... Feiertage.

.... liegt an der Spitze.

.... liegt vorn.

.... liegt im Mittelfeld.

.... liegt hinten.

B2 Die beliebteste Feier in Deutschland: die Weihnachtsfeier

In der Zeit vor Weihnachten (Weihnachten = 24./25./26.12.) gibt es in Deutschland überall Weihnachtsfeiern in den Betrieben, an den Universitäten, in den Schulen, im Fußballklub usw.

Antworten Sie.

1. Gibt es das in Ihrem Land auch?
2. Was machen die Leute bei der Weihnachtsfeier?

Lieder singen ♦ tanzen ♦ *(Wein/Kaffee …)* trinken ♦ *(Kuchen …)* essen ♦ Geschenke überreichen ♦ über private Dinge sprechen ♦ über die Arbeit sprechen ♦ mit einer Kollegin/einem Kollegen flirten …

B3 Die Personalabteilung lädt ein.

a) Lesen Sie die Einladung.

Liebe Kolleginnen, liebe Kollegen,

Weihnachten steht wieder vor der Tür.

Wir möchten Sie alle ganz herzlich zu unserer Weihnachtsfeier am 18. Dezember ab 17.00 Uhr einladen. Die Feier findet in der Kantine statt.

Wir freuen uns auf ein paar nette Stunden in weihnachtlicher Atmosphäre.

Sabine Keller
Personalabteilung

b) Schreiben Sie Frau Keller eine E-Mail.

Sie möchten gerne zur Weihnachtsfeier kommen, aber Sie haben bis 17.30 Uhr einen Termin mit Frau Kümmel. Sie kommen später.

B4 Was meinen Sie?

Kann es bei einer Weihnachtsfeier auch Probleme geben?

B5 Hören und lesen Sie den Text. 2.37

Jedes Jahr wieder …

Die wichtigste Feier in vielen Betrieben ist die Weihnachtsfeier. Jedes Jahr im Dezember sitzen die Kollegen zusammen, singen gemeinsam Lieder, tanzen, essen Weihnachtsgebäck, überreichen kleine Geschenke, reden und trinken reichlich Alkohol. Bei den meisten Mitarbeitern ist diese Jahresabschlussfeier sehr beliebt, denn man kann mit dem Chef mal ein privates Gespräch führen oder mit der schönen Sekretärin tanzen. Außerdem muss man für das Essen und die Getränke nichts bezahlen.

Doch Vorsicht! Karriereberater sehen bei einer Weihnachtsfeier auch Gefahren: Gefahr Nummer eins ist der Alkohol. Zu viel Alkohol macht gesprächig und man hat schnell etwas Negatives über einen Kollegen oder die Arbeit gesagt. Das mögen viele Chefs nicht. Auch mit falschen Gesprächsthemen kann man einen negativen Eindruck machen. Absolut tabu sind Gesprächsthemen wie Gehaltserhöhung oder sehr persönliche Probleme.

Gefahr Nummer zwei ist heftiges Flirten, zum Beispiel mit dem netten Kollegen oder der schönen Sekretärin. Das bleibt nicht ohne Folgen. Einigen Mitarbeitern sind zu enge Kontakte bei der Weihnachtsfeier am nächsten Tag unangenehm und das Arbeitsklima ist gestört.

Nun gibt es Kollegen, die mögen keine Weihnachtsfeier. Sie bleiben lieber zu Hause oder arbeiten. Aber auch das ist schlecht für die Karriere! Diese Menschen gelten als arrogant oder unsozial, denn die Weihnachtsfeier ist und bleibt ein wichtiges soziales Ereignis im Betrieb.

B6 Beantworten Sie die Fragen zum Text.

1. Wann ist die Weihnachtsfeier?

   ....

2. Was machen die Mitarbeiter bei einer Weihnachtsfeier?

   ....

3. Warum ist die Feier so beliebt?

   ....

B7 Was sagen die Karriereberater?

Kreuzen Sie die richtige Lösung an.

1. a) ❐ Man darf bei einer Weihnachtsfeier nicht zu viel Alkohol trinken.
   b) ❐ Man darf bei einer Weihnachtsfeier gar keinen Alkohol trinken.
2. a) ❐ Man kann bei der Feier mit allen Kollegen über alle privaten Probleme sprechen.
   b) ❐ Man darf nicht über sehr persönliche Probleme sprechen.
3. a) ❐ Man muss nach einer Gehaltserhöhung fragen. Die Feier ist ein guter Moment.
   b) ❐ Man darf nicht nach einer Gehaltserhöhung fragen.
4. a) ❐ Heftiges Flirten ist sehr gut für das Arbeitsklima.
   b) ❐ Heftiges Flirten ist nicht gut für das Arbeitsklima.
5. a) ❐ Man soll aus sozialen Gründen zur Weihnachtsfeier gehen.
   b) ❐ Man kann zu Hause bleiben.

Verben

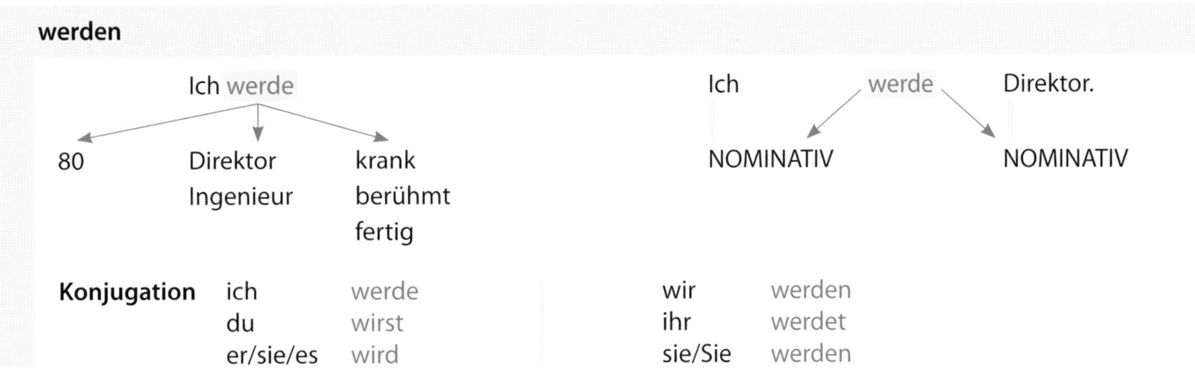

werden
Ich werde
80
Direktor
Ingenieur
krank
berühmt
fertig
Ich werde Direktor.
NOMINATIV
NOMINATIV
Konjugation
ich werde
du wirst
er/sie/es wird
wir werden
ihr werdet
sie/Sie werden

C1 Bilden Sie Sätze.

- meine Mutter – nächsten Montag – 60 – werden
  Meine Mutter wird nächsten Montag 60. / Nächsten Montag wird meine Mutter 60.

1. Franziska – sicher – eine berühmte Sängerin – werden

   ....

2. wann – ihr – mit der Arbeit – fertig – werden?

   ....

3. meine Tochter – bald – Ärztin – werden

   ....

4. diese Studenten – später – bestimmt – gute Ingenieure – werden

   ....

5. wer – der neue Abteilungsleiter – werden?

   ....

Verben mit Dativ und Akkusativ
Ich brauche ein neues Auto.
brauchen
NOMINATIV
AKKUSATIV
Die Jacke gefällt mir.
gefallen
NOMINATIV
DATIV
Das Verb regiert im Satz.
Ich kaufe mir ein neues Kleid.
kaufen
NOMINATIV
DATIV
AKKUSATIV
Ich schenke ihr ein Buch.
schenken
NOMINATIV
DATIV
AKKUSATIV
Satzbau
Reihenfolge (oft):
Nominativ
Ich
kaufe
Dativ
meiner Mutter
Akkusativ
ein Geschenk.

C2 Bilden Sie möglichst viele Sätze.

Subjekt im Nominativ	Verb	Dativergänzung	Akkusativergänzung
ich	schicken	mir	einen Brief
du	schreiben	dir	eine E-Mail
Frau Kühne	zeigen	Frau Kümmel	eine Postkarte
die Kollegen	kaufen	dem Chef	einen Blumenstrauß
Matthias	schenken	Kathrin	eine neue Tasche
die neue Mitarbeiterin	senden	dem Kollegen	das neue Büro

- *Ich schicke dir eine Postkarte.* ....

....

....

C3 Formulieren Sie Fragen und antworten Sie.

- Wem hast du *(Postkarte – schicken)*? *(mein Freund)*
  Wem hast du die Postkarte geschickt? Meinem Freund.

1. Wem hast du *(Flasche Wein, schenken)*? *(meine Freundin)* ....
2. Wem hast du *(Geschichte, erzählen)*? *(meine Mutter)* ....
3. Wem hast du *(Blumenstrauß, kaufen)*? *(meine Oma)* ....
4. Wem hast du *(Foto, zeigen)*? *(mein Bruder)* ....
5. Wem hast du *(E-Mail, senden)*? *(mein Chef)* ....

C4 Wiederholen Sie die Modalverben im Präsens.

können	Ich	*kann*	heute leider nicht kommen.
	Er	....	
	Christiane und Michael	....	
müssen	Mein Chef	....	noch arbeiten.
	Peter	....	
	Ich	....	
sollen	Der Arzt sagt: Ihr	....	regelmäßig Sport machen.
	Der Arzt sagt: Frau Krüger	....	
	Der Arzt sagt: Wir	....	
dürfen	Du	....	hier nicht rauchen.
	Man	....	
	Sie	....	
wollen	Wir	....	dieses Jahr nach Spanien fahren.
	Mein Bruder	....	
	Meine Freunde	....	
möchte(n)	Wir	....	ein Zweibettzimmer.
	Ich	....	
	Mein Kollege	....	

C5 Wie lautet die richtige Form?

Ergänzen Sie die Verben *dürfen, können, müssen, sollen* und *möchte(n)*.

- ♦ Im Krankenhaus *dürfen* Sie nicht rauchen.
1. Sie .... diese Tabletten zweimal am Tag einnehmen.
2. Der Arzt hat gesagt, du .... mehr spazieren gehen.
3. Ich .... nicht mehr laufen, mein Bein tut so weh.
4. Hast du Kopfschmerzen? Dann .... du keinen Alkohol trinken.
5. Bei Husten und Schnupfen .... du warme Sachen anziehen und heißen Tee mit Honig trinken, das hilft.
6. Ich .... einen Termin beim Arzt vereinbaren.
7. Meine Mutter meint, ich .... weniger Schokolade essen.
8. Claudia, du .... nächste Woche zum Arzt gehen.
   Du .... den Termin nicht vergessen.

Präteritum der Modalverben

Präsens	heute/jetzt/im Moment/dieses Jahr ...	Paul	kann	nicht kommen.
Präteritum	früher/letztes Jahr/gestern ...	Paul	konnte	nicht kommen.

Wie bei *sein* und *haben* benutzt man bei den Modalverben in der Vergangenheit oft das Präteritum.

		können	müssen	dürfen	sollen	wollen	mögen
Singular	ich	konnte	musste	durfte	sollte	wollte	mochte
	du	konntest	musstest	durftest	solltest	wolltest	mochtest
	er/sie/es	konnte	musste	durfte	sollte	wollte	mochte
Plural	wir	konnten	mussten	durften	sollten	wollten	mochten
	ihr	konntet	musstet	durftet	solltet	wolltet	mochtet
	sie	konnten	mussten	durften	sollten	wollten	mochten
formell	Sie	konnten	mussten	durften	sollten	wollten	mochten

C6 Ergänzen Sie die Modalverben im Präteritum.

	Präsens	Präteritum
♦	Paul ist krank. Er kann zu der Party nicht kommen.	Paul war krank. Er *konnte* zu der Party nicht kommen.
1.	Susanne will heute ins Kino gehen.	Susanne .... gestern ins Kino gehen.
2.	Ich habe keinen Führerschein. Ich darf nicht Auto fahren.	Ich hatte keinen Führerschein. Ich .... nicht Auto fahren.
3.	Martin muss den Termin absagen.	Martin .... den Termin absagen.
4.	Die Sekretärin soll für den Chef einen Tisch reservieren.	Die Sekretärin .... für den Chef einen Tisch reservieren.
5.	Ich muss die E-Mail sofort beantworten.	Ich .... die E-Mail sofort beantworten.
6.	Rudi kann sehr gut Fußball spielen.	Früher .... Rudi sehr gut Fußball spielen.
7.	Auf dem Flughafen darf man nicht mehr rauchen.	Früher .... man auf dem Flughafen rauchen.
8.	Claudia hat kein Geld. Sie kann die Rechnung nicht bezahlen.	Claudia hatte kein Geld. Sie .... die Rechnung nicht bezahlen.

Vergangenheitsform der Verben

Regelmäßige Verben

	spielen			eröffnen		
	Präsens	Präteritum	Perfekt	Präsens	Präteritum	Perfekt
ich	spiele	spielte	habe gespielt	eröffne	eröffnete	habe eröffnet
du	spielst	spieltest	hast gespielt	eröffnest	eröffnetest	hast eröffnet
er/sie/es	spielt	spielte	hat gespielt	eröffnet	eröffnete	hat eröffnet
wir	spielen	spielten	haben gespielt	eröffnen	eröffneten	haben eröffnet
ihr	spielt	spieltet	habt gespielt	eröffnet	eröffnetet	habt eröffnet
sie	spielen	spielten	haben gespielt	eröffnen	eröffneten	haben eröffnet
Sie	spielen	spielten	haben gespielt	eröffnen	eröffneten	haben eröffnet

Unregelmäßige Verben

	fliegen			verlieren		
	Präsens	Präteritum	Perfekt	Präsens	Präteritum	Perfekt
ich	fliege	flog	bin geflogen	verliere	verlor	habe verloren
du	fliegst	flogst	bist geflogen	verlierst	verlorst	hast verloren
er/sie/es	fliegt	flog	ist geflogen	verliert	verlor	hat verloren
wir	fliegen	flogen	sind geflogen	verlieren	verloren	haben verloren
ihr	fliegt	flogt	seid geflogen	verliert	verlort	habt verloren
sie	fliegen	flogen	sind geflogen	verlieren	verloren	haben verloren
Sie	fliegen	flogen	sind geflogen	verlieren	verloren	haben verloren

Verwendung: Perfekt: eher mündlich, Präteritum: eher schriftlich

C7 Schreiben Sie den Reisebericht von Marie im Perfekt.

- ich – in London – gestern – gut ankommen

1. zuerst – ich – mit der Metro – ins Stadtzentrum – fahren
2. das – ungefähr 45 Minuten – dauern
3. dann – ich – das Hotel – suchen
4. nach 20 Minuten – ich – es – finden
5. gestern Abend – ich – mit Christian – das Musical „Das Phantom der Oper" – sehen
6. danach – wir – in einem indischen Restaurant – essen
7. heute früh – wir – den „Tower" – besichtigen – und – eine Bootsfahrt – machen
8. die Bootsfahrt – uns – sehr gut – gefallen

Hallo Otto,
ich bin gestern gut in London angekommen. ....

....

....

....

Es ist ganz toll hier. Ich rufe Dich bald an.
Liebe Grüße
Marie

C8 Was ist passiert?

Berichten Sie im Perfekt.

- ♦ Karl wohnte von 1988 bis 2005 in Köln. — *Karl hat von 1988 bis 2005 in Köln gewohnt.*
1. Er arbeitete als Finanzberater bei einer Bank. ……………………
2. Er vereinbarte viele Termine. ……………………
3. In der Bank führte er Gespräche. ……………………
4. Er schrieb täglich 50 E-Mails. ……………………
5. Am Wochenende spielte er Golf. ……………………
6. Am 5. Mai 2005 gewann Karl bei einem Turnier. ……………………
7. Im Juli kaufte er ein rotes Cabrio. ……………………
8. Im Sommer fuhr er mit dem Cabrio nach Spanien. ……………………
9. In Spanien trank er viel Wein. ……………………
10. Karl besuchte ein Museum für alte Kunst in Madrid. ……………………
11. Dort traf er Antonia. ……………………
12. Im Januar heiratete er seine spanische Freundin. ……………………

C9 Hast du schon …?

Bilden Sie Fragen im Perfekt. Achten Sie auf den Kasus.

- ♦ der Brief – übersetzen — *Hast du den Brief schon übersetzt?*
1. die E-Mail – beantworten ……………………
2. der Termin – absagen ……………………
3. die Rechnung – bezahlen ……………………
4. ein Termin – beim Arzt – vereinbaren ……………………
5. der Tisch – reservieren ……………………
6. die Hausaufgaben – machen ……………………
7. die Tabletten – einnehmen ……………………
8. Oma – das Foto – zeigen ……………………
9. Otto – die Geschichte – erzählen ……………………
10. deine Mutter – die Handtasche – schenken ……………………

C10 Welche Präposition passt?

Markieren Sie die richtige Lösung.

Präpositionen

mit/von/zu + DATIV
für + AKKUSATIV

♦	Der FC Bayern München gewann	☒ mit	☐ für	☐ zu	2:0.
1.	Heute ist der 80. Geburtstag	☐ von	☐ mit	☐ zu	Oma.
2.	Alles Gute	☐ zum	☐ zur	☐ mit	Hochzeit!
3.	Ich gratuliere dir	☐ mit	☐ zur	☐ zum	Geburtstag.
4.	Ich schenke Lisa einen Korb	☐ für	☐ zu	☐ mit	frischem Obst.
5.	Ich habe diese schönen Blumen	☐ von	☐ für	☐ mit	meinem Freund bekommen.
6.	Ich danke dir	☐ von	☐ zur	☐ für	die Einladung.
7.	Du bist krank. Du musst	☐ zum	☐ zur	☐ für	Arzt gehen.
8.	Sie dürfen nicht	☐ für	☐ mit	☐ zum	dem Auto fahren.
9.	Paul musste	☐ mit	☐ von	☐ für	seine Frau Essen kochen.
10.	Ich kann leider nicht	☐ zum	☐ zu	☐ mit	deiner Party kommen.
11.	Nehmen Sie die Tabletten nicht	☐ für	☐ zur	☐ mit	Milch ein!
12.	Wir finden eine Lösung	☐ von	☐ für	☐ mit	das Problem.

Rückblick

D1 Wichtige Redemittel 2.38

Hören Sie die Redemittel.
Sprechen Sie die Wendungen nach und übersetzen Sie sie in Ihre Muttersprache.

Deutsch	Ihre Muttersprache
Gute Wünsche	
Herzlichen Glückwunsch zum Geburtstag!	....
Zur Hochzeit alle guten Wünsche!	....
Zur Beförderung alles Gute!	....
Viel Glück in der neuen Wohnung!	....
Ich gratuliere dir zum Führerschein.	....
Ich wünsche dir gute Besserung.	....
Vielen Dank für die Einladung.	....
Ich komme gern.	....
Leider kann ich nicht zu deiner Feier kommen.	....
Ich hoffe, du verzeihst mir.	....
Gesundheit	
Was haben Sie für Beschwerden?	....
Ich habe Kopfschmerzen.	....
Mir tut mein Arm weh.	....
Ich habe Husten, Schnupfen und Fieber.	....
Ich muss zum Arzt gehen.	....
Ich möchte einen Termin beim Arzt vereinbaren.	....
Sie müssen eine Schmerztablette einnehmen.	....
Sie dürfen keinen Alkohol trinken.	....
Mein Arzt sagt, ich soll viel spazieren gehen.	....
Redemittel aus Nachrichten	
Der Bundespräsident eröffnete eine Ausstellung.	....
Ärzte protestierten gegen schlechte Arbeitsbedingungen.	....
Sie forderten mehr Gehalt.	....
Der Außenminister traf	....
seinen französischen Amtskollegen in Paris.	....
Die Minister führten Gespräche.	....
Sie lobten die gute Zusammenarbeit.	....
Forscher berichteten über singende Mäuse.	....
Der neue Film hat Premiere.	....
Im UEFA-Pokal spielten zwei deutsche Mannschaften.	....
Der FC Schalke gewann gegen Galatasaray Istanbul.	....
Der FC Werder Bremen verlor mit 0:3.	....

D2 Kleines Wörterbuch der Verben

werden	ich werde wir werden	du wirst ihr werdet	er wird sie werden

aufnehmen	Die Forscher nehmen die Töne auf.		
ausscheiden	Die Fußballmannschaft scheidet aus dem Wettkampf aus.		
berichten *(über etwas berichten)*	ich berichte wir berichten	du berichtest ihr berichtet	er berichtet sie berichten
bestehen *(eine Prüfung bestehen)*	ich bestehe wir bestehen	du bestehst ihr besteht	er besteht sie bestehen
drehen	Der Regisseur dreht einen Film.		
einladen *(zur Party einladen)*	ich lade ein wir laden ein	du lädst ein ihr ladet ein	er lädt ein sie laden ein
einnehmen *(eine Tablette einnehmen)*	ich nehme ein wir nehmen ein	du nimmst ein ihr nehmt ein	er nimmt ein sie nehmen ein
eröffnen *(eine Ausstellung eröffnen)*	ich eröffne wir eröffnen	du eröffnest ihr eröffnet	er eröffnet sie eröffnen
flirten *(mit einer Kollegin flirten)*	ich flirte wir flirten	du flirtest ihr flirtet	er flirtet sie flirten
fordern *(mehr Gehalt fordern)*	ich fordere wir fordern	du forderst ihr fordert	er fordert sie fordern
freuen	Wir freuen uns auf ein schönes Fest.		
gewinnen	ich gewinne wir gewinnen	du gewinnst ihr gewinnt	er gewinnt sie gewinnen
gratulieren *(zum Geburtstag gratulieren)*	ich gratuliere wir gratulieren	du gratulierst ihr gratuliert	er gratuliert sie gratulieren
heiraten	ich heirate wir heiraten	du heiratest ihr heiratet	er heiratet sie heiraten
hoffen *(auf viele Käufer hoffen)*	ich hoffe wir hoffen	du hoffst ihr hofft	er hofft sie hoffen
loben *(die gute Zusammenarbeit loben)*	ich lobe wir loben	du lobst ihr lobt	er lobt sie loben
protestieren *(gegen … protestieren)*	ich protestiere wir protestieren	du protestierst ihr protestiert	er protestiert sie protestieren
schenken *(Peter ein Buch schenken)*	ich schenke wir schenken	du schenkst ihr schenkt	er schenkt sie schenken
signalisieren	Die Krankenhausführung signalisiert Gesprächsbereitschaft.		
stattfinden	Die Feier findet statt.		
überreichen *(ein Geschenk überreichen)*	ich überreiche wir überreichen	du überreichst ihr überreicht	er überreicht sie überreichen
verarbeiten	Die Forscher verarbeiten die Töne.		

verlieren *(ein Fußballspiel verlieren)*	ich verliere wir verlieren	du verlierst ihr verliert	er verliert sie verlieren
verzeihen	ich verzeihe wir verzeihen	du verzeihst ihr verzeiht	er verzeiht sie verzeihen
wehtun	Das Bein tut mir weh.		
wünschen *(Karl viel Erfolg wünschen)*	ich wünsche wir wünschen	du wünschst ihr wünscht	er wünscht sie wünschen
zeigen *(neue Produkte zeigen)*	ich zeige wir zeigen	du zeigst ihr zeigt	er zeigt sie zeigen

D3 Evaluation

Überprüfen Sie sich selbst.

Ich kann	gut	nicht so gut
Ich kann eine Einladung annehmen oder absagen.	❐	❐
Ich kann gute Wünsche formulieren.	❐	❐
Ich kann die wichtigsten Körperteile nennen.	❐	❐
Ich kann einen Termin beim Arzt vereinbaren.	❐	❐
Ich kann einfache Ratschläge zum Thema Gesundheit geben.	❐	❐
Ich kann einige einfache Nachrichten verstehen.	❐	❐
Ich kann etwas über Feiertage und das Feiern in meinem Heimatland erzählen. *(fakultativ)*	❐	❐
Ich kann einen einfachen Text über Weihnachtsfeiern verstehen. *(fakultativ)*	❐	❐

Begegnungen

Anhang

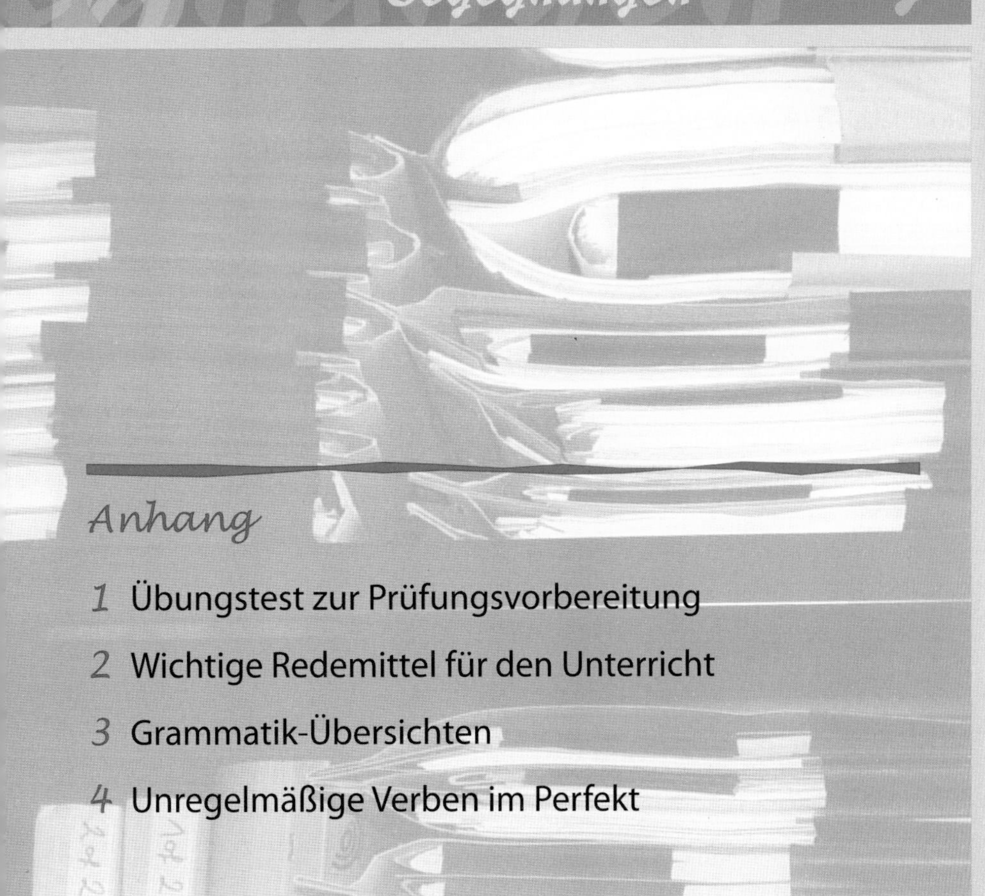

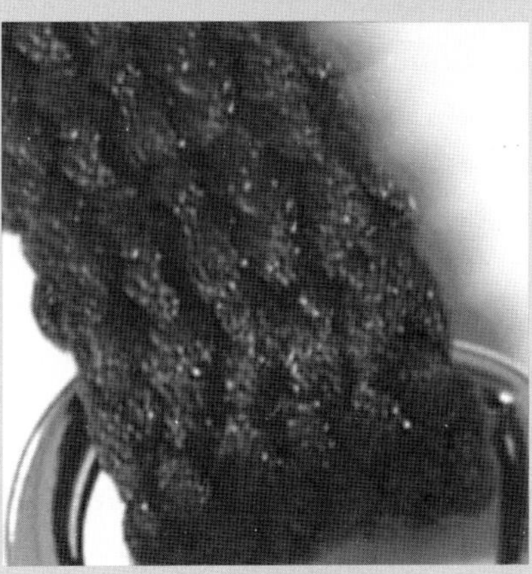

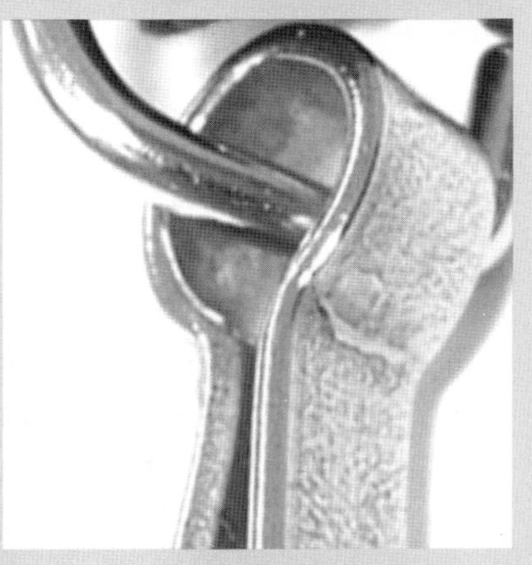

Anhang

Übungstest
zur Vorbereitung auf die Prüfung *Start Deutsch 1*

Der Test umfasst insgesamt vier Teile: Hören, Lesen, Schreiben und Sprechen.

Hören

Diese Einheit besteht aus drei Aufgaben und dauert ungefähr 20 Minuten.

1 Gespräche 2.39

Sie hören kurze Gespräche und müssen entscheiden: Welche Antwort ist richtig?
Sie hören jeden Dialog zweimal.

1. Was möchte die Frau?
   a) ❒ Postkarten kaufen b) ❒ zur Post gehen c) ❒ Briefmarken kaufen

2. Wie ist die Zimmernummer von Herrn Schrader?
   a) ❒ Zimmer 831 b) ❒ Zimmer 381 c) ❒ Zimmer 183

3. Wann will der Anrufer in den James-Bond-Film gehen?
   a) ❒ 17.30 Uhr b) ❒ 20.30 Uhr c) ❒ 19.30 Uhr

4. In welchem Stock arbeitet Frau Fischer?
   a) ❒ im zweiten Stock b) ❒ im achten Stock c) ❒ im zehnten Stock

5. Was kosten die normalen Birnen?
   a) ❒ 2,60 Euro b) ❒ 3,00 Euro c) ❒ 3,25 Euro

6. Wo ist die Apotheke?
   a) ❒ an der Kreuzung b) ❒ in der Beethovenstraße auf der rechten Seite c) ❒ in der Beethovenstraße auf der linken Seite

2 Mitteilungen 2.40

Sie hören kurze Mitteilungen (diverse Meldungen, Werbungen oder Durchsagen).
Sie müssen entscheiden: Ist der Satz richtig oder falsch?
Sie hören jeden Text nur einmal.

		richtig	falsch
1.	Der Zug nach Hamburg kommt nicht pünktlich an.	❒	❒
2.	Der Besitzer des Volkswagens soll zum Ausgang kommen.	❒	❒
3.	Am Vormittag ist das Wetter schön.	❒	❒
4.	In der Herrenabteilung kosten jetzt alle Hemden nur 29 Euro.	❒	❒

3 Telefonische Mitteilungen 2.41

In dieser Aufgabe hören Sie kurze telefonische Mitteilungen. Was ist richtig? Kreuzen Sie an.
Sie hören diese Texte zweimal.

1. Um wie viel Uhr schließt das Reisebüro?
   a) ❒ halb vier b) ❒ halb fünf c) ❒ halb sechs
2. Was ist das Problem bei der Tischreservierung?
   a) ❒ am Freitagabend ist kein Tisch mehr frei b) ❒ das Restaurant ist geschlossen c) ❒ es gibt nur noch einen Tisch für vier Personen
3. An welchem Tag ist das Fußballspiel?
   a) ❒ am Freitag b) ❒ am Samstag c) ❒ am Sonntag
4. Was muss Carsten kaufen?
   a) ❒ Obst und Wein b) ❒ Obst und Brot c) ❒ Wein und Brot
5. Wohin kann Steffi nicht gehen?
   a) ❒ ins Theater b) ❒ in ein Geschäft c) ❒ in ein Konzert

Lesen

Diese Einheit besteht aus drei Aufgaben und dauert ungefähr 25 Minuten.

4 Texte lesen

Sie lesen zwei kurze Texte (E-Mails, Anzeigen, Notizen).
Dann müssen Sie entscheiden: Habe ich das gelesen oder nicht? Ist der Satz richtig oder falsch?
Zu den zwei Texten bekommen Sie insgesamt fünf Fragen.

Einladung Party
Datei Bearbeiten Ansicht Einfügen Format Extras Nachricht ?
Senden Ausschneiden Kopieren Einfügen Rückgängig Prüfen Rechtsch... Einfügen Priorität Signieren Verschlüs... Offline Codierung
Von:
An:
Cc:
Betreff: Einladung Party

Hallo Bernard,

vielen Dank für die Einladung zu Deiner Party.
Es tut mir wirklich leid, aber ich kann nicht kommen. Meine Mutter hat an diesem Tag Geburtstag und ich möchte natürlich mit ihr feiern. (Ich habe ihr drei DVDs mit alten Greta-Garbo-Filmen gekauft, denn sie mag sie sehr!)
Auf Deine nächste Party komme ich ganz bestimmt!

Dein Nikolas

		richtig	falsch
1.	Nikolas möchte lieber auf die Party von Bernard gehen.	❒	❒
2.	Nikolas hat das Geschenk für seine Mutter schon gekauft.	❒	❒

Anzeige Babysitter

Betreff: Anzeige Babysitter

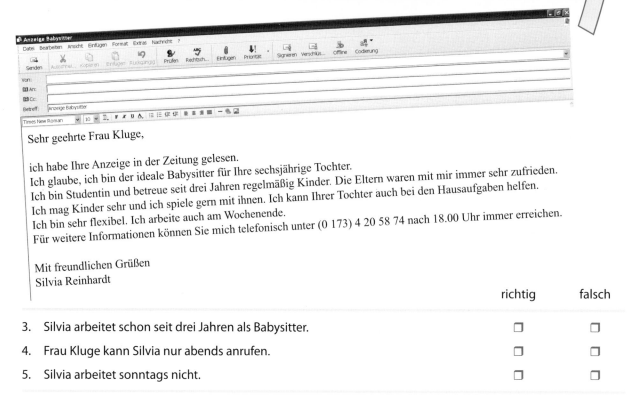

Sehr geehrte Frau Kluge,

ich habe Ihre Anzeige in der Zeitung gelesen.
Ich glaube, ich bin der ideale Babysitter für Ihre sechsjährige Tochter.
Ich bin Studentin und betreue seit drei Jahren regelmäßig Kinder. Die Eltern waren mit mir immer sehr zufrieden.
Ich mag Kinder sehr und ich spiele gern mit ihnen. Ich kann Ihrer Tochter auch bei den Hausaufgaben helfen.
Ich bin sehr flexibel. Ich arbeite auch am Wochenende.
Für weitere Informationen können Sie mich telefonisch unter (0 173) 4 20 58 74 nach 18.00 Uhr immer erreichen.

Mit freundlichen Grüßen
Silvia Reinhardt

	richtig	falsch
3. Silvia arbeitet schon seit drei Jahren als Babysitter.	❒	❒
4. Frau Kluge kann Silvia nur abends anrufen.	❒	❒
5. Silvia arbeitet sonntags nicht.	❒	❒

5 Informationen finden

Sie brauchen eine bestimmte Information. Sie lesen dazu zwei kurze Texte.
Sie müssen entscheiden: Finde ich die Information an Internet-Adresse a) oder b)?

1. Sie möchten das Kinoprogramm von Dortmund sehen.

a)
www.kino_dortmund.de
Was läuft heute Abend?
- Waldkino
- Marlene-Dietrich-Filmtheater
- UFA-Filmpalast

b)
www.dortmund_kultur.de
Kulturprogramme in Dortmund
Buchen Sie Ihre Eintrittskarte online:
- Kartenbestellung: Kino
- Kartenbestellung: Konzert
- Kinokritik

2. Sie möchten ein Haus in Frankreich kaufen. Wo finden Sie Informationen?

a)
www.immobilien-express.de
Suchen Sie ein schönes Haus?
Wir helfen Ihnen!
- Häuser in Berlin und Umgebung
- Häuser an der Ostsee
- Kontakt

b)
www.schoen_wohnen.com
Häuser und Wohnungen in Deutschland und im Ausland
- Unser Angebot (mit Fotos)
- Über uns
- Kontakt

3. Sie möchten im Herbst einen Spanischkurs besuchen.

a)
www.spanisch-lernen.info
Spanischkurse für Anfänger und Fortgeschrittene über das ganze Jahr!
- Unsere Kurse
- Unsere Preise
- Lehrbücher

b)
www.schnell_lernen.com
Spanisch, Englisch oder Französisch in 12 Wochen?
Ja! Hier ist das möglich!
- Einstufungstests
- Preise und Anmeldung
(Kurse nur von Mai bis August)

4. Sie möchten am Wochenende mit dem Zug von Frankfurt nach Berlin fahren.

a)

www.diebahn.de

Mit der Deutschen Bahn sind Sie immer pünktlich am Ziel!

- Fahrzeiten und Preise
- Neue Zugverbindungen
- Wochenendangebote

b)

www.verkehrsinfo.berlin.de

Verkehr in Berlin und Umgebung

- Allgemeine Informationen
- Fahrpläne
- Störungen
- Kontakt

5. Sie suchen nach Informationen über Hotels in Stuttgart.

a)

www.stuttgart_online.de

Stuttgart online

- Stadtgeschichte
- Sehenswürdigkeiten
- Übernachtungsmöglichkeiten

b)

www.reisefuehrer-stuttgart.de

Stuttgart erleben – am besten mit uns!

- Stadtbesichtigung mit Reiseführer
- Eine Führung buchen
- Kunst und Kultur

6 Mitteilungen lesen

In dieser Aufgabe lesen Sie kurze Mitteilungen.
Sie müssen entscheiden: Steht die Information im Text oder nicht? Ist der Satz richtig oder falsch?

		richtig	falsch
1.	Das Restaurant öffnet am 1. September wieder.	❒	❒
2.	Für die erste Gitarrenstunde muss man nicht bezahlen.	❒	❒
3.	Heute Abend gibt es keine Vorstellung von *Romeo und Julia*.	❒	❒
4.	Im Flugzeug darf man mit dem Handy nicht telefonieren.	❒	❒
5.	Diese Wohnung kann man ab 1. Februar kaufen.	❒	❒

Unser Restaurant ist wegen Urlaub vom 12. bis 31. August geschlossen.

Gebe Gitarrenunterricht, Individual- und Gruppenkurse.
Flexible Unterrichtszeiten.
Preise: ab 20 Euro pro Unterrichtsstunde.
Die erste Stunde kostet nichts.

Für die heutige Theatervorstellung von Romeo und Julia sind leider alle Karten ausverkauft.

Zu vermieten ab 1. Februar: 3-Zimmer-Wohnung, Balkon, Tiefgarage, Innenstadt.

Achtung! Im Flugzeug ist das Benutzen von Handys verboten.

Schreiben

Diese Einheit besteht aus zwei Aufgaben und dauert ungefähr 20 Minuten.

7 Ein Formular ausfüllen

In dieser Aufgabe müssen Sie ein Formular im Namen einer anderen Person ausfüllen.

Beispiel: Klaus Hentschel wohnt in Leipzig. Er und seine Frau fahren jeden Sonntag zu ihren Kindern nach Dresden. Sie nehmen den Zug. Schreiben Sie die fehlenden Informationen ins Formular.

Ihre Meinung interessiert uns!

Wie oft nehmen Sie den Zug?

Anrede:	❐ Herr	❐ Frau
Vorname:	....	
Name:	....	
Straße, Hausnummer:	*Marktstraße 25*	
Postleitzahl/Wohnort:	*04205*	
Geburtsdatum:	*12.11.1962*	
verheiratet:	❐ ja	❐ nein
Beruf:	*Immobilienmakler*	

Wie oft fahren Sie mit der Bahn?

Einmal pro ....

Wohin sind Sie gefahren? ....

DB

Danke

8 Eine E-Mail schreiben

Jetzt müssen Sie eine kurze E-Mail schreiben.
Sie müssen nach Informationen fragen oder auf eine E-Mail reagieren.

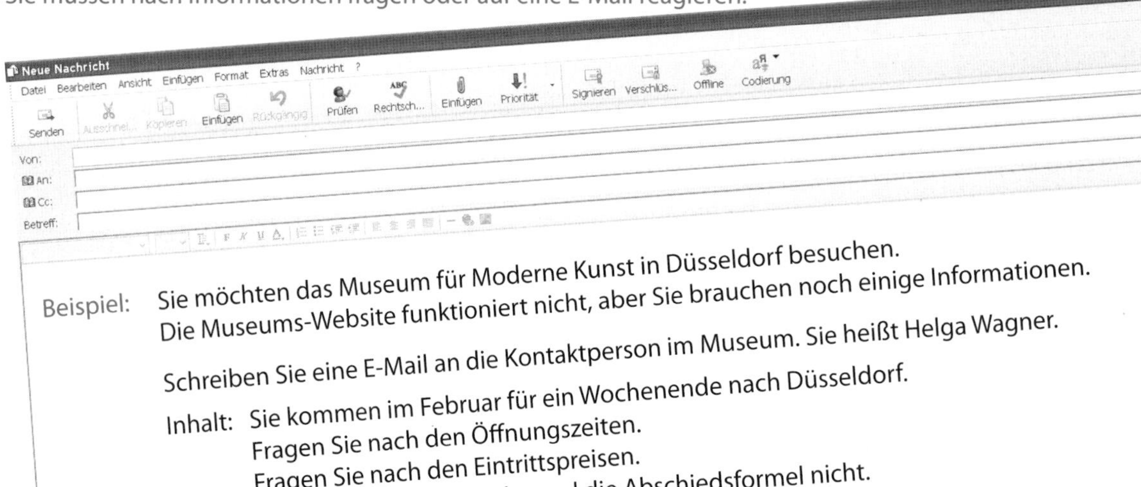

Beispiel: Sie möchten das Museum für Moderne Kunst in Düsseldorf besuchen. Die Museums-Website funktioniert nicht, aber Sie brauchen noch einige Informationen.

Schreiben Sie eine E-Mail an die Kontaktperson im Museum. Sie heißt Helga Wagner.

Inhalt: Sie kommen im Februar für ein Wochenende nach Düsseldorf.
Fragen Sie nach den Öffnungszeiten.
Fragen Sie nach den Eintrittspreisen.
Vergessen Sie die Anrede- und die Abschiedsformel nicht.

Sprechen

Diese Einheit besteht aus drei Aufgaben und dauert ungefähr 15 Minuten.

9 Zusammenhängend sprechen

In dieser Aufgabe müssen Sie etwas über sich erzählen.

Diese sieben Wörter bekommen Sie in der Prüfung:
Name? • Alter? • Land? • Wohnort? • Sprachen? • Beruf? • Hobby?

Am Ende müssen Sie etwas buchstabieren (z. B. Ihren Namen oder Wohnort) und eine Nummer (z. B. Hausnummer oder Handynummer) geben.

10 Fragen und Antworten formulieren

Nun müssen Sie zu zwei verschiedenen Themen Fragen und Antworten formulieren.

Beispiel a): Ihr erstes Thema ist *Wohnen*.

Sie haben die Karte mit dem Wort *Adresse* darauf. Sie können zum Beispiel fragen: *Wie ist Ihre Adresse?*
Die nächste Person beantwortet diese Frage: *Meine Adresse ist .../Ich wohne in ...*

Später bekommen Sie auch eine Frage zu einem anderen Wort.

WOHNEN 1
Balkon

WOHNEN 2
Zimmer

WOHNEN 3
Küche

WOHNEN 4
Plovdiver Str.
Jupiterstraße
Adresse

WOHNEN 5
Garten

WOHNEN 6
Personen

Beispiel b): Ihr zweites Thema ist *Freizeit.*

Diesmal bekommen Sie eine Karte mit einer Zeichnung. Sie haben Karte 1.

Sie fragen:
Wie oft spielen Sie Fußball?/Spielen Sie gern Fußball?/Machen Sie Sport?

Die nächste Person beantwortet Ihre Frage.

Sie sagt zum Beispiel:
Dreimal pro Woche./Ja, sehr gerne./Nein, ich mache keinen Sport.

Später bekommen Sie auch eine Frage zu einem anderen Bild.

11 Bitten formulieren und darauf reagieren

In dieser Aufgabe bekommen Sie wieder eine Karte mit einer Zeichnung.
Sie müssen eine passende Bitte formulieren. Danach müssen Sie auf eine andere Bitte reagieren.

Beispiel: Sie bekommen Karte 1 mit der Uhr.

Sie können sagen:
Wie spät ist es bitte?

Die nächste Person beantwortet Ihre Bitte:
Es ist 5 nach 12. oder: *Es tut mir leid, ich habe keine Uhr.*

Später müssen Sie auf eine andere Bitte reagieren.

Wichtige Redemittel für den Unterricht

Übersetzen Sie Redemittel in Ihre Muttersprache.

Deutsch	Ihre Muttersprache
Instruktionen im Deutschkurs	
Antworten Sie.	....
Beantworten Sie die Frage.	....
Berichten Sie.	....
Bilden Sie Sätze.	....
Diskutieren Sie mit Ihrer Nachbarin/Ihrem Nachbarn.	....
Ergänzen Sie.	....
Fragen Sie Ihre Nachbarin/Ihren Nachbarn.	....
Hören Sie das Gespräch/den Dialog.	....
Kombinieren Sie.	....
Kreuzen Sie an.	....
Lesen Sie den Text.	....
Markieren Sie.	....
Ordnen Sie zu.	....
Schreiben Sie einen Text/eine E-Mail …	....
Spielen Sie Dialoge.	....
Sprechen Sie nach.	....
Wiederholen Sie.	....
Man versteht/weiß etwas nicht	
Wie sagt man … auf Deutsch?	....
Ich verstehe *(das/dich/Sie)* nicht.	....
Wie bitte?	....
Kannst du/Können Sie das noch einmal wiederholen?	....
Sprechen Sie bitte langsam(er)./Sprich bitte langsam(er).	....
Ich habe eine Frage.	....
Darf ich *(dich/Sie)* etwas fragen?	....
Weißt du das?/Wissen Sie das?	....
Nach der Meinung fragen	
Was denkst du?/Was denken Sie?	....
Was meinst du?/Was meinen Sie?	....
Wie findest du das?/Wie finden Sie das?	....

Die Meinung sagen

Ich denke, …/Ich glaube, …	…………………………
Ich weiß es nicht./Ich habe keine Ahnung.	…………………………
Ich bin *(nicht)* sicher.	…………………………
(Ja,) das ist richtig./Das stimmt./Das glaube ich auch.	…………………………
(Nein,) das ist falsch./Das stimmt nicht.	…………………………
Das glaube ich nicht.	…………………………
Du hast recht./Sie haben recht.	…………………………
Das finde ich *(nicht so)* gut/toll/schön/wichtig.	…………………………
Und du/Sie?	…………………………
Ich auch./Ich nicht./Ich schon.	…………………………
Ich mag …	…………………………
Ich möchte lieber …	…………………………

Grammatik in Übersichten

Nomengruppe

Kasus	Singular maskulin	Singular feminin	Singular neutral	Plural
Nominativ	der Tisch der große Tisch ein Tisch ein großer Tisch kein großer Tisch mein großer Tisch	die Lampe die helle Lampe eine Lampe eine helle Lampe keine helle Lampe meine helle Lampe	das Telefon das alte Telefon ein Telefon ein altes Telefon kein altes Telefon mein altes Telefon	die Bücher die alten Bücher Bücher alte Bücher keine alten Bücher meine alten Bücher
Akkusativ	den Tisch den großen Tisch einen Tisch einen großen Tisch keinen großen Tisch meinen großen Tisch			
Dativ	dem Tisch dem großen Tisch einem Tisch einem großen Tisch keinem großen Tisch meinem großen Tisch	der Lampe der hellen Lampe einer Lampe einer hellen Lampe keiner hellen Lampe meiner hellen Lampe	dem Telefon dem alten Telefon einem Telefon einem alten Telefon keinem alten Telefon meinem alten Telefon	den Büchern den alten Büchern Büchern alten Büchern keinen alten Büchern meinen alten Büchern

Artikel

Artikel	Singular maskulin	Singular feminin	Singular neutral	Plural
bestimmter Artikel	der Tisch	die Lampe	das Telefon	die Bücher
unbestimmter Artikel	ein Tisch	eine Lampe	ein Telefon	Bücher
negativer Artikel	kein Tisch	keine Lampe	kein Telefon	keine Bücher
Possessivartikel	mein Tisch	meine Lampe	mein Telefon	meine Bücher
Demonstrativartikel	dieser Tisch	diese Lampe	dieses Telefon	diese Bücher

Possessivartikel

	Pronomen	Singular maskulin	Singular feminin	Singular neutral	Plural
Singular	ich und	mein Vater	meine Mutter	mein Kind	meine Freunde
	du und	dein Vater	deine Mutter	dein Kind	deine Freunde
	er/es und	sein Vater	seine Mutter	sein Kind	seine Freunde
	sie und	ihr Vater	ihre Mutter	ihr Kind	ihre Freunde
Plural	wir und	unser Vater	unsere Mutter	unser Kind	unsere Freunde
	ihr und	euer Vater	eure Mutter	euer Kind	eure Freunde
	sie und	ihr Vater	ihre Mutter	ihr Kind	ihre Freunde
formell	Sie und	Ihr Vater	Ihre Mutter	Ihr Kind	Ihre Freunde

Plural der Nomen

	Endung im Plural				
	---	*-e*	*-er*	*-(e)n*	*-s*
	(das Messer) die Messer	(das Telefon) die Telefone	(das Bild) die Bilder	(der Mensch) die Menschen	(das Büro) die Büros
	(der Computer) die Computer	(der Tisch) die Tische	(das Kind) die Kinder	(die Banane) die Bananen	(das Hobby) die Hobbys
mit Umlaut	(der Mantel) die Mäntel	(der Baum) die Bäume	(das Glas) die Gläser		

Personalpronomen

		Nominativ	Akkusativ	Dativ
Singular	1. Person	ich	mich	mir
	2. Person	du	dich	dir
	3. Person	er sie es	ihn sie es	ihm ihr ihm
Plural	1. Person	wir	uns	uns
	2. Person	ihr	euch	euch
	3. Person	sie	sie	ihnen
formell		Sie	Sie	Ihnen

Verben: Konjugation im Präsens

Regelmäßige Verben

			lernen	arbeiten
Singular	1. Person	ich	lern -e	arbeit -e
	2. Person	du	lern -st	arbeit -est
	3. Person	er sie es	lern -t	arbeit -et
Plural	1. Person	wir	lern -en	arbeit -en
	2. Person	ihr	lern -t	arbeit -et
	3. Person	sie	lern -en	arbeit -en
formell		Sie	lern -en	arbeit -en

Unregelmäßige Verben

fahren	geben	lesen	nehmen
fahr -e	geb -e	les -e	nehm -e
fähr -st	gib -st	lies -t	nimm -st
fähr -t	gib -t	lies -t	nimm -t
fahr -en	geb -en	les -en	nehm -en
fahr -t	geb -t	les -t	nehm -t
fahr -en	geb -en	les -en	nehm -en
fahr -en	geb -en	les -en	nehm -en

Haben, sein und *werden*

	haben	sein	werden
ich	habe	bin	werde
du	hast	bist	wirst
er/sie/es	hat	ist	wird
wir	haben	sind	werden
ihr	habt	seid	werdet
sie	haben	sind	werden
Sie	haben	sind	werden

Modalverben und *möchte(n)*

	können	müssen	sollen	wollen	dürfen	mögen	möchte(n)
ich	kann	muss	soll	will	darf	mag	möchte
du	kannst	musst	sollst	willst	darfst	magst	möchtest
er/sie/es	kann	muss	soll	will	darf	mag	möchte
wir	können	müssen	sollen	wollen	dürfen	mögen	möchten
ihr	könnt	müsst	sollt	wollt	dürft	mögt	möchtet
sie	können	müssen	sollen	wollen	dürfen	mögen	möchten
Sie	können	müssen	sollen	wollen	dürfen	mögen	möchten

Verben mit Präfix

nicht trennbare Verben	trennbare oder nicht trennbare Verben	trennbare Verben
Verben mit den Präfixen: be- emp- ent- er- ge- miss- ver- zer- sind nicht trennbar.	Verben mit den Präfixen: durch- über- um- unter- wider- wieder- können trennbar oder nicht trennbar sein.	Verben mit allen anderen Präfixen sind trennbar.
beginnen: ich beginne bezahlen: ich bezahle erhalten: ich erhalte erwarten: ich erwarte vereinbaren: ich vereinbare	trennbar: wiederkommen: ich komme wieder nicht trennbar: wiederholen: ich wiederhole	aufstehen: ich stehe auf einkaufen: ich kaufe ein fernsehen: ich sehe fern anfangen: ich fange an ausschalten: ich schalte aus

Verben: Imperativ

	kommen	nehmen	fahren	anfangen
du	Komm!	Nimm!	Fahr!	Fang an!
ihr	Kommt!	Nehmt!	Fahrt!	Fangt an!
Sie	Kommen Sie!	Nehmen Sie!	Fahren Sie!	Fangen Sie an!

Verben: Perfekt

Regelmäßige Verben

		Verben mit Präfix: trennbare Verben	Verben mit Präfix: nicht trennbare Verben	Verben auf *-ieren*
ich	bin gelandet	habe eingekauft	habe übersetzt	habe studiert
du	bist gelandet	hast eingekauft	hast übersetzt	hast studiert
er/sie/es	ist gelandet	hat eingekauft	hat übersetzt	hat studiert
wir	sind gelandet	haben eingekauft	haben übersetzt	haben studiert
ihr	seid gelandet	habt eingekauft	habt übersetzt	habt studiert
sie	sind gelandet	haben eingekauft	haben übersetzt	haben studiert
Sie	sind gelandet	haben eingekauft	haben übersetzt	haben studiert

Unregelmäßige Verben

		Verben mit Präfix: trennbare Verben	Verben mit Präfix: nicht trennbare Verben
ich	bin gefahren	habe angerufen	habe begonnen
du	bist gefahren	hast angerufen	hast begonnen
er/sie/es	ist gefahren	hat angerufen	hat begonnen
wir	sind gefahren	haben angerufen	haben begonnen
ihr	seid gefahren	habt angerufen	habt begonnen
sie	sind gefahren	haben angerufen	haben begonnen
Sie	sind gefahren	haben angerufen	haben begonnen

Verben: Präteritum

Regelmäßige Verben

	lernen	arbeiten	spielen	eröffnen
ich	lernte	arbeitete	spielte	eröffnete
du	lerntest	arbeitetest	spieltest	eröffnetest
er/sie/es	lernte	arbeitete	spielte	eröffnete
wir	lernten	arbeiteten	spielten	eröffneten
ihr	lerntet	arbeitetet	spieltet	eröffnetet
sie	lernten	arbeiteten	spielten	eröffneten
Sie	lernten	arbeiteten	spielten	eröffneten

Unregelmäßige Verben

	fahren	geben	fliegen	verlieren
ich	fuhr	gab	flog	verlor
du	fuhrst	gabst	flogst	verlorst
er/sie/es	fuhr	gab	flog	verlor
wir	fuhren	gaben	flogen	verloren
ihr	fuhrt	gabt	flogt	verlort
sie	fuhren	gaben	flogen	verloren
Sie	fuhren	gaben	flogen	verloren

Haben und *sein*

	haben	sein
ich	hatte	war
du	hattest	warst
er/sie/es	hatte	war
wir	hatten	waren
ihr	hattet	wart
sie	hatten	waren
Sie	hatten	waren

Modalverben

	können	müssen	sollen	wollen	dürfen	mögen
ich	konnte	musste	sollte	wollte	durfte	mochte
du	konntest	musstest	solltest	wolltest	durftest	mochtest
er/sie/es	konnte	musste	sollte	wollte	durfte	mochte
wir	konnten	mussten	sollten	wollten	durften	mochten
ihr	konntet	musstet	solltet	wolltet	durftet	mochtet
sie	konnten	mussten	sollten	wollten	durften	mochten
Sie	konnten	mussten	sollten	wollten	durften	mochten

Verben: Rektion

Das Verb regiert im Satz!

1. **Verben mit dem Nominativ (Frage: Wer? Was?)**
sein • werden

Er	wird	bestimmt	ein guter Arzt.	Das	ist	ein alter Fernseher.
NOMINATIV			NOMINATIV	NOMINATIV		NOMINATIV

2. **Verben mit dem Akkusativ (Frage: Wen? Was?)**
abholen • anrufen • beantworten • besuchen • bezahlen • brauchen • essen • finden • haben • hören • kennen • kosten • lesen • machen • möchten • öffnen • parken • sehen • trinken

Ich	brauche	ein Auto.	Das Zimmer	hat	einen Fernseher.
NOMINATIV		AKKUSATIV	NOMINATIV		AKKUSATIV

3. **Verben mit dem Dativ (Frage: Wem?)**
danken • gefallen • gehören • helfen • passen • schmecken

Die Jacke	gefällt	mir.	Das Auto	gehört	meinem Bruder.
NOMINATIV		DATIV	NOMINATIV		DATIV

4. **Verben mit Dativ und Akkusativ (Frage: Wem? + Was?)**
kaufen • schenken • schicken • schreiben • senden • zeigen

Ich	kaufe	mir	ein neues Kleid.	Wir	schenken	dem Chef	einen Blumenstrauß.
NOMINATIV		DATIV	AKKUSATIV	NOMINATIV		DATIV	AKKUSATIV

Sätze

Der Aussagesatz

	Position 2: finites Verb	
Ich	tanze.	
Marta	ist	Studentin.
Ich	studiere	an der Universität Leipzig Germanistik.
Wir	fahren	im Sommer nach Frankreich.
Im Sommer	fahren	wir nach Frankreich.
Ich	schenke	meinem Bruder ein Fahrrad.

Der Fragesatz

W-Frage

Fragewort	Position 2: finites Verb	
Woher	kommen	Sie?
Wohin	fahren	die Studenten?
Was	sind	Sie von Beruf?
Wie viel	kostet	der Computer?

Ja-Nein-Frage

Position 1: finites Verb		
Sprechen	Sie	Deutsch?
Studierst	du	in Berlin?

Die Satzklammer

Sätze mit trennbaren Verben

	Position 2: finites Verb		Satzende: trennbares Präfix
Ich	komme	morgen gegen 13.00 Uhr	an.
Wir	kaufen	heute nicht mehr	ein.

Sätze mit Modalverben

	Position 2: finites Verb		Satzende: Infinitiv
Ich	kann	heute leider nicht	kommen.
Wir	wollen	dieses Jahr nach Spanien	fliegen.

Sätze im Perfekt

	Position 2: finites Verb		Satzende: Partizip
Ich	bin	um 8.00 Uhr	aufgestanden.
Wir	haben	einen neuen Fernseher	gekauft.

Satzverbindungen: Konjunktionen

Grund	Ich mache am liebsten im Januar Urlaub,	denn	ich liebe den Schnee.
Gegensatz	Früher habe ich im Sommer Urlaub gemacht,	aber	heute fahre ich lieber im Winter weg.
	Ich fahre dieses Jahr nicht im Januar weg,	sondern	ich fliege im August nach Spanien.
Alternative	Vielleicht fahren wir in die Berge(,)	oder	wir fahren ans Meer.
Addition	Wir fahren im Januar nach Österreich(,)	und	im Sommer fahren wir nach Irland.